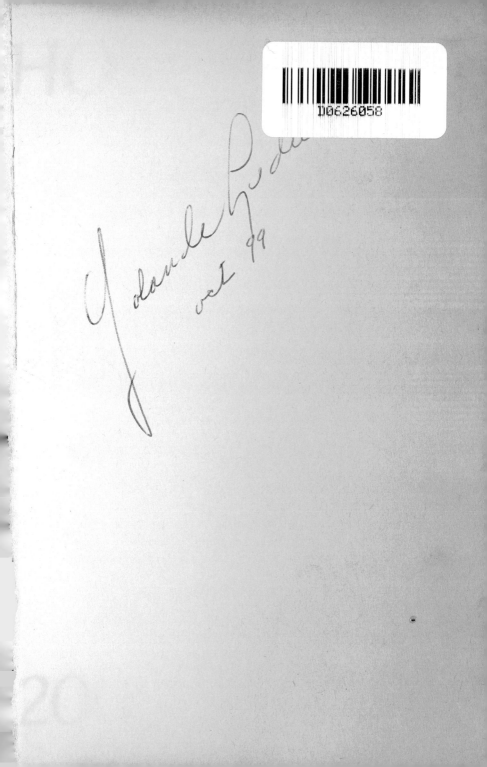

HOROSCOPE
chinois

2000

Illustrations : Josephine Sumner

DISTRIBUTEURS EXCLUSIFS:

• Pour le Canada et
les États-Unis:
MESSAGERIES ADP*
955, rue Amherst,
Montréal, Québec
H2L 3K4
Tél.: (514) 523-1182
Télécopieur: (514) 939-0406
* Filiale de Sogides ltée

• Pour la France et
les autres pays:
INTER FORUM
Immeuble Paryseine, 3, Allée de la Seine
94854 Ivry Cedex
Tél.: 01 49 59 11 89/91
Télécopieur: 01 49 59 11 96
Commandes: Tél.: 02 38 32 71 00
Télécopieur: 02 38 32 71 28

• Pour la Suisse:
DIFFUSION: HAVAS SERVICES SUISSE
Case postale 69 - 1701 Fribourg - Suisse
Tél.: (41-26) 460-80-60
Télécopieur: (41-26) 460-80-68
Internet: www.havas.ch
Email: office@havas.ch
DISTRIBUTION: OLF SA
Z.I. 3, Corminbœuf
Case postale 1061
CH-1701 FRIBOURG
Commandes: Tél.: (41-26) 467-53-33
Télécopieur: (41-26) 467-54-66

• Pour la Belgique et le Luxembourg:
PRESSES DE BELGIQUE S.A.
Boulevard de l'Europe 117
B-1301 Wavre
Tél.: (010) 42-03-20
Télécopieur: (010) 41-20-24

Pour en savoir davantage sur nos publications,
visitez notre site: **www.edhomme.com**
Autres sites à visiter: www.edjour.com · www.edtypo.com
www.edvlb.com · www.edhexagone.com · www.edutilis.com

Dépôt légal : 3e trimestre 1999
Bibliothèque nationale du Québec

ISBN : 2-7619-1502-X

HOROSCOPE chinois

Neil Somerville

2000

*Traduit de l'anglais
par Corinne Durin et Christiane Mayer*

LES ÉDITIONS DE L'HOMME

Parfois, dans la vie, tout va bien,
on dit : la chance nous sourit.
Parfois, dans la vie, tout va mal,
on dit : la chance nous oublie.
Mais dans les bons moments tout comme
dans les mauvais,
notre destin nous appartient.
Les courageux et les hardis
qui osent croire en leurs talents,
auront la chance pour compagne.

Introduction

Les astrologues orientaux pratiquent leur art depuis la nuit des temps et, aujourd'hui encore, les horoscopes chinois continuent de captiver les esprits.

Le zodiaque chinois compte douze signes, chacun représenté par un animal. Personne ne sait au juste de quelle manière les signes ont pris cette forme, car pour toute explication nous n'avons qu'une légende.

Cette légende veut qu'à l'occasion d'un nouvel an chinois, Bouddha ait convié tous les animaux de son royaume à se présenter devant lui. Pour des raisons mystérieuses, du moins aux yeux des hommes, seuls douze animaux répondirent à l'appel. Le Rat arriva le premier, puis suivirent le Bœuf, le Tigre, le Lièvre, le Dragon, le Serpent, le Cheval, la Chèvre, le Coq, le Chien, et enfin le Cochon.

Pour les remercier, Bouddha associa le nom de chacun d'eux à une année et fit en sorte que les humains héritent certaines caractéristiques de la personnalité de l'animal correspondant à leur année de naissance. Ainsi, les natifs de l'année du Bœuf se révéleraient travailleurs, déterminés et parfois têtus, comme le Bœuf ; de même, les natifs de l'année du Chien seraient aussi fidèles et loyaux que leur animal emblématique. Bien entendu, il ne faut pas s'attendre à reconnaître chez soi tous les traits d'un signe, mais les similarités n'en restent pas moins frappantes ; elles expliquent sans doute en partie la fascination qu'exercent depuis toujours les horoscopes chinois.

Aux douze signes du zodiaque chinois se greffent cinq éléments qui en renforcent ou en tempèrent les caractéristiques : le Métal, l'Eau, le Feu, le Bois et la Terre.

Leurs effets sont décrits dans les chapitres consacrés aux signes.

Pour découvrir sous quel signe vous êtes né, reportez-vous aux tableaux des pages suivantes. Étant donné que l'année chinoise est fonction de l'année lunaire, elle ne débute qu'à la fin janvier ou au début février; les natifs de cette période charnière devront donc porter une attention particulière aux dates.

De plus, vous trouverez dans l'Appendice deux tableaux faisant état du degré de compatibilité entre les signes, tant dans le cadre d'une relation personnelle que dans celui d'une relation professionnelle. Figurent également des indications concernant les signes associés aux différentes heures de la journée. À partir de cette liste, vous serez en mesure d'identifier votre ascendant; tout comme dans l'astrologie occidentale, on estime que celui-ci influe considérablement sur votre personnalité.

En écrivant ce livre, j'ai voulu conserver le caractère singulier des horoscopes chinois tout en satisfaisant à la prédilection occidentale pour les prévisions assorties de conseils de vie. Les interprétations proposées découlent d'une combinaison de facteurs se rapportant à chaque signe. Je me réjouis de savoir que la publication annuelle de cet horoscope suscite l'intérêt de tant de lecteurs, qui trouvent enrichissantes les sections portant sur l'année nouvelle. N'oubliez pas, cependant, que vous restez le maître de votre destinée! J'ose espérer que *L'horoscope chinois 2000* saura vous plaire et qu'il se révélera un compagnon utile au cours de la prochaine année.

Table des années chinoises

Rat	31	janvier	1900	au	18	février	1901
Bœuf	19	février	1901	au	7	février	1902
Tigre	8	février	1902	au	28	janvier	1903
Lièvre	29	janvier	1903	au	15	février	1904
Dragon	16	février	1904	au	3	février	1905
Serpent	4	février	1905	au	24	janvier	1906
Cheval	25	janvier	1906	au	12	février	1907
Chèvre	13	février	1907	au	1er	février	1908
Singe	2	février	1908	au	21	janvier	1909
Coq	22	janvier	1909	au	9	février	1910
Chien	10	février	1910	au	29	janvier	1911
Cochon	30	janvier	1911	au	17	février	1912
Rat	18	février	1912	au	5	février	1913
Bœuf	6	février	1913	au	25	janvier	1914
Tigre	26	janvier	1914	au	13	février	1915
Lièvre	14	février	1915	au	2	février	1916
Dragon	3	février	1916	au	22	janvier	1917
Serpent	23	janvier	1917	au	10	février	1918
Cheval	11	février	1918	au	31	janvier	1919
Chèvre	1er	février	1919	au	19	février	1920
Singe	20	février	1920	au	7	février	1921
Coq	8	février	1921	au	27	janvier	1922
Chien	28	janvier	1922	au	15	février	1923
Cochon	16	février	1923	au	4	février	1924
Rat	5	février	1924	au	23	janvier	1925
Bœuf	24	janvier	1925	au	12	février	1926
Tigre	13	février	1926	au	1er	février	1927
Lièvre	2	février	1927	au	22	janvier	1928
Dragon	23	janvier	1928	au	9	février	1929
Serpent	10	février	1929	au	29	janvier	1930
Cheval	30	janvier	1930	au	16	février	1931

Chèvre	17	février	1931	au	5	février	1932
Singe	6	février	1932	au	25	janvier	1933
Coq	26	janvier	1933	au	13	février	1934
Chien	14	février	1934	au	3	février	1935
Cochon	4	février	1935	au	23	janvier	1936
Rat	24	janvier	1936	au	10	février	1937
Bœuf	11	février	1937	au	30	janvier	1938
Tigre	31	janvier	1938	au	18	février	1939
Lièvre	19	février	1939	au	7	février	1940
Dragon	8	février	1940	au	26	janvier	1941
Serpent	27	janvier	1941	au	14	février	1942
Cheval	15	février	1942	au	4	février	1943
Chèvre	5	février	1943	au	24	janvier	1944
Singe	25	janvier	1944	au	12	février	1945
Coq	13	février	1945	au	1er	février	1946
Chien	2	février	1946	au	21	janvier	1947
Cochon	22	janvier	1947	au	9	février	1948
Rat	10	février	1948	au	28	janvier	1949
Bœuf	29	janvier	1949	au	16	février	1950
Tigre	17	février	1950	au	5	février	1951
Lièvre	6	février	1951	au	26	janvier	1952
Dragon	27	janvier	1952	au	13	février	1953
Serpent	14	février	1953	au	2	février	1954
Cheval	3	février	1954	au	23	janvier	1955
Chèvre	24	janvier	1955	au	11	février	1956
Singe	12	février	1956	au	30	janvier	1957
Coq	31	janvier	1957	au	17	février	1958
Chien	18	février	1958	au	7	février	1959
Cochon	8	février	1959	au	27	janvier	1960
Rat	28	janvier	1960	au	14	février	1961
Bœuf	15	février	1961	au	4	février	1962
Tigre	5	février	1962	au	24	janvier	1963
Lièvre	25	janvier	1963	au	12	février	1964
Dragon	13	février	1964	au	1er	février	1965
Serpent	2	février	1965	au	20	janvier	1966

Cheval	21	janvier	1966	au	8	février	1967
Chèvre	9	février	1967	au	29	janvier	1968
Singe	30	janvier	1968	au	16	février	1969
Coq	17	février	1969	au	5	février	1970
Chien	6	février	1970	au	26	janvier	1971
Cochon	27	janvier	1971	au	14	février	1972
Rat	15	février	1972	au	2	février	1973
Bœuf	3	février	1973	au	22	janvier	1974
Tigre	23	janvier	1974	au	10	février	1975
Lièvre	11	février	1975	au	30	janvier	1976
Dragon	31	janvier	1976	au	17	février	1977
Serpent	18	février	1977	au	6	février	1978
Cheval	7	février	1978	au	27	janvier	1979
Chèvre	28	janvier	1979	au	15	février	1980
Singe	16	février	1980	au	4	février	1981
Coq	5	février	1981	au	24	janvier	1982
Chien	25	janvier	1982	au	12	février	1983
Cochon	13	février	1983	au	1er	février	1984
Rat	2	février	1984	au	19	février	1985
Bœuf	20	février	1985	au	8	février	1986
Tigre	9	février	1986	au	28	janvier	1987
Lièvre	29	janvier	1987	au	16	février	1988
Dragon	17	février	1988	au	5	février	1989
Serpent	6	février	1989	au	26	janvier	1990
Cheval	27	janvier	1990	au	14	février	1991
Chèvre	15	février	1991	au	3	février	1992
Singe	4	février	1992	au	22	janvier	1993
Coq	23	janvier	1993	au	9	février	1994
Chien	10	février	1994	au	30	janvier	1995
Cochon	31	janvier	1995	au	18	février	1996
Rat	19	février	1996	au	6	février	1997
Bœuf	7	février	1997	au	27	janvier	1998
Tigre	28	janvier	1998	au	15	février	1999
Lièvre	16	février	1999	au	4	février	2000
Dragon	5	février	2000	au	23	janvier	2001

Note: Les appellations des signes du zodiaque chinois peuvent varier d'un livre à l'autre, sans pourtant modifier, de quelque façon que ce soit, les caractéristiques de ces signes. Ainsi, dans certains livres, le Bœuf porte les noms de Buffle ou de Taureau ; le Lièvre, ceux de Lapin ou de Chat ; la Chèvre, celui de Mouton ; et le Cochon, celui de Sanglier.

Ce livre s'adresse à tous, femmes et hommes, mais dans le but d'en simplifier la lecture, seul le masculin a été utilisé.

L'année du Dragon

Qu'il figure sur un drapeau, sur des armoiries, ou qu'il ouvre le carnaval, une chose est sûre, le Dragon aime être au premier plan. L'extraordinaire aura entourant cet animal qui crache le feu lui confère une force symbolique saisissante. Parmi les douze signes du zodiaque chinois, seul le Dragon relève du mythe, mais il n'en exerce pas moins une puissante influence. Ainsi, l'année marquée de ce signe sera faite de bouleversements, de développements palpitants, d'occasions rêvées.

L'année du Dragon commence le 5 février 2000. Arrivant peu de temps après les célébrations du nouveau millénaire, elle suscitera de grands espoirs. Le Dragon s'emploiera à les matérialiser, parfois avec succès, mais il décochera également à l'humanité quelques avertissements salutaires.

Sur la scène politique, l'année du Dragon sera porteuse de changements significatifs. Ce sera année d'élections aux États-Unis, et la lutte entre les partis promet d'être féroce. Les candidats proposeront de nouvelles orientations, mais les débats tourneront également autour des qualités personnelles et des valeurs morales des futurs élus. D'ailleurs, la campagne électorale sera le théâtre de plusieurs examens de conscience et de brusques revers de fortune, autant dans le cadre des primaires que dans la période précédant le scrutin final. Mais le vent de renouveau politique ne touchera pas que les États-Unis ; partout dans le monde, l'année du Dragon occasionnera d'importants transferts de pouvoir. Souvenons-nous des événements survenus au cours de précédentes années du Dragon, alors qu'en Égypte Nasser renversait la monarchie,

Brejnev supplantait Khrouchtchev, et le premier ministre britannique Harold Wilson surprenait la nation en annonçant sa démission. De tels scénarios sont susceptibles de figurer au programme de l'an 2000, favorisant l'émergence de puissantes personnalités sur la scène politique internationale.

L'activisme prendra également un relief particulier cette année. Certains groupes mèneront de vigoureuses campagnes pour défendre les causes auxquelles ils croient passionnément. Parfois, l'impact des événements sera tel qu'il se fera sentir même au-delà des frontières nationales. Qu'on se rappelle la contestation étudiante qui souleva le campus de Berkeley (Californie), les émeutes raciales de Harlem et celles de Soweto, qui toutes eurent lieu sous le signe du Dragon, avec les répercussions considérables que l'on connaît. De même, il y a douze ans, le groupe Solidarité gagnait de l'ampleur, s'apprêtant à changer radicalement le cours de l'histoire en Pologne ainsi qu'en Europe de l'Est. C'est cette même année que, lors d'un voyage en Pologne, Mme Thatcher eut l'audace de proposer le démantèlement du mur de Berlin et la levée du rideau de fer, afin que les pays satellites de l'Union soviétique puissent s'intégrer à l'espace européen, choses qui, on le sait, ne devaient pas tarder à se produire. À noter qu'au cours de plusieurs années du Dragon, l'intensification des mouvements de revendication fut telle qu'ils engendrèrent des changements sociaux profonds et durables. L'an 2000 n'échappera pas davantage aux perturbations de cette nature, qui constituent l'un des héritages majeurs de l'année du Dragon.

Par ailleurs, l'arrivée du nouveau millénaire fera époque aux yeux de nombreux politiciens et hommes d'affaires, qui entreprendront de marquer l'événement avec éclat. On annoncera ainsi des projets de grande envergure, tels routes, aéroports, ou parcs d'attractions et centres culturels destinés aux générations présentes et futures. En vérité, les années du Dragon sont invariablement propices aux initiatives, même les plus ambitieuses !

Sur le plan de l'économie mondiale, les marchés boursiers risquent de connaître d'importantes fluctuations au cours de l'année. Les actualités qui incitent à l'optimisme tout comme les signes d'essor économique encourageront considérablement les investissements, mais pour peu que circulent des rumeurs ou des statistiques inquiétantes, la tendance à la hausse s'inversera tout aussi vite. Certains des aspects favorables de l'année du Dragon se révélant parfois illusoires, les investisseurs auront intérêt à garder la tête froide.

Il n'en reste pas moins que, sous la gouverne du Dragon, l'esprit d'initiative est immanquablement à l'honneur. On peut donc s'attendre à ce que la conjoncture soit favorable au démarrage de nouvelles entreprises, mais aussi, de manière plus générale, à toute personne se montrant déterminée à aller de l'avant. La fortune sourira aux audacieux !

Les années du Dragon se distinguent également par l'atmosphère d'excitation fiévreuse qui règne dans les milieux artistiques. L'industrie de la mode lancera à coup sûr d'étonnants et fabuleux designs, tandis que sur la scène musicale, sonorités et styles inédits connaîtront un succès fracassant auprès du public, qui aura droit à des performances mémorables. Ainsi, c'est lors d'une année du Dragon qu'eut lieu le spectacle sons et lumières de Jean-Michel Jarre aux Docklands de Londres, et que la Philharmonie royale de Londres donna en première la Dixième Symphonie inachevée de Beethoven. Théâtre et cinéma promettent à leur tour de belles surprises, tandis que les systèmes de divertissement au foyer, et notamment la télévision, poursuivront leur rapide évolution, offrant aux auditeurs un choix grandissant de produits, services et accessoires.

De même, les amateurs de sports peuvent entrevoir une année palpitante. À l'occasion des Jeux Olympiques de Sydney, on assistera à l'établissement de nouveaux records ainsi qu'à d'inspirantes performances de la part des concurrents et des équipes en lice. Là encore, l'année du Dragon aiguillonnera chez beaucoup la volonté de se dépasser et d'atteindre de nouveaux sommets.

Cependant, si une grande effervescence caractérise l'an 2000, des tragédies sont aussi à prévoir. Désastres et catastrophes naturelles surviennent chaque année, bien sûr, mais les années du Dragon sont notables pour leurs tremblements de terre, tel celui qui détruisit la ville de Corinthe en 1858; il y a douze ans, toujours sous le signe du Dragon, un séisme ravagea l'Arménie. Toutefois, lorsque la tragédie frappera, la réaction internationale sera prompte; à plusieurs reprises, les nations uniront leurs efforts et mettront en commun leurs ressources pour venir en aide aux victimes. C'est d'ailleurs le même esprit qui incita, lors de la dernière année du Dragon, cinquante millions de personnes à travers le monde à participer à la Course contre le temps, événement organisé au profit de l'enfance malheureuse. Et de nouveau, l'an 2000 verra se multiplier les gestes d'appui à la faveur des causes humanitaires.

Les questions environnementales n'iront pas elles non plus sans susciter l'inquiétude. Les scientifiques réitéreront leurs mises en garde quant aux conséquences du réchauffement de la planète et aux effets délétères de la pollution et des interventions humaines sur l'écosystème. C'est en 1976, une autre année du Dragon, que

18

l'Académie nationale des sciences alerta l'opinion publique du fait que l'emploi de bombes aérosol contribuait à la détérioration de la couche d'ozone. En l'an 2000, de nouveaux avertissements retentiront, et des constats alarmants inciteront les gouvernements à mettre sur pied de nouvelles mesures visant à protéger la planète.

Sous l'influence du Dragon, cette année sera indubitablement mouvementée, donnant lieu à des développements d'une portée considérable. Mais elle se prêtera également aux initiatives individuelles : pour qui sera prêt à saisir l'occasion, la voie du progrès et des accomplissements personnels est ouverte. Ajoutons que selon la tradition chinoise, en plus de s'avérer favorable à la création d'entreprises, l'année marquée par le Dragon est tout indiquée pour se marier ou fonder une famille. Quoi qu'il en soit, stimulé par l'arrivée de l'an 2000, sans doute viserez-vous à en faire une année mémorable et à tirer parti de son fantastique potentiel. Puisse-t-elle vous apporter chance et prospérité, ainsi que favoriser la réalisation de vos espoirs, rêves et projets.

Le Rat

31 janvier 1900 au 18 février 1901	Rat de Métal
18 février 1912 au 5 février 1913	Rat d'Eau
5 février 1924 au 23 janvier 1925	Rat de Bois
24 janvier 1936 au 10 février 1937	Rat de Feu
10 février 1948 au 28 janvier 1949	Rat de Terre
28 janvier 1960 au 14 février 1961	Rat de Métal
15 février 1972 au 2 février 1973	Rat d'Eau
2 février 1984 au 19 février 1985	Rat de Bois
19 février 1996 au 6 février 1997	Rat de Feu

LA PERSONNALITÉ DU RAT

Le monde est là, devant vous. Point n'est besoin de le prendre ou de le laisser tel que lorsque vous êtes arrivé.

JAMES BALDWIN, un Rat

Le Rat naît sous le signe du charme. Il est intelligent et populaire, c'est un être très sociable qui raffole des fêtes et des réunions mondaines. Il est doué d'une facilité remarquable pour nouer des amitiés, et le bien-être de ceux qui l'entourent lui tient à cœur. Sa compréhension de la nature humaine fait qu'on recherche souvent ses conseils. On se sent bien en sa compagnie.

Le Rat est un travailleur acharné, à l'imagination fertile, et qui n'est jamais à court d'idées. Cependant, un manque de confiance en lui le retient parfois de les promouvoir avec vigueur, ce qui l'empêche d'obtenir la reconnaissance et le crédit qu'il mérite.

Le Rat est réputé pour son sens de l'observation et on retrouve chez plusieurs natifs de ce signe de très bons écrivains ou journalistes. Il excelle également dans le domaine des relations publiques et dans tout emploi qui le met en contact avec les gens et les médias. En temps de crise, on apprécie tout particulièrement ses talents car il sait garder la tête froide ; il arrive toujours à trouver une solution pour se sortir d'une situation délicate.

Au plan du travail, le Rat aime être plongé dans l'action. Si vous le condamnez à une vie de rond-de-cuir, il peut devenir rigide et tatillon.

Un certain opportunisme fait qu'il est toujours à l'affût ; il laisse rarement s'échapper une occasion d'améliorer son sort matériel et risque même, en voulant courir plusieurs lièvres à la fois, de disperser ses énergies et finalement d'accomplir très peu. Facilement crédule, il risque de se laisser manipuler par des personnes moins scrupuleuses que lui.

On reconnaît le Rat à son attitude envers l'argent. Il se montre très économe, certains diraient même un peu mesquin, mais c'est qu'il aime que l'argent reste dans la famille. C'est avec son conjoint, ses enfants, ses intimes qu'il fera preuve de libéralité. Il sait également être généreux envers lui-même, résistant difficilement à se priver d'un objet ou d'un luxe qui lui fait envie. Animé d'un fort instinct de possession, le Rat accumule : il a horreur du gaspillage et se résout rarement à jeter quoi que ce soit. Il peut manifester une certaine avidité, aussi acceptera-t-il volontiers toute invitation ou sortie qui n'entraîne pas de déboursés.

En société, le Rat est fin causeur même si à l'occasion il manque de tact. Il peut être sévère dans ses jugements à l'égard des autres (si vous désirez un point de vue franc et non biaisé, demandez au Rat) et parfois ne répugne pas à utiliser à son profit des informations confidentielles. Toutefois, vu sa nature attachante, peu résistent à lui pardonner ses quelques indiscrétions.

À aucun moment au cours de sa vie le Rat ne manquera d'amis. C'est avec les natifs de son propre signe ainsi que ceux du Bœuf, du Dragon et du Singe qu'il trouve le plus d'affinités, mais il s'entend également bien avec les Tigres, les Serpents, les Coqs, les Chiens et les Cochons. Cependant, les Lièvres et les Chèvres, plus sensibles, considèrent que le Rat est trop critique et qu'il manque de délicatesse. De même, le Cheval et le Rat ont quelque mal à s'entendre ; le caractère

changeant du Cheval et sa nature indépendante décon-
certent le Rat, qui recherche la sécurité.

Le Rat attache une grande importance à la famille,
et il est prêt à tout pour faire plaisir aux êtres chers. Sa
loyauté envers ses parents est exceptionnelle, et il est,
pour sa part, un parent aimant et attentionné. Il n'est pas
rare qu'il ait plusieurs enfants ; il s'intéresse de près à
leurs activités et s'assure qu'ils ne manquent de rien.

La femme Rat est dotée d'une nature ouverte et
généreuse. Elle partage son temps entre mille activités.
Elle possède un large cercle d'amis et, excellente hôtesse,
elle adore recevoir. Elle aime que sa maison soit bien
tenue ; elle fait preuve d'un goût très sûr pour la décorer.
Les membres de sa famille sont assurés de son soutien
indéfectible. Au plan professionnel, sa débrouillardise,
son entregent et sa persévérance la servent bien, quel que
soit le domaine qu'elle choisisse.

Bien que spontanément communicatif, extraverti
même, le Rat s'avère également secret. Il affiche peu ses
sentiments et, alors qu'il aime bien être au courant de ce
que font les autres, il admet mal qu'on vienne mettre le
nez dans ses affaires. Toutefois, il n'aime guère la solitude, et s'il lui arrive de se retrouver seul pour une longue
période, il devient facilement déprimé.

Le Rat possède incontestablement quantité de
talents ; s'il n'en tire pas toujours le meilleur parti, c'est
qu'il a tendance à se disperser en poursuivant plusieurs
objectifs en même temps. En ciblant mieux ses efforts, il
pourra connaître la réussite. Sinon, fortune et succès
risquent de lui échapper. Mais comme il dispose d'un
charme considérable, le Rat se retrouvera bien rarement
privé d'amis.

Les cinq types de Rats

Aux douze signes de l'astrologie chinoise sont associés cinq éléments dont l'influence vient tempérer ou renforcer le signe. Sont décrits ci-après leurs effets sur le Rat, de même que les années au cours desquelles ces éléments exercent leur influence. Ainsi, les Rats nés en 1900 et 1960 sont des Rats de Métal ; ceux qui sont nés en 1912 et 1972 sont des Rats d'Eau, etc.

Le Rat de Métal (1900, 1960)

Ce Rat fait preuve d'un goût très sûr et il apprécie le raffinement, comme en témoigne son intérieur. Il adore recevoir, ce qu'il fait souvent, et fréquenter les cercles mondains. Grâce à un sens des affaires aiguisé, il sait faire fructifier son argent. Chez le Rat de Métal, les apparences sont parfois trompeuses : alors qu'il semble plein d'entrain et d'assurance, intérieurement, il est préoccupé par des soucis qu'il se crée lui-même, bien souvent. Tant à l'égard des amis que de la famille, il manifeste une loyauté exceptionnelle.

Le Rat d'Eau (1912, 1972)

Le Rat d'Eau est intelligent et très perspicace. C'est un être réfléchi, qui sait exprimer ce qu'il pense de manière claire et convaincante. Toujours avide d'apprendre, il est doué dans plusieurs domaines. Le Rat d'Eau jouit habituellement d'une grande popularité, mais la peur d'être seul pourrait faire qu'il se retrouve en mauvaise compagnie. Il manie la plume avec bonheur, c'est une de ses forces. Toutefois, comme il est facilement distrait, il doit apprendre à concentrer ses efforts sur une tâche à la fois.

Le Rat de Bois (1924, 1984)

Le Rat de Bois a une personnalité engageante, aussi collègues et amis recherchent-ils sa présence. Il a l'esprit vif et aime se rendre utile à son entourage. Il ressent de l'insécurité face à l'avenir, mais c'est bien sans raison, vu son intelligence et ses aptitudes. Il a un excellent sens de l'humour et raffole des voyages. Étant donné sa nature hautement imaginative, il peut être écrivain ou artiste.

Le Rat de Feu (1936, 1996)

Le Rat de Feu est rarement inactif; on dirait qu'il possède d'inépuisables réserves d'énergie et d'enthousiasme, que ce soit pour découvrir des contrées nouvelles, des idées nouvelles, ou pour faire campagne pour une cause qui lui tient à cœur. C'est un esprit original qui déteste les contraintes et les ordres. Il sait exprimer ses vues sans détour mais, quelquefois, emporté par le feu du moment, il risque de s'engager dans des entreprises en négligeant d'en mesurer toutes les implications. Toutefois, il ne se laisse jamais abattre et, bien épaulé, il ira loin dans la vie.

Le Rat de Terre (1948)

Le Rat de Terre possède finesse et sang-froid. Il est rare de le voir prendre inutilement des risques et, bien qu'il ait toujours en tête d'améliorer sa situation financière, il sait être patient et ne laisse rien au hasard. Le Rat de Terre a probablement l'esprit moins aventurier que les autres types de Rats ; le familier lui plaît davantage que l'inconnu et il répugne à se lancer tête baissée dans ce qu'il ne connaît pas à fond. Il est doué, consciencieux, et bienveillant à l'égard de ses proches. Il se soucie parfois trop de l'image qu'il veut projeter.

Perspectives du Rat pour l'an 2000

La nouvelle année chinoise débute le 5 février 2000. Jusque-là, c'est donc toujours l'année du Lièvre qui fait sentir son influence.

L'année du Lièvre (du 16 février 1999 au 4 février 2000) aura été une année intéressante pour le Rat, et bien que tout ne lui aura pas été favorable, il aura tout de même beaucoup appris et acquis une expérience précieuse. Au cours de la prochaine année chinoise, il saura en tirer pleinement profit, avec, pour résultat, des progrès majeurs.

À compter de novembre 1999, les aspects sont favorables au Rat et c'est le début pour lui d'une période de bonne fortune. Il lui est donc conseillé de faire un usage judicieux des derniers mois de l'année du Lièvre pour compléter les projets déjà entrepris et s'occuper de tout ce qu'il remettait à plus tard. Ravi de voir ce qu'il peut accomplir grâce à des efforts concertés, il se trouvera aussi mieux disposé pour les festivités qui marqueront la fin de 1999.

En effet, la personnalité engageante du Rat fait qu'il prendra beaucoup de plaisir à ce qui se déroulera dans la dernière partie de l'année du Lièvre ; son agenda sera chargé de choses à faire et de gens à voir. Cependant, lui d'habitude si habile dans les relations humaines devra exercer une certaine prudence. Il ne peut s'attendre de décider de tout, par exemple, sans soulever de protestations ; non plus doit-il faire preuve d'intransigeance dans les détails. Un plus grand souci des autres évitera que se développent des tensions qui viendraient jeter une ombre sur une saison de réjouissances mémorables.

Au plan du travail, les dernières semaines de l'année du Lièvre constitueront pour le Rat une période constructive et ce sera à son avantage d'en profiter pour ajouter à son expérience. Il devra explorer les nouvelles avenues qui s'offrent à lui et garder l'œil ouvert, car ce qu'il prépare alors pourrait s'avérer fructueux au cours des douze mois qui viennent.

Toutefois, comme il aura engagé beaucoup de dépenses, il devra surveiller ses finances et bien réfléchir avant de faire des achats coûteux. Succomber trop facilement à la tentation du moment le forcerait à se serrer la ceinture plus tard. L'année du Lièvre n'est pas propice aux dépenses excessives, aux risques démesurés ou à la complaisance.

Bien que devant jouer de prudence en cette fin d'année du Lièvre, le Rat sent que l'horizon s'éclaircit. Le vent tourne à l'optimisme. Raison de plus pour goûter les célébrations du millénaire et sourire à la nouvelle année chinoise.

L'année du Dragon, qui débute le 5 février, s'annonce très favorable pour le Rat. Aimable et débrouillard comme il l'est, il devrait connaître de grandes satisfactions dans tous les domaines. Le climat positif qui va régner tout au long de cette année l'aidera à donner le meilleur de lui-même.

Au travail, ses perspectives sont particulièrement prometteuses et, au cours des mois, il peut espérer être favorisé par le sort à maintes reprises, soit qu'il se trouve au bon endroit au bon moment, soit qu'il entende parler de débouchés intéressants, par exemple. Peu importe la façon dont ces occasions se présentent, grâce à son esprit toujours en éveil, le Rat saura les saisir. Cette année devrait donc marquer son avancement ; tous ses efforts doivent tendre vers ce but. Les mois de mars, avril, juillet et septembre s'annoncent particulièrement fertiles, mais, compte tenu des aspects propices, presque tous les mois pourraient voir surgir de bonnes occasions.

Pour les Rats qui se trouvent dans une même situation depuis un certain temps et qui souhaitent de nouveaux défis, c'est vraiment l'année pour tout mettre en œuvre en vue d'un changement. Leur flair et leur dynamisme les aideront à repérer les ouvertures possibles. De même, bon nombre de ceux qui recherchent un emploi en trouveront un ; ce pourrait être encore une fois par l'effet d'un heureux hasard, un poste dont ils entendent parler ou quelqu'un qui les recommande. Dans certains cas, le travail offert ne ressemblera en rien à ce qu'ils faisaient précédemment, mais sera une occasion pour eux de se découvrir et de développer des habiletés insoupçonnées. En fait, l'année du Dragon vient marquer un point tournant dans la vie et la carrière de nombreux Rats.

Vu les tendances qui prévalent, il est tout indiqué pour le Rat de chercher à parfaire sa formation, de mettre à jour ses connaissances ou même d'en acquérir de nouvelles. Il récoltera satisfaction et avantage de toute démarche entreprise pour améliorer ses chances d'avancement.

Le Rat devrait sans hésiter exprimer ses idées et offrir des suggestions, particulièrement en ce qui se rapporte à son travail : n'est-il pas après tout un esprit original et novateur ? Qu'il n'oublie pas que l'année du Dragon favorise les audacieux, dont il est, à n'en pas douter !

Le Rat verra également sa situation financière s'améliorer au cours de l'année. Ce pourrait être une tentation de s'offrir douceurs et voyages. Cependant, malgré le plaisir qu'il en retirerait, il sera bien avisé de réfléchir avant d'engager des sommes importantes. Il pourrait regretter sa précipitation, s'il découvre après coup qu'il aurait pu obtenir à meilleur prix le même article ailleurs.

De toute façon, une trop grande prodigalité est à éviter. Alors qu'il est financièrement en meilleure posture, le Rat fera bien de mettre quelque argent de côté, qu'il fera fructifier en prévision de l'avenir. S'il prête de l'argent : attention! Il doit veiller à établir son prêt en bonne et due forme afin que des malentendus ne viennent en compromettre le remboursement.

La vie sociale et familiale du Rat, pour sa part, soumise à des influences positives, lui apportera de fréquents moments de bonheur et de satisfaction. Ceux qui l'entourent sont prêts à le soutenir dans ses projets, et il fera bien de prêter l'oreille aux conseils qu'il reçoit. Particulièrement à ceux de ses intimes, car ils ont ses intérêts à cœur et sauront prendre en considération des aspects que le Rat lui-même pourrait négliger, ou faire des suggestions utiles. Au cours de l'année, l'apport des autres lui sera nettement bénéfique, et leur affection, très réconfortante.

Le Rat s'intéressera également avec plaisir aux activités des membres de sa famille, dont les progrès et succès constitueront pour lui une grande source de satisfaction. Il se présentera, à l'intérieur de la famille, une occasion particulière de fêter au cours de l'année, et le Rat peut compter y jouer un rôle de premier plan.

La grande sociabilité du Rat est connue et, de nouveau, en l'an 2000, il participera à de nombreuses rencontres et événements mondains. Il se présentera des occasions en or pour qui souhaite trouver l'âme sœur ou nouer de nouvelles amitiés, spécialement au début du printemps et à la fin de l'été. Une amitié qui naît à ce moment pourrait fort bien, au cours des mois, évoluer vers autre chose. L'amour occupera certainement une grande place dans la vie de nombreux Rats cette année. Ceux qui sont insatisfaits de leur situation actuelle, ceux qui se sentent seuls ou qui sont tristes au sortir d'une période difficile devraient se convaincre que ce n'est pas le passé qui compte, mais le présent et l'avenir. Bien sûr, l'exercice peut être difficile pour certains, mais l'année s'annonce tellement bonne qu'il faut profiter de tous ses instants.

Les voyages entrepris au cours de l'année seront sous d'heureux auspices. C'est le temps pour le Rat de profiter de toutes les occasions de partir, et de planifier des vacances à l'extérieur, soit pour découvrir des lieux nouveaux ou simplement pour marquer une pause. Même s'il est très pris par son travail, il est important qu'il se réserve des moments pour les passe-temps qu'il affectionne. Ils seront source de détente, et ceux qui font appel à la création, en particulier, lui procureront ample satisfaction.

À tous égards ou presque, cette année sera propice au Rat. Toutefois, pour tirer le meilleur parti des aspects favorables, il devra agir avec un esprit positif pour atteindre ses buts.

Abordons maintenant les différents types de Rats et, en tout premier lieu, le **Rat de Métal**, pour qui l'année à venir sera décisive. Alors que ses réalisations récentes auront suscité l'admiration de son entourage, il aura parallèlement mené une réflexion quant à la direction qu'il souhaite imprimer à sa vie et à sa carrière. L'an 2000 lui donnera précisément l'occasion de concrétiser, le plus souvent avec succès, certaines des idées qui l'animent. Dans le domaine du travail, le Rat de Métal peut escompter des avancées tangibles qui revêtiront parfois une forme inattendue mais opportune. Les natifs dont l'emploi est stable depuis un certain temps ont, pour leur part, de bonnes chances d'obtenir une promotion ou de se voir confier de nouvelles responsabilités qui les dynamiseront. L'année s'annonce fructueuse à un point tel que tout fait positif sera susceptible d'en entraîner d'autres. De même, pour les Rats de Métal insatisfaits de leur situation professionnelle ou qui sont en recherche d'emploi, l'année du Dragon laisse augurer d'intéressantes perspectives. Ils devront à tout prix rester à l'affût des ouvertures qui se présentent, tout en explorant les avenues par lesquelles l'expérience qu'ils ont acquise peut être mise à profit. En effet, leur esprit d'initiative aura l'avantage non seulement d'élargir l'éventail des emplois à considérer, mais également, une fois en poste, de fortement les motiver à se distinguer dans leur nouvel environnement. Qui plus est, le Rat de Métal aura la chance de voir les prometteuses tendances de l'année du Dragon se poursuivre en l'an 2001, ce qui favorisera l'évolution des projets entrepris à l'heure actuelle. Parallèlement à ses avancées professionnelles, le Rat de Métal jouira d'une meilleure situation financière au cours de l'année. Que ce soit par le biais d'une hausse de revenu, d'un don ou d'un montant d'assurance, il sera en mesure d'investir dans son logement et d'y apporter les modifications auxquelles il songe depuis quelque temps ; il pourra également s'offrir des petits plaisirs ainsi que gâter les êtres qui lui sont chers. Mais attention : pour tout achat important, le Rat de Métal devra faire preuve de vigilance, comparer les prix et en discuter avec d'autres plutôt qu'agir sous le coup d'une impulsion. De même, bien que ses efforts lui paraissent mériter récompense, il devra veiller à ne pas pécher par excès d'indulgence. Dès lors qu'il se trouvera enclin à la dépense, il fera mieux de s'allouer une période de réflexion avant de céder à la tentation. L'année étant propice aux voyages, le Rat de Métal aurait avantage à s'offrir une escapade, car le repos d'une période de vacances et la visite de lieux attrayants lui seront bénéfiques. Au chapitre des relations humaines, le Rat de Métal sera bien servi. Comme à son habitude, il portera un intérêt soutenu aux activités de son entourage ; ses proches solliciteront d'ailleurs ses conseils et son aide à plusieurs reprises au cours de l'année, demandes auxquelles il acquiescera avec bonheur. Il constatera également que les intérêts et projets domestiques qu'il lui sera possible de partager avec les siens seront une source d'enrichissement et contribueront à entretenir le climat d'intimité qui lui tient à cœur. Au chapitre de sa vie sociale, l'année s'annonce tout aussi excellente, et le Rat de Métal sera convié à diverses activités mondaines, plus particulièrement vers la fin de l'été. Celles-ci lui permettront d'élargir son cercle d'amis et de connaissances et, pour les Rats de Métal qui vivent actuellement dans la solitude, l'année laisse présager un vent de renouveau. Cependant, afin que ce mouvement prenne toute son ampleur, il leur faut se donner la peine de sortir davantage, et surtout de fréquenter des lieux propices aux rencontres. Dans l'ensemble, donc, l'an 2000 est riche de possibilités pour le natif de ce signe, mais pour en bénéficier il est impératif qu'il fasse preuve de détermination dans la poursuite de ses objectifs. En prenant les rênes de sa vie, il obtiendra des résultats qui dépasseront parfois ses espérances. L'année du Dragon étant des plus prometteuses pour le Rat de Métal, il ne lui reste plus qu'à profiter des tendances positives qui la caractérisent.

Une année captivante attend le **Rat d'Eau**, qui verra se produire des événements aussi intéressants que mémorables. Sa vie personnelle, particulièrement favorisée, aura de quoi le réjouir. Fiançailles ou mariage, naissance dans la famille ou réalisation d'un rêve, quel que soit l'heureux événement, il insufflera un regain d'enthousiasme et d'ardeur au Rat d'Eau, qui s'attachera d'autant plus à profiter de l'année. Cependant, afin de pleinement bénéficier du potentiel qu'elle recèle, il aura intérêt à cerner ses objectifs. Soit dit en passant, le conseil est valable pour pratiquement tous les aspects de sa vie — professionnel, familial et personnel : s'il fait preuve de diligence en poursuivant des buts précis, il obtiendra des résultats à la hauteur de ses ambitions. Par ailleurs, la question du logement tiendra une place centrale pour bon nombre de Rats d'Eau. Certains déménageront, d'autres soigneront leur environnement, mais les uns comme les autres peuvent compter que les projets entrepris se déroulent sans anicroche. Les premiers seront ravis de leur nouveau domicile, tandis que les seconds tireront un plaisir certain des modifications touchant au confort et à l'aspect esthétique de leur foyer. Le bon goût et la minutie qui caractérisent les Rats d'Eau seront donc mis à profit, et les résultats plairont sans aucun doute à leur entourage. Sur le plan professionnel, la vie du Rat d'Eau sera pleine de rebondissements en l'an 2000, et si parfois il a à traverser des moments d'incertitude, les événements tourneront généralement à son avantage. Bien des natifs du signe auront l'occasion de franchir d'importantes étapes sur ce plan dans les années à venir. Dans certains cas, le Rat d'Eau constatera que les changements sont créateurs d'occasions nouvelles, et alors son expérience alliée à sa débrouillardise lui seront d'un grand secours pour avancer. Il se pourrait fort bien, par exemple, qu'il ait à assumer de nouvelles tâches, qu'il explore d'autres avenues professionnelles, ou encore, si sa carrière est déjà bien établie, qu'une promotion lui soit offerte. Pour tout dire, l'an 2000 laisse présager une évolution appréciable, et ses tendances favoriseront le Rat d'Eau. Côté finances, l'année s'annonce également bonne, et les difficultés connues ces derniers temps s'estomperont graduellement. Toutefois, malgré ce revirement, le Rat d'Eau devra continuer de planifier ses dépenses, et prévoir l'éventualité d'un débours important. Face à un engagement de taille ou de longue durée, il aura tout intérêt à examiner avec soin les termes et conditions offerts. Le fait que l'année s'avère avantageuse sur le plan financier ne doit pas l'inciter à faire preuve de complaisance ou de témérité. Néanmoins, c'est avec plaisir qu'il voyagera, et des vacances prises dans la seconde moitié de l'année pourraient fort bien dépasser ses attentes, notamment si la destination choisie sort des sentiers battus. Dans sa vie personnelle, le Rat d'Eau sera comblé. Fréquemment sollicité, il sera ravi de suivre les activités de ses proches. Il leur saura gré en retour de leurs encouragements ainsi que de leur soutien chaleureux et attentionné. D'ailleurs, si le Rat d'Eau n'est pas toujours conscient de ce qu'il représente pour son entourage, l'importance et la valeur de sa contribution lui seront soulignées dans le courant de l'année. Tant dans sa vie familiale que sociale, il peut s'attendre à vivre des moments exceptionnels. Pour ceux ayant eu un début d'année difficile, l'année du Dragon sera porteuse de changements positifs, laissant entrevoir une vie sociale active et enrichissante ainsi que de nouvelles rencontres. Le printemps sera particulièrement propice à cet égard. Dans l'ensemble, l'année du Dragon réserve des développements prometteurs au Rat d'Eau. Si certains d'entre eux sont inattendus, ils joueront toutefois en sa faveur : progrès, réussite et bonheur seront au rendez-vous.

L'année qui vient abonde de possibilités pour le **Rat de Bois**, quoique ses accomplissements seront avant tout fonction de son attitude. Bonne volonté, détermination et gestion serrée de son temps, voilà les mots d'ordre qu'il devra garder à l'esprit s'il veut mettre toutes les chances de son côté ; au contraire, s'il erre sans but précis, il risque de rater le coche, et ses activités ne lui donneront pas entière satisfaction. Aussi, pour véritablement tirer parti de l'année, lui faudra-t-il cerner au plus tôt ses objectifs et vigoureusement s'atteler à leur réalisation. L'un des domaines propices à son épanouissement est celui des loisirs. Si un passe-temps particulier a éveillé son intérêt, le Rat de Bois ne pourrait rêver de meilleures circonstances pour s'y consacrer. L'année sera tout aussi propice à l'apprentissage et au perfectionnement d'une discipline artistique, sportive ou autre. Le Rat de Bois aura donc avantage à recueillir les informations nécessaires pour passer à l'action : comme le veut l'adage, *il faut vivre dans le présent,* et toute initiative en ce sens sera récompensée. En somme, voilà l'occasion ou jamais pour lui d'enrichir son existence et de relever de passionnants défis. Les Rats de Bois qui sont aux études, pour leur part, connaîtront une année décisive. Ils devront à tout prix faire preuve d'organisation et s'accorder tout le temps voulu pour repasser la matière en vue des examens. Le labeur d'aujourd'hui étant le succès de demain, leurs accomplissements auront dans bien des cas un impact significatif à long terme. Ils gagneraient également à identifier le type de carrière qui les attire et les qualifications à acquérir. Bien que leurs ambitions ne se matérialiseront souvent que plus tard, le fait de s'être renseigné sur les exigences professionnelles requises permettra toutefois aux jeunes Rats de Bois de canaliser leurs efforts dans la bonne direction, ce qui les avantagera au moment de choisir une spécialisation. Afin de se fixer sur leur avenir, ils trouveront salutaire de discuter avec leurs proches, dont le soutien leur permettra d'en arriver à des décisions éclairées. Au chapitre de sa vie sociale, le Rat de Bois connaîtra une année palpitante, ponctuée de soirées et d'événements intéressants au cours desquels il lui sera donné de faire des rencontres. Les perspectives de relations amicales et amoureuses sont bonnes, et ce, plus particulièrement durant l'été. Toutefois, bien que le Rat de Bois ait plaisir à se mêler, il doit éviter les fréquentations suspectes et fuir les situations hasardeuses. Ce conseil ne s'applique qu'à un petit nombre, mais mérite d'être dûment pris en considération. Par ailleurs, le Rat de Bois fera un voyage des plus agréables au cours de l'année, et toute période de vacances, qu'elle soit de courte ou de plus longue durée, pendant laquelle il s'adonnera à ses activités préférées (sportives ou de plein air, notamment) se déroulera admirablement bien. Le Rat de Bois est reconnu pour son esprit de famille, et les natifs de 1924 suivront avec une sollicitude toute particulière ce qu'entreprennent leurs proches. Sans vouloir s'immiscer dans la vie des siens, le Rat de Bois doit savoir qu'on fera grand cas de ses conseils et de son aide. Aux plus âgés, la vie domestique sera une source de joie et d'agrément. Dans le cas des plus jeunes, cependant, des conflits d'intérêts pourraient survenir. Il leur faudra alors se montrer ouverts au dialogue et éviter d'être intransigeants. L'année s'annonce trop bonne pour laisser quelque différend gâcher l'atmosphère ou monopoliser l'attention d'une manière néfaste. Aussi, jeunes Rats de Bois, tâchez de maintenir la paix au foyer! Dans l'ensemble, donc, l'année sera positive pour le natif du Rat de Bois : s'il y met du sien et saisit les occasions qui se présentent, ses progrès seront palpables et ses entreprises gratifiantes.

Le **Rat de Feu** sera bien servi durant l'année du Dragon, et la plupart des aspects de sa vie le satisferont au plus haut point. Il peut s'attendre, au premier chef, à vivre des moments exceptionnels au plan des relations humaines, sa vie domestique et sociale promettant d'être active et enrichissante. Fidèle à ses habitudes, il participera pleinement aux activités familiales et n'hésitera pas à épauler ses proches. L'intérêt qu'il manifestera à l'égard de leurs projets ainsi que les conseils qu'il leur offrira seront chaleureusement accueillis. De plus, le Rat de Feu sera enchanté par les occasions de réjouissance que l'année réserve aux siens, qu'il s'agisse d'un mariage, d'une naissance, ou de tout autre événement heureux. Vu le soutien indéfectible sur lequel il peut compter, il devrait en toute confiance faire appel aux ressources de ses proches s'il en éprouve le besoin. Ainsi, leur apport pourrait s'avérer précieux dans l'exécution de certains projets ou de certaines activités physiquement exigeantes. Pareillement, si quelque question venait à le tracasser (relativement à des documents ou à d'importants formulaires à remplir, par exemple), il gagnerait à consulter son entourage. En réalité, mieux vaudrait cette année qu'il s'adresse aux autres plutôt que s'inquiéter inutilement ou faire cavalier seul, d'autant que beaucoup seront disposés à lui venir en aide. Par ailleurs, c'est avec un bonheur non dissimulé que le Rat de Feu se consacrera à ses loisirs de prédilection, parmi lesquels seront spécialement favorisées les activités de plein air telles que le jardinage, le tourisme ou le sport. Le Rat de Feu connaîtra également une vie sociale marquée par d'excellents moments en compagnie de ses amis ainsi que par des événements culturels et mondains des plus intéressants. Celui qui a soif de rencontres constatera que le début de l'année du Dragon y est particulièrement propice. En effet, s'il vit seul et sans attaches, il aura de bonnes chances de voir s'épanouir une amitié née en l'an 2000, ce qui sera pour lui un gage de bonheur à plus long terme. Côté finances, des développements positifs se produiront dans le courant de l'année, notamment sous la forme d'un don ou d'un paiement pour un travail effectué antérieurement. Cependant, bien que cette évolution ait de quoi le réjouir, le Rat de Feu devra rester vigilant et éviter les dépenses impulsives. Dans la mesure du possible, il lui faudra planifier les achats importants et bien y réfléchir plutôt que suivre aveuglément ses envies. S'il est un domaine qui le tentera fortement cette année, c'est assurément celui des voyages, et il peut compter tirer un vif plaisir de toute période de vacances qu'il s'accordera. Voilà l'occasion ou jamais de découvrir des contrées dont il rêve depuis longtemps, de revoir ses lieux favoris ou de rendre visite à des parents et amis éloignés. Dans l'ensemble, l'année se révélera bien remplie mais très enrichissante pour le Rat de Feu. À noter que, s'il dispose d'un peu de temps libre en dépit de ses nombreuses occupations, il pourrait s'initier à une discipline qui suscite son intérêt ou s'adonner à un nouveau passe-temps. Les défis qu'il y trouvera seront susceptibles de le nourrir de façon durable. Ce type d'initiative mérite donc que les Rats de Feu s'y attardent, afin de retirer de cette année déjà prometteuse encore plus d'agrément.

Cette année, qui est sous le signe du changement, sera capitale pour le **Rat de Terre**. Quoique généralement peu porté à précipiter les choses (préférant de loin les laisser mûrir), depuis quelque temps déjà il caresse plusieurs projets d'avenir. Que ces projets aient trait à sa vie personnelle, à son logement ou à sa profession, le Rat de Terre pourrait bien juger, à l'amorce du nouveau millénaire, que le temps est venu d'en jeter les bases. Il se rendra compte alors que la mise à exécution de certains d'entre eux risque de provoquer des remous, mais il estimera que le jeu en vaut la chandelle. À ce titre, il tirera grand profit du soutien de ceux qui l'entourent et gagnera à prêter une oreille attentive à leurs conseils. Pour bon nombre de Rats de Terre, l'évolution la plus appréciable surviendra au plan professionnel. Ceux qui ont soif de défis renouvelleront leurs horizons par le biais d'une promotion, de responsabilités autres ou d'un changement de cap dans leur carrière. De même, ceux qui sont en recherche d'emploi s'écarteront résolument de leur champ d'action habituel pour briguer des fonctions d'un autre ordre ou se former dans un nouveau domaine. Dans tous les cas, les décisions prises et les efforts déployés pour leur donner suite permettront d'avancer à grand pas, ce qui auparavant n'aurait pas été possible. Sachant que la chance leur sourira, les Rats de Terre doivent tout mettre en œuvre pour se dépasser et atteindre leurs objectifs. Plusieurs changeront également de domicile au cours de l'année ; et s'il peut arriver qu'ils aient du mal à le dénicher, une fois qu'ils auront trouvé le logement correspondant à leurs attentes, tout ira comme sur des roulettes. Par ailleurs, les perspectives financières de l'année sont, dans l'ensemble, excellentes pour le Rat de Terre, qui jouira d'un revenu accru, auquel s'ajouteront des gains provenant d'une autre source. Cette aisance nouvelle l'incitera également à réaliser ses projets, notamment ceux ayant trait à son foyer. Qu'il déménage ou non, en effet, le Rat de Terre s'appliquera assurément à apporter des améliorations à son intérieur, tant au plan du confort qu'au plan esthétique, ce qui lui procurera une profonde satisfaction. Pareillement, sa vie familiale, qui tient une place privilégiée dans son existence, sera riche d'agréments. Attention tout de même, car l'année sera mouvementée (d'autant plus si un déménagement est prévu !) et il devra veiller à ce que ses préoccupations ne l'empêchent pas d'accorder aux autres toute l'attention qu'ils méritent. Pour détendre l'atmosphère dans les moments critiques, il ferait bien d'inviter ses proches à se délasser, en proposant, par exemple, des sorties distrayantes et d'autres activités qui ont leur faveur. En faisant sien ce conseil, le Rat de Terre accomplira des miracles! En règle générale, malgré les occasionnelles périodes de turbulence, sa vie familiale le comblera, et il sera reconnaissant de l'appui qu'il y trouve. Même si l'année du Dragon s'annonce bien remplie, il n'en reste pas moins essentiel qu'il cultive ses intérêts personnels sans pour autant négliger sa vie sociale. Qu'il n'oublie surtout pas de se faire plaisir et de se détendre, lui aussi! Le Rat de Terre en quête de nouvelles amitiés, s'il s'efforce de sortir davantage et de frayer avec d'autres, sera richement récompensé. À vrai dire, il en ira de même pour toute action dynamique qu'il choisira d'entreprendre au cours de cette année particulièrement favorable. En délimitant ses objectifs et en s'appliquant à les atteindre, il obtiendra des résultats heureux qui le serviront à long terme.

Rats célèbres

Ursula Andress, Louis Armstrong, Charles Aznavour, Lauren Bacall, Kenneth Branagh, Marlon Brando, Charlotte Brontë, Luis Buñuel, George Bush, Jimmy Carter, Pablo Casals, Chateaubriand, Maurice Chevalier, Charlotte Corday, Gérard Depardieu, T. S. Eliot, Clark Gable, Nicole Garcia, Hugh Grant, Sacha Guitry, Joseph Haydn, Buddy Holly, Henrik Ibsen, Eugène Ionesco, Jeremy Irons, Jean-Michel Jarre, Carole Laure, Mata-Hari, Claude Monet, Richard Nixon, Sean Penn, Jacques Prévert, le Prince de Galles, Jean Racine, Vanessa

Redgrave, Madeleine Renaud, Burt Reynolds, Rossini, Antoine de Saint-Exupéry, Yves Saint-Laurent, George Sand, Domenico Scarlatti, William Shakespeare, Léon Tolstoï, Toulouse-Lautrec, Émile Zola.

Le Bœuf

19 février 1901 au 7 février 1902	Bœuf de Métal
6 février 1913 au 25 janvier 1914	Bœuf d'Eau
24 janvier 1925 au 12 février 1926	Bœuf de Bois
11 février 1937 au 30 janvier 1938	Bœuf de Feu
29 janvier 1949 au 16 février 1950	Bœuf de Terre
15 février 1961 au 4 février 1962	Bœuf de Métal
3 février 1973 au 22 janvier 1974	Bœuf d'Eau
20 février 1985 au 8 février 1986	Bœuf de Bois
7 février 1997 au 27 janvier 1998	Bœuf de Feu

LA PERSONNALITÉ DU BŒUF

La victoire appartient à ceux qui persévèrent.

Napoléon Bonaparte, un Bœuf

Le Bœuf naît sous le double signe de l'équilibre et de la ténacité. C'est un travailleur acharné, consciencieux, qui entreprend tout ce qu'il fait avec méthode et détermination. On l'admire pour son courage, sa loyauté et sa sincérité, c'est un meneur-né. Il sait ce qu'il veut accomplir dans la vie et suit la trajectoire qu'il s'est fixée avec rigueur.

Le Bœuf possède un sens aigu des responsabilités, et un esprit de décision qui le rend apte à saisir toutes les occasions qui se présentent. Même s'il estime ses collègues et ses amis, et leur accorde sa confiance, il est plus solitaire que grégaire, d'une grande réserve, et souvent porté à garder ses pensées pour lui. Jaloux de son indépendance, il aime faire les choses à sa manière plutôt que se voir imposer des contraintes ou subir des pressions extérieures.

D'un tempérament habituellement égal, le Bœuf peut exploser de colère s'il a des motifs d'être déçu ou irrité, et ses entêtements occasionnels le mettent facilement en conflit avec ceux qui l'entourent. Le Bœuf réussit généralement à obtenir ce qu'il veut, mais, si les choses se retournent contre lui, il s'avère mauvais perdant; il accepte difficilement quelque revers ou contretemps que ce soit.

Sérieux et appliqué, le Bœuf est souvent un être très réfléchi, et qui n'est pas particulièrement reconnu pour son sens de l'humour. Les dernières trouvailles et les nouveaux gadgets ne l'attirent pas car c'est un traditionaliste qui préfère s'en tenir au plus conventionnel.

Son foyer a une grande importance pour lui — on pourrait dire que c'est son sanctuaire — et il s'assure que tous les membres de la famille apportent leur contribution à sa bonne marche. Le Bœuf a tendance à accumuler, à ne rien jeter, mais il a beaucoup d'ordre et de système. Pour lui, la ponctualité est une vertu, et il devient exaspéré si on le fait attendre, surtout si le retard est attribuable à un manque d'organisation. À vrai dire, il y a un peu du tyran en lui !

Une fois installé quelque part, maison ou emploi, le Bœuf y demeure volontiers plusieurs années. Il n'aime pas le changement et les voyages ne l'attirent guère. Par contre, il prend plaisir aux activités de plein air et au jardinage. Il est habituellement un excellent jardinier et, dans la mesure du possible, il fait en sorte de disposer d'un bout de terrain suffisant pour laisser libre cours à ses talents. En fait, il préfère vivre à la campagne et consacrer son temps libre à des activités extérieures.

Comme il est consciencieux, le Bœuf tend à bien faire dans la carrière qu'il choisit, dans la mesure où on lui accorde la liberté d'exercer son initiative. Il peut tout autant réussir en politique, en agriculture, que dans des domaines exigeant une formation de pointe. Le Bœuf est aussi très doué pour les arts, et plusieurs natifs du signe ont connu la renommée comme musiciens ou compositeurs.

Le Bœuf est moins extraverti que d'autres, et il lui faut un certain temps pour nouer une amitié ou se sentir vraiment à l'aise. C'est pourquoi, d'ordinaire, il fait longuement la cour avant de s'engager mais, une fois qu'il a choisi, il demeure loyal à son partenaire. Pour le Bœuf, l'entente est particulièrement heureuse avec les natifs du Rat, du Lièvre, du Serpent et du Coq. La relation peut également être bonne avec le Singe, le Chien, le Cochon et un autre Bœuf. Cependant, il a peu en commun avec la Chèvre, sensible et fantaisiste, tandis que le Cheval, le Dragon et le Tigre, trop fougueux et impulsifs à son goût, dérangent l'existence calme et paisible qu'il préfère.

La femme Bœuf est d'un naturel bienveillant. Elle accorde une grande place à sa famille, se révélant une conjointe attentionnée et une mère aimante et dévouée. C'est une organisatrice-née, et comme elle est très déterminée, elle obtient généralement ce qu'elle veut dans la vie. On la voit fréquemment s'intéresser aux arts et même s'y adonner avec talent.

Toujours les deux pieds sur terre, le Bœuf est sincère, loyal et sans prétention. Il peut toutefois, montrer une grande réserve que d'aucuns prendront pour de la froideur. Sous des allures tranquilles, il cache beaucoup d'ambition et une volonté de fer. Il a le courage de ses convictions ; ce qu'il croit juste, il le défendra parfois sans égards aux conséquences. Comme il inspire confiance, il trouvera presque invariablement au cours de sa vie des personnes qui admirent son esprit de décision, et qui sont prêtes à le soutenir.

Les cinq types de Bœufs

Cinq éléments, soit le Métal, l'Eau, le Bois, le Feu et la Terre, viennent tempérer ou renforcer les douze signes du zodiaque chinois. Les effets apportés par ces éléments sont décrits ci-après, accompagnés des années où ils dominent. Ainsi, les Bœufs nés en 1901 et 1961 sont des Bœufs de Métal, et ceux de 1913 et de 1973 sont des Bœufs d'Eau, etc.

Le Bœuf de Métal (1901, 1961)

Ce Bœuf est volontaire et sûr de lui. Il ne craint pas de dire ce qu'il pense, et ce, parfois de manière abrupte. Il poursuit ses objectifs avec une telle détermination qu'il lui arrive de froisser les autres sans s'en rendre compte, et cela peut jouer à son détriment. Fiable et honnête, jamais il ne promet plus qu'il ne peut tenir. C'est un amateur d'art, et il possède habituellement un cercle restreint de bons et fidèles amis.

Le Bœuf d'Eau (1913, 1973)

Ce Bœuf se caractérise par un esprit vif et pénétrant, un bon sens de l'organisation, et de la méthode. Faisant preuve d'une plus grande ouverture d'esprit que les natifs d'autres types de Bœufs, il accepte plus volontiers l'apport de collaborateurs dans ses projets. Il a un sens moral très développé, et est souvent intéressé à faire carrière dans le secteur public. Bon juge de caractère, affable et doté de persuasion, il éprouve rarement de la difficulté à atteindre ses buts. Il est populaire, et sait s'y prendre avec les enfants.

Le Bœuf de Bois (1925, 1985)

Le Bœuf de Bois se conduit avec dignité et autorité. Il assume fréquemment un rôle de premier plan, quelle que soit l'entreprise à laquelle il participe. Plein d'assurance, il est direct dans ses relations avec autrui. Toutefois, il est souvent prompt à s'emporter et n'hésite pas à dire le fond de sa pensée. On lui reconnaît dynamisme et détermination, et il jouit d'une excellente mémoire. C'est un être rempli de bienveillance, remarquablement loyal et dévoué envers sa famille.

Le Bœuf de Feu (1937, 1997)

Le Bœuf de Feu possède une forte personnalité. Il a des idées tranchées, et se montre impatient quand les choses ne se déroulent pas à son goût. Se laissant entraîner par l'excitation du moment, il lui arrive de négliger le point de vue des autres. Néanmoins, grâce à ses qualités de leadership indéniables, alliées à sa grande capacité de travail, il peut fréquemment atteindre les plus hauts échelons, et connaître pouvoir, renom et fortune. Il est très attaché à sa famille, et peut généralement compter sur de solides amitiés.

Le Bœuf de Terre (1949)

Le Bœuf de Terre, avec son naturel posé, aborde tout ce qu'il entreprend de manière réfléchie. Tout en étant ambitieux, il demeure réaliste quant à ses objectifs, et se montre prêt à fournir les efforts nécessaires pour les atteindre. Il est doté d'un très bon sens des affaires, et c'est un fin juge des caractères. Sa sincérité et son intégrité suscitent l'admiration et font qu'on recherche souvent son opinion. Sa loyauté à l'égard de famille et amis est sans faille.

Perspectives du Bœuf pour l'an 2000

La nouvelle année chinoise commence le 5 février 2000. Avant cette date, c'est donc toujours l'année du Lièvre qui fait sentir son influence.

L'année du Lièvre (du 16 février 1999 au 4 février 2000) a été jusqu'à maintenant une bonne année pour le Bœuf et, au cours de ce qui en reste, il peut encore accomplir beaucoup de choses. Ses activités, il les mènera avec son énergie habituelle, faisant valoir ses idées, veillant à profiter des occasions qui se présentent, sans négliger pour autant les tâches qu'il s'était lui-même fixées.

Au cours de cette période, le Bœuf peut espérer faire des progrès sur le plan du travail, en particulier, où son enthousiasme et sa constance ne manqueront pas d'impressionner l'entourage. Pour ceux qui souhaitent changer d'emploi, les mois d'octobre et novembre 1999 pourraient renfermer des possibilités intéressantes ; ce serait, par exemple, l'offre d'un poste qui, même temporaire, leur fournirait l'occasion précieuse d'acquérir de l'expérience, et ouvrirait de riches perspectives pour l'avenir.

Sur le plan financier, la plupart des Bœufs auront vu leur situation s'améliorer sensiblement au cours de l'année et, en règle générale, ils auront bien utilisé leurs ressources. Ainsi, plusieurs en auront profité pour se mettre à la page en rafraîchissant leur garde-robe ainsi que leur décor. Les acquisitions qu'a faites le Bœuf pendant l'année du Lièvre sont pour lui une réelle source de plaisir. Cependant, s'il projette d'ici peu de faire des achats coûteux, il aurait intérêt à les reporter au début de l'an 2000. Les soldes d'après Noël pourraient être l'occasion de bonnes affaires : il suffit d'avoir l'œil ouvert, et d'être patient !

Cette fin d'année sera également un temps propice pour les relations avec autrui. En effet, tant la vie familiale du Bœuf que sa vie sociale le combleront; fin décembre 1999 sera un feu roulant de fêtes et de réjouissances. Alors qu'il est naturellement réservé, à l'instar des natifs de son signe, il s'étonnera peut-être de constater qu'il se mêle facilement aux autres pour goûter à plein les célébrations marquant le nouveau millénaire.

Sous tous les aspects donc, la dernière étape de l'année du Lièvre offrira au Bœuf une foule de satisfactions.

L'année du Dragon s'inaugure le 5 février, et elle laisse présager un climat variable pour le Bœuf. Les choses iront bien pendant une partie de l'année, lui procurant du contentement et l'occasion de faire certains progrès, mais il connaîtra aussi des moments de déception et d'incertitude, et subira certaines pressions. Il se peut également que le Bœuf ressente quelque malaise face aux changements brusques si fréquemment associés à l'année du Dragon, et qui viendront tempérer son optimisme. Toutefois, des attentes réalistes et l'exercice d'une saine prudence permettront à sa situation d'évoluer. Il devrait alors se trouver en bonne position pour profiter des vents favorables qui se lèveront vers la fin de l'année, et continueront de souffler au cours de 2001.

Au plan du travail, l'année s'annonce comme une mise à l'épreuve pour le Bœuf. On sait qu'il aime prévoir et s'en tenir à ses plans mais, au cours de l'an 2000, surgiront des situations nouvelles qui auront un impact certain sur lui. À titre d'exemples, il pourrait se voir confier des tâches différentes ou bien, devoir s'adapter à de nouveaux collègues, à des pratiques ou des procédures qu'il ignore. Sur le coup, sans doute, le Bœuf se sentira déstabilisé, mais s'il arrive à tirer le meilleur parti possible de la situation, il en sortira gagnant. Il devra faire preuve de souplesse plutôt que rester prisonnier de vieilles habitudes ; ce serait en effet tout à son détriment de résister à la vague du changement. Une fois l'inévitable période de rodage terminée, des occasions insoupçonnées pourraient apparaître à l'horizon, qu'il serait alors en mesure d'explorer. Comme le Bœuf a pu le constater à maintes reprises dans le passé, les changements se traduisent plus souvent qu'autrement par des avancées imprévues. Ainsi en sera-t-il cette fois, avec des bénéfices qui se matérialiseront en 2001.

Pour les natifs en recherche d'emploi, ou ceux qui jugeront le moment venu de changer de poste, l'année offrira des possibilités intéressantes. Cependant, pour les découvrir, le Bœuf devra éviter la passivité et se jeter dans l'action. Non plus devra-t-il se laisser démonter par les obstacles ou revers passagers : qu'ils servent plutôt d'aiguillons à sa détermination, car sa ténacité finira par être récompensée. Dans sa quête, il pourrait s'avérer particulièrement utile au Bœuf de prendre les devants en approchant les sociétés pour lesquelles il aimerait travailler, faisant état de son expérience et de ses compétences, sans négliger d'entrer en contact avec des personnes ou organismes professionnels susceptibles de l'aider dans ses recherches. Qu'il garde à l'esprit qu'une approche directe et non conventionnelle procure quelquefois des résultats inattendus : qui ne risque rien n'a rien ! En termes d'emploi, les mois de mai, juillet et septembre pourraient être décisifs.

Le Bœuf se trouvera également bien avisé, au cours de cette nouvelle année, d'ajouter à ses compétences. S'il a l'occasion de suivre des cours ou d'approfondir un domaine de connaissances où la demande est à la hausse, ce sera le moment ou jamais. Non seulement le temps qu'il y consacrera lui apportera-t-il beaucoup de satisfaction, mais encore ses chances d'avancement s'en trouveront-elles grandement favorisées. En somme, ce que le Bœuf gagnera en expérience et en connaissances au cours de l'année du Dragon constituera un investissement dont il ne manquera pas de récolter les fruits plus tard.

Le sort des finances du Bœuf, au cours de la même période, s'annonce fort acceptable. Un grand nombre verront une amélioration modeste mais tangible de leurs revenus, qu'ils continueront de gérer avec la prudence coutumière au signe. Un conseil cependant : pourquoi ne pas mettre de côté une somme qui permettrait de s'offrir des vacances un peu plus tard dans l'année ? Le Bœuf est un dur maître envers lui-même, mais il doit savoir profiter, à l'occasion, des fruits de son labeur ; une pause représentera une récompense bien méritée pour les efforts qu'il fournit.

Si son rythme de vie actuel ne lui laisse pas le loisir de faire beaucoup d'exercice, il devrait tout de même se mettre à un sport quelconque. Le vélo, la natation ou la marche feraient merveille pour maintenir ou améliorer sa bonne forme.

Tout au long de l'année, le Bœuf tirera beaucoup de satisfaction de sa vie sociale et familiale. Naturellement d'une grande réserve, n'admettant que quelques privilégiés dans son cercle d'intimes, il sera étonné du degré de soutien et d'encouragement qu'il recevra, non seulement de la part de ses proches, mais aussi provenant de sources inattendues. Nombreux, en effet, sont ceux qui tiennent le Bœuf en haute estime et qui, au cours des douze prochains mois, voudront lui venir en aide (possiblement de façon indirecte, en glissant un bon mot pour lui à son insu, par exemple), car ils l'admirent et l'apprécient à sa juste valeur.

L'appui que reçoit le Bœuf s'avérera particulièrement précieux dans les moments d'incertitude précédant des décisions importantes. Il fera bien de s'ouvrir aux autres de ses soucis plutôt que de tout garder pour lui, et de prendre en considération les conseils qu'on lui donne. Quelquefois, le Bœuf a l'impression qu'il doit porter seul le poids de ses problèmes, mais ce n'est pas le cas, et en l'an 2000, il devrait tirer profit de l'aide bienveillante qu'on lui prodigue.

Au cours de l'année, les activités familiales seront une source réelle d'agrément pour le Bœuf. Il les suivra avec intérêt, et les accomplissements de ses proches engendreront chez lui un sentiment de légitime fierté. Les projets de loisirs qu'il pourra partager avec eux sont à encourager ; ils donneront naissance à des moments forts, et serviront à maintenir, et même renforcer, des liens très significatifs pour lui.

Au plan social, l'année sera pourvoyeuse de sorties intéressantes et variées. Le Bœuf goûtera vraiment les moments de détente passés avec ses amis, qu'ils soient l'occasion de conversations à bâtons rompus ou d'activités plus structurées. Le printemps et l'été s'annoncent particulièrement prometteurs et, pour le célibataire à la recherche de nouvelles amitiés, ce seront d'excellents mois pour sortir et se mêler davantage. Le Bœuf choisit toujours ses amis avec beaucoup de soin, et il pourrait juger qu'une relation nouée vers le milieu de l'année, peut-être à la faveur du hasard, promet d'heureux lendemains.

Somme toute, cette année ne sera peut-être pas des plus faciles pour le Bœuf mais, en faisant preuve de souplesse et d'une volonté ferme de tirer le meilleur parti de ce qui s'offre à lui, il franchira néanmoins des étapes importantes qui aboutiront l'année suivante.

Rappelons que l'année du Dragon apporte souvent des changements qui sont les gages de succès à venir. Malgré les pressions et les défis inévitables, le Bœuf sera réconforté par l'appui et les encouragements qu'il recevra, et les moments heureux partagés avec famille et amis contribueront à le ressourcer; ces joies viendront grandement embellir sa vie.

Penchons-nous maintenant sur les différents types de Bœufs, et ce qui les attend en l'an 2000. Ce sera une année clé pour le **Bœuf de Métal**, année qui l'amènera à mieux se connaître, à jauger ses compétences, et qui le verra acquérir une expérience inestimable. Admettons-le, tout n'ira pas comme sur des roulettes pour lui; il y aura des moments où il se dira que ses progrès devraient être plus palpables mais, d'une manière générale, ce qu'il accomplira trouvera son utilité à long terme. Une certaine ébullition se fera sentir dans le domaine du travail, et le Bœuf de Métal fera bien de rester aux aguets car il y aura du changement dans l'air. Advenant que dans son milieu on discute de nouvelles orientations à prendre, ou qu'on lui confie des tâches inédites, il devra faire montre de flexibilité et d'un réel désir d'apprendre, quelles que soient ses réticences du moment. Confronté à ces situations, il évaluera plutôt le potentiel qu'elles présentent, afin de distinguer comment il pourrait en retirer des bénéfices pour lui-même. Chez les Bœufs de Métal, ce sont ceux qui accepteront d'aller de l'avant et de modifier leur approche en fonction des circonstances qui tireront le mieux leur épingle du jeu; ils pourraient en effet débusquer des ouvertures prometteuses. Ceux qui souhaitent trouver un emploi devront continuer à briguer les postes qui présentent de l'intérêt, mais ils seront bien avisés de considérer leurs talents et leur expérience afin d'exploiter au mieux leurs forces. En osant penser en dehors des cadres conventionnels, ils élargiront l'horizon des emplois à postuler et, dans certains cas, une idée prenant naissance alors pourrait entraîner des retombées intéressantes plus tard. En résumé, l'année du Dragon ne se déroulera pas sans quelques soubresauts pour le Bœuf, mais il devra croire que ces soubresauts sont déclencheurs d'événements et d'idées fertiles à long terme. Un regard sur le plan monétaire révèle que, là, les choses iront bien pour lui. En établissant un budget réaliste, qui tienne compte des dépenses, pas toujours souhaitées mais incontournables, il dormira tranquille. Rappelons toutefois que, comme tous les natifs du Bœuf, le Bœuf de Métal devrait prévoir un certain montant pour s'offrir des vacances, même modestes, en l'an 2000 et, en prévision de l'avenir, viser à investir toute somme qu'il peut dégager à cet effet. Sa vie familiale sera passablement animée au cours de l'année alors que plusieurs sujets requerront son attention. Entre autres, il aura à aider des personnes de son entourage, y compris un proche aux prises avec un problème complexe. L'intervention du Bœuf de Métal sera accueillie avec reconnaissance et, tout au long des mois, ceux qui le côtoient apprécieront ses grandes qualités, en particulier son jugement sûr, sa délicatesse et son sens pratique. Mais il ne fera pas que s'occuper de relations interpersonnelles : chez lui, il décidera d'entreprendre des travaux, soit de rénovation, soit de décoration. Cependant, pour venir à bout de ces travaux manuels, il devra prévoir une période de temps suffisante, et non pas se fixer une échéance trop courte. Si jamais il se sent en peine pour accomplir certaines tâches ou certaines manœuvres, c'est sans hésiter qu'il doit faire appel à l'aide d'un expert : il y a des risques qu'il ne faut pas prendre ! L'emploi du temps du Bœuf de Métal s'annonce donc chargé, mais il devra tout de même comprendre des plages consacrées aux passe-temps et aux amis. Ces activités de ressourcement représenteront une contrepartie salutaire à ses préoccupations professionnelles et contribueront à maintenir un équilibre nécessaire dans sa vie, lui qui a tendance à être très exigeant pour lui-même, comme on sait. Au plan de la santé, il veillera à réserver un peu de son précieux temps pour la pratique du sport, et à s'alimenter correctement; sédentarité et bouffe-minute sont à éviter s'il veut se sentir au sommet de sa forme. Donc, malgré les pressions et les incertitudes que semble annoncer l'année, ces dernières n'empêcheront généralement pas qu'adviennent des développements positifs, et l'expérience acquise alors lui permettra de traverser plus facilement les années suivantes. De plus, les joies qu'il retirera de ses relations avec ses proches aideront certainement à contrebalancer certains des aspects plus éprouvants de l'année.

Le **Bœuf d'Eau** a une belle nature et ne manque pas d'ambition. Comme il tient par-dessus tout à donner le meilleur de lui-même et que le travail ne lui fait pas peur, son talent et son dynamisme lui seront un gage de réussite à plus longue échéance. Cependant, bien que ses avancées se fassent quelquefois avec aisance, le Bœuf d'Eau traversera également des périodes plus ardues. Il doit donc se préparer à rencontrer certains obstacles durant l'année du Dragon ! Car malgré tous ses efforts et sa bonne volonté, le progrès se fera parfois attendre. Aussi lui faudra-t-il peut-être réexaminer ses plans et objectifs, notamment ceux qui touchent au travail. Les Bœufs d'Eau ayant récemment changé de poste ou accepté de nouvelles fonctions devront tâcher de consolider leurs acquis : ils pourraient, par exemple, se familiariser davantage avec les diverses facettes de leur charge, ou encore, suivre des cours de formation lorsque l'occasion leur en est offerte. Comme ils le constateront, l'année les incitera à perfectionner leurs habiletés et à accroître leur expérience. Néanmoins, il est probable que d'autres transformations encore affecteront l'environnement professionnel du Bœuf d'Eau ; il pourrait s'agir, entre autres, de l'implantation de nouvelles procédures auxquelles il devra s'adapter, d'un changement de personnel, ou de l'attribution de tâches dont il n'a jamais eu à s'acquitter auparavant. Quoiqu'il puisse éprouver des réserves en qui concerne ces développements, il devra éviter de prendre des décisions trop hâtives ou d'exprimer sa pensée d'une manière irréfléchie, car il risquerait alors de compromettre sa situation. Il verra qu'une fois la poussière retombée, de nouvelles occasions surgiront, et il se pourrait qu'il soit en fort bonne posture pour en profiter. Les Bœufs d'Eau qui cherchent du travail, pour leur part, devront assidûment donner suite aux ouvertures de poste susceptibles de les intéresser, mais également se prévaloir de toute possibilité de formation se présentant à eux. Il pourrait même être à leur avantage de s'initier à un nouveau métier dans le courant de l'année, ce qui leur ouvrirait d'excellentes perspectives d'avenir : que le Bœuf d'Eau ne craigne pas d'explorer de nouveaux horizons, car il pourrait bien se découvrir des talents insoupçonnés ! Il faut malgré tout convenir que, cette année, dénicher une situation ne sera pas chose aisée; toutefois, bon nombre de Bœufs d'Eau qui exercent leur esprit d'initiative et leur détermination verront leurs démarches porter fruits. Une fois en poste, ils seront en mesure d'ajouter à leur expérience et d'affermir leur position, ce qui leur donnera de bonnes chances d'avancement. Sur le plan financier, l'année s'annonce satisfaisante, et le Bœuf d'Eau gérera son budget avec soin, comme il en a l'habitude. Il pourrait cependant devoir faire face à des dépenses importantes, touchant à son logement ou à ses déplacements. Pour parer à toute éventualité de cet ordre, il lui serait salutaire de revoir dans le détail l'état de ses finances, dans le but de supprimer ou de réduire les dépenses de moindre priorité. Sa vie personnelle, par contre, lui réserve de grandes joies. Il ne manquera pas de suivre avec enthousiasme les progrès accomplis par les siens et leur prodiguera de chaleureux encouragements. De même, des moments inoubliables l'attendent s'il invite ses proches à participer à ses projets et s'il privilégie les activités en famille. Le Bœuf d'Eau connaîtra également cette année une vie sociale des plus agréables. Il appréciera la compagnie de ses amis, nouera de nouvelles relations, et sera convié à divers événements mondains qui l'enchanteront. Dans l'ensemble, donc, le Bœuf d'Eau devra en l'an 2000 exercer sa prudence et s'adapter aux changements. L'expérience qu'il en tirera lui sera toutefois précieuse et contribuera à lui ouvrir la voie du succès. Advenant que des difficultés surviennent, il pourra compter sur un important facteur d'équilibre, soit le soutien et le bonheur que lui apportent ses proches.

L'année du Dragon sera satisfaisante pour le **Bœuf de Bois**. S'il faillit parfois à accomplir ce qu'il souhaite, plusieurs des résultats obtenus seront significatifs. Toutefois, il devra tout au long de l'année maintenir des objectifs réalistes. La persistance de ses efforts lui permettra d'aller de l'avant, malgré les obstacles qui pourraient survenir en cours de route. Pour les Bœufs de Bois qui poursuivent des études, l'année sera décisive. Plusieurs aborderont de nouvelles matières ou entreprendront des travaux stimulants. Dans certaines disciplines, le Bœuf de Bois réussira haut la main, mais il se peut que d'autres lui causent des difficultés. Il aura avantage, dans ce cas, à solliciter l'aide et les conseils dont il a besoin, de préférence à rester isolé et à se ronger les sangs. Les gens qui l'entourent ont une bonne opinion de lui et l'épauleront volontiers, mais il devra toutefois agir de sa propre initiative. Que les jeunes Bœufs de Bois n'hésitent donc pas à profiter de la bonne volonté générale ! Par ailleurs, les natifs de 1925 comme ceux de 1985 peuvent s'attendre à tirer une vive satisfaction de leurs passe-temps et intérêts personnels, notamment de ceux qui leur fournissent l'occasion de parfaire leurs habiletés pratiques et d'exploiter leur créativité. De surcroît, le Bœuf de Bois devrait songer, le cas échéant, à exposer le résultat de ses efforts, en se présentant à un concours par exemple. La réaction suscitée lui sera une source d'encouragement, et il pourrait se voir offrir de précieux conseils de la part de ceux qui reconnaissent son talent et son potentiel. De même, les natifs de 1925 qui souhaiteraient partager, en écriture ou de vive voix, leurs intérêts, leurs connaissances, ou même leurs expériences passées, trouveront que les circonstances s'y prêtent à merveille. Assurément, tout projet de cette nature sera aussi captivant qu'enrichissant. Sur le plan financier, l'année ne laisse entrevoir aucun problème majeur, quoique pour tout achat important, le Bœuf de Bois fera bien de comparer les prix et de rester à l'affût des bonnes occasions, afin de limiter ses dépenses. De même, s'il a à rassembler des pièces ou remplir des formulaires, il devra procéder avec soin, en obtenant des éclaircissements sur tous les points qui le laissent perplexe, afin d'éviter qu'une erreur ou un retard ne lui nuise. Aussi gagnera-t-il à exercer sa vigilance et sa minutie habituelles pour tout ce qui a trait à des documents de nature officielle. Par ailleurs, la vie sociale et domestique du Bœuf de Bois lui tiendra particulièrement à cœur cette année, et il sera reconnaissant du soutien et de l'affection que lui manifestent sa famille et ses amis. Qu'il n'hésite donc pas à leur faire part de ses préoccupations, car ils lui veulent le plus grand bien et se montreront prêts à lui venir en aide. Advenant que le Bœuf de Bois ait essuyé des revers ou qu'il souhaite davantage de compagnie, il lui est conseillé de faire le premier pas, en contactant ses connaissances, par exemple, ou en se joignant à une association ou à un centre de rencontre. De même, les natifs de 1985 qui voudraient partager leurs intérêts et connaître une vie sociale plus active trouveront profitable d'adhérer à un club ou à un groupe de jeunesse où ils forgeront de nouvelles amitiés et passeront des moments inoubliables. Mais, encore une fois, c'est au Bœuf de Bois qu'il revient de prendre l'initiative, ce qui vaut d'ailleurs pour tous les aspects de sa vie en l'an 2000. Dans l'ensemble, si l'année n'est pas exempte de problèmes ou de stress, le Bœuf de Bois en tirera tout de même de grandes satisfactions, notamment au chapitre de ses intérêts personnels et des rapports positifs qu'il entretient avec les autres.

L'année qui vient sera agréable et enrichissante pour le **Bœuf de Feu**, mais à une condition : qu'il entreprenne ses activités avec soin et après mûre réflexion. S'il laisse les aspects négatifs de son caractère l'emporter, alors des déceptions l'attendront. À vrai dire, la balance pourrait pencher d'un côté comme de l'autre, car les tendances de l'année du Dragon ne sont jamais claires et nettes pour le Bœuf de Feu. Force est d'admettre que des problèmes sont susceptibles de survenir. Comme en témoigne l'expérience passée, ils se règlent souvent d'eux-mêmes ; mais parfois le natif de ce signe les aborde de telle manière qu'ils prennent une importance démesurée, ce qui lui fait perdre beaucoup de temps. C'est précisément ce qui risque de se produire en l'an 2000 s'il ne prend pas garde. Dans l'éventualité où des difficultés surgiraient, et ce, dans quelque domaine que ce soit, le Bœuf de Feu devra à tout prix les examiner avec objectivité, évaluer ses options et chercher une solution rapide et efficace. De plus, pour toute question épineuse, il gagnerait à consulter son entourage ou, le cas échéant, à faire appel à un spécialiste, plutôt que faire cavalier seul. S'il s'entête à agir aveuglément, la situation pourrait aisément se détériorer, et le redoutable Bœuf de Feu risque alors de s'y absorber à tel point qu'il négligera peut-être des activités plus productives. Il est à souhaiter que cet avertissement ne s'applique qu'à une minorité, mais il mérite toutefois d'être dûment pris en considération. Attention de ne pas perdre le sens des proportions! Pour le bon côté maintenant, cette année offrira l'occasion au Bœuf de Feu de mener à bien plusieurs des projets auxquels il songe depuis quelque temps déjà, parmi lesquels certains auront trait à son logement. En effet, il souhaitera apporter des améliorations, tant esthétiques que pratiques, à son domicile. La durée des travaux dépassera parfois les prévisions, mais toute la famille tirera une vive satisfaction de son nouvel environnement. Par ailleurs, les intérêts personnels et les loisirs du Bœuf de Feu, et notamment ceux qui stimulent son esprit pratique ou sa créativité, lui procureront de grandes joies. S'il a l'occasion de privilégier un de ses passe-temps, en approfondissant ses connaissances sur un point précis ou, s'il y a lieu, en faisant l'acquisition d'équipement supplémentaire, il trouvera assurément l'expérience gratifiante. La photographie, le cinéma et la vidéo comptent parmi les activités susceptibles d'enthousiasmer le Bœuf de Feu, et les amateurs verront le temps et les efforts qu'ils y consacrent, par exemple en s'initiant à de nouvelles techniques, amplement récompensés. De même, pour les passionnés d'informatique, l'année s'avérera propice aux découvertes et au développement de leur savoir-faire. Le Bœuf de Feu sera tout aussi comblé par sa vie familiale et sociale. Il aura plaisir à encourager les activités de ses proches, et le succès d'un plus jeune lui fera spécialement chaud au cœur. Le soutien que susciteront ses projets aura également de quoi le réjouir, mais, encore une fois, il devra faire attention. Quoiqu'il aime agir à sa guise, il lui faudra tenir compte de toute forme de dissentiment; s'il se montre intraitable, en effet, cela pourrait causer des frictions qui ne disparaîtront pas de sitôt. Prenez bonne note du conseil, Bœufs de Feu! Ne laissez rien mettre en péril les relations qui vous tiennent à cœur, mais sachez plutôt apprécier la présence et l'amour de ceux qui vous entourent. Par ailleurs, les voyages sont sous d'heureux auspices cette année, aussi les natifs du signe gagneraient-ils à s'offrir une escapade bien méritée. Le repos et le changement d'air leur feront le plus grand bien, sans compter qu'ils auront la chance de découvrir des lieux touristiques d'une grande beauté. Dans l'ensemble, l'année pourrait s'avérer constructive pour le Bœuf de Feu, mais sa réaction aux événements sera déterminante. Il devra avancer prudemment, demeurer attentif aux opinions d'autrui, et calmement prendre les choses comme elles viennent. Les développements que lui réserve l'an 2000 pourraient jouer en sa faveur, mais s'il adopte une attitude négative ou s'il fait preuve d'entêtement, il risque de compromettre ses accomplissements. En tenant compte de cet avertissement, toutefois, le Bœuf de Feu sera assuré de connaître des moments heureux et gratifiants.

Le **Bœuf de Terre**, doué d'un esprit méthodique, attache beaucoup d'importance à l'ordre, à la planification et à la constance. Ce sont précisément ces qualités qui l'ont mené au succès par le passé. L'année du Dragon, toutefois, ne sera sans doute pas de tout repos pour lui, jetant un voile d'incertitude sur ses projets et le poussant à réexaminer ses objectifs. Pendant certaines périodes de l'année, le Bœuf de Terre sera en proie à l'inquiétude, et plusieurs situations le mettront particulièrement mal à l'aise. Malgré ce tableau peu réjouissant de prime abord, le natif de ce signe doit prendre courage, car, dans bien des cas, les obstacles rencontrés lui serviront de tremplin et joueront en sa faveur à plus long terme. Il arrivera en effet que les changements soient porteurs d'occasions intéressantes, ou encore qu'ils l'incitent à jeter un œil critique sur ses plans, l'amenant à les corriger ou à en échafauder de meilleurs. De plus, certains développements, notamment dans le domaine du travail, constitueront pour lui de nouveaux et passionnants défis qui le stimuleront et lui donneront la chance de faire ses preuves. En réalité, le changement (dont le Bœuf de Terre se passerait sans doute volontiers !) est bien souvent la condition du progrès et de la réussite. Au nombre des éléments susceptibles d'affecter son environnement professionnel figurent le lancement de nouveaux projets ou une restructuration du personnel ; de surcroît, le Bœuf de Terre pourrait inopinément se voir confier des tâches dont il ne s'acquitte pas en temps normal. Étant donné ces éventualités, il devra rester sur le qui-vive et régulièrement prendre le pouls de la situation, afin d'être prêt à réagir à toute proposition qui lui serait faite, ou à s'adapter à toute nouvelle circonstance. Par ailleurs, quoiqu'il puisse avoir des réserves à l'égard des offres ou des développements qui surgissent, il aura intérêt à se montrer prudent et diplomate. Avec le temps, tout reviendra au calme, et il verra alors d'excellentes perspectives se profiler à l'horizon ; d'ici là, il lui faudra veiller à ne pas compromettre sa situation. Pour leur part, ceux qui cherchent du travail

ou qui souhaitent explorer d'autres avenues professionnelles seront favorisés par les tendances de l'année du
Dragon. Les ouvertures qui se présentent pourraient pro-
pulser le Bœuf de Terre dans un domaine jusque-là
inexploré et auquel il n'avait pas songé. L'expérience, en
plus de lui être fort profitable et riche de défis, lui assurera de bonnes chances de succès à plus long terme. Sur
le plan financier, l'année sera satisfaisante, et plusieurs
Bœufs de Terre recevront une somme supplémentaire,
sous la forme d'un don, de revenus d'investissement, ou
du paiement pour un travail effectué antérieurement.
Comme à l'habitude, le Bœuf de Terre se livrera à une
gestion serrée de ses finances, choisissant de mettre de
côté ou d'investir les sommes dont il n'a pas un besoin
immédiat, et consacrant le reste à des achats pour la maison, des voyages, vacances ou loisirs. Cependant, pour
tout achat important, mieux vaudra qu'il prenne le temps
de comparer les prix et les produits offerts ; ces démarches
pourraient donner lieu à des économies parfois substantielles. Au plan personnel, l'année sera bien remplie. Le
Bœuf de Terre se verra particulièrement sollicité par les
projets domestiques et les questions familiales. C'est avec
sa sollicitude habituelle qu'il remplira son rôle auprès de
son entourage, n'ayant de cesse de prodiguer aide, encouragements et conseils ; il se réjouira d'ailleurs de tout
succès qu'obtiendront ses proches. En retour, il ne doit
pas non plus hésiter à s'adresser à eux si jamais quelque
affaire le tracasse ou s'il a besoin d'un coup de main.
L'aide lui sera volontiers apportée ! Le Bœuf de Terre s'en
trouvera réconforté et jugera le point de vue des autres fort
utile. Il appréciera particulièrement l'affection et l'estime
qui lui seront témoignées cette année. Au plan des loisirs,
le Bœuf de Terre tirera un vif plaisir de ses passe-temps
et intérêts personnels ; il lui serait profitable de privilégier

ceux qui favorisent les rencontres ou qui lui donnent l'occasion de faire de l'exercice. De plus, toute période de repos ou de voyage qu'il s'allouera cette année lui fera le plus grand bien. Dans l'ensemble, bien que l'année du Dragon ne soit pas exempte de difficultés, elle n'en sera pas moins satisfaisante. Les relations du Bœuf de Terre avec ses semblables ainsi que les loisirs auxquels il se consacrera seront une source de bonheur. Par ailleurs, les développements de sa vie professionnelle, qui auront une portée considérable sur son avenir, lui donneront l'occasion de parfaire ses habiletés et de relever d'intéressants défis. Pour bon nombre de Bœufs de Terre, l'année du Dragon marque le début d'une période constructive, pleine de promesses pour l'année 2001 et à plus longue échéance.

Bœufs célèbres

Madeleine Albright, Jean-Sébastien Bach, Menahem Begin, Richard Burton, Albert Camus, Barbara Cartland, Charlie Chaplin, Melanie Chisholm (Sporty Spice), Jean Cocteau, Dante, Jacques Delors, Marlene Dietrich, Jane Fonda, Peter Gabriel, Richard Gere, Haendel, Adolf Hitler, Dustin Hoffman, Anthony Hopkins, Saddam Hussein, Lionel Jospin, Juan Carlos, B. B. King, Burt Lancaster, k. d. Lang, Jessica Lange, Angela Lansbury, Jean Marais, Melina Mercouri, Kate Moss, Marjorie Mowlam, Eddie Murphy, Napoléon Bonaparte, le Pandit Nehru, Benjamin Netanyahu, Paul Newman, Jack Nicholson, Oscar Peterson, Colin Powell, Robert Redford, Rubens, Monica Seles, Jean Sibelius, Bruce Springsteen, Meryl Streep, Margaret Thatcher, Vincent Van Gogh, le Duc de Wellington.

Le Tigre

8 février 1902 au 28 janvier 1903	Tigre d'Eau
26 janvier 1914 au 13 février 1915	Tigre de Bois
13 février 1926 au 1er février 1927	Tigre de Feu
31 janvier 1938 au 18 février 1939	Tigre de Terre
17 février 1950 au 5 février 1951	Tigre de Métal
5 février 1962 au 24 janvier 1963	Tigre d'Eau
23 janvier 1974 au 10 février 1975	Tigre de Bois
9 février 1986 au 28 janvier 1987	Tigre de Feu
28 janvier 1998 au 15 février 1999	Tigre de Terre

LA PERSONNALITÉ DU TIGRE

On ne peut pas simplement se rêver un caractère ;
il faut s'en forger un à la sueur de son front.

JAMES A. FROUDE, un Tigre

Le Tigre est né sous le signe du courage. Figure charismatique s'il en est une, il ne craint pas d'exprimer ses vues avec aplomb. Sa volonté et sa détermination insufflent une énergie fabuleuse à tout ce qu'il entreprend. On reconnaît le Tigre à son insatiable curiosité ainsi qu'à son esprit vif et pénétrant. Ce ne sont ni les idées ni les projets qui lui manquent ! À vrai dire, ce penseur original déborde presque toujours d'enthousiasme pour quelque chose.

Rien ne fait davantage plaisir au Tigre qu'un défi, et l'occasion de prendre part à une initiative prometteuse excite son imagination. Toujours prêt à jouer le tout pour le tout, il ne voit pas d'un bon œil qu'on essaie de l'enfermer dans des conventions ou des diktats. C'est à la liberté qu'il aspire : un jour ou l'autre, il larguera les amarres, indifférent aux dangers, pour faire ce qui lui plaît.

Malheureusement, la nature quelque peu agitée du Tigre le dessert quelquefois. Même s'il n'hésite pas à se consacrer corps et âme à un projet, son ardeur des premiers jours risque de ne pas faire long feu si une autre affaire capte son attention. De plus, sa tendance à agir de manière impulsive lui fait à l'occasion regretter sa conduite. Que le Tigre s'accorde le temps d'une mûre réflexion, qu'il fasse preuve de persévérance dans ses projets, et ses chances de succès s'en trouveront accrues.

Comme il bénéficie d'une bonne étoile, le Tigre connaît souvent la réussite. Toutefois, lorsque la tournure des événements n'est pas à la hauteur de ses espérances, il est susceptible de traverser des périodes de dépression dont il se remet avec peine. Bien souvent, sa vie est faite de hauts et de bas.

Le Tigre sait néanmoins s'adapter. Heureusement d'ailleurs! Car il s'attarde rarement où que ce soit, son goût de l'aventure le poussant toujours vers de nouveaux horizons. C'est ainsi qu'aussitôt parvenu à l'âge adulte, il s'essaiera à occuper différents types d'emploi et changera de domicile à plusieurs reprises.

Honnêteté et franchise prédominent dans les relations que le Tigre entretient avec ses semblables. Aussi a-t-il naturellement en horreur toute forme de mensonge ou d'hypocrisie. Et attention! Il n'a pas l'habitude de mâcher ses mots, s'il a quelque chose à dire, il le fera sans ambages. Sa nature rebelle est prompte à se manifester, particulièrement lorsqu'il est témoin d'un comportement autoritaire ou mesquin, ce qui le mène parfois à entrer en conflit avec d'autres. Ne redoutant pas la polémique, c'est avec passion qu'il défend ses convictions.

Le Tigre a un tempérament de chef et a donc toutes les chances d'accéder aux plus hauts échelons de sa profession. À noter toutefois qu'il n'affectionne ni la paperasse ni les tâches exigeant de la minutie. Obéir aux ordres ne lui plaît pas davantage et il lui arrive d'être têtu comme une mule. Quand il a les coudées franches et ne doit rendre de comptes à personne, alors le Tigre file le parfait bonheur. Il prend plaisir à imaginer que ses réussites sont le fruit de ses seuls efforts et, à moins de n'avoir pas le choix, il sollicite rarement l'aide des autres.

Paradoxalement, malgré sa confiance en lui et ses aptitudes au leadership, le natif de ce signe est parfois en proie à l'indécision et, lorsque l'enjeu est de taille, il attend souvent à la dernière minute pour trancher. Par ailleurs, il n'est pas insensible à la critique.

La capacité de gagner largement sa vie va de pair, chez le Tigre, avec un net penchant pour les dépenses, dont certaines ne sont pas des plus avisées. En accord avec sa nature généreuse, il se montre prodigue avec ses amis, qu'il comble de cadeaux.

Le Tigre a sa réputation à cœur et se préoccupe de l'image qu'il projette. Sa contenance fière et assurée ne manque pas d'attirer l'attention, ce qui n'est pas pour lui déplaire. D'ailleurs, il est versé dans l'art de la promotion, non seulement de sa propre personne, mais également des causes auxquelles il adhère.

Il est fréquent que le Tigre se marie jeune. C'est avec les natifs du Cochon, du Chien, du Cheval et de la Chèvre qu'il s'accorde le mieux. Le Tigre fait également bon ménage avec le Rat, le Lièvre et le Coq, tandis qu'il apprécie dans une moindre mesure le calme et le sérieux du Bœuf ou du Serpent. Quant au Singe, sa curiosité et son esprit taquin irritent le Tigre au plus haut point. De même, le Tigre s'entend difficilement avec un autre Tigre ou avec un Dragon, car leurs échanges sont une constante lutte de pouvoir ; en effet, aucun de ces natifs ne se prête aisément aux compromis, même pour des questions sans grande importance.

La femme Tigre, spirituelle et pleine d'entrain, n'a pas son pareil pour recevoir. Toujours soucieuse de son apparence, elle sait se mettre en valeur et séduire son entourage. Elle est aimante avec ses enfants et, si elle leur laisse la bride sur le cou, cette excellente éducatrice s'assure néanmoins qu'ils sont bien élevés et ne manquent de rien. Comme son partenaire masculin, la femme Tigre est curieuse de tout, aussi aime-t-elle avoir le champ libre pour explorer ses intérêts. Elle est également de nature tendre et généreuse.

Les splendides qualités du Tigre — son honnêteté et son courage, entre autres — font de lui une source d'inspiration pour les autres. S'il parvient à tempérer les excès de sa nature agitée, il sera promis à une vie aussi agréable qu'enrichissante.

Les cinq types de Tigres

Aux douze signes de l'astrologie chinoise sont associés cinq éléments dont l'influence vient tempérer ou renforcer le signe. Sont décrits ci-après leurs effets sur le Tigre, de même que les années au cours desquelles ces éléments exercent leur influence. Ainsi, les Tigres nés en 1950 sont des Tigres de Métal ; ceux qui sont nés en 1902 et 1962 sont des Tigres d'Eau, etc.

Le Tigre de Métal (1950)

Le Tigre de Métal se distingue par son assurance et sa nature extravertie. Bien qu'il soit occasionnelle-ment versatile, ce natif nourrit de hautes ambitions et travaillera sans relâche pour obtenir ce qu'il désire. Il lui arrive toutefois de se montrer impatient et irritable lorsque les résultats se font attendre ou que les événements prennent une tournure qui lui déplaît. Sa prestance lui vaut l'admiration et le respect de tous.

Le Tigre d'Eau (1902, 1962)

Mille et une choses suscitent l'intérêt du Tigre d'Eau, qui ne se fera pas prier pour mettre à l'essai des idées novatrices ou explorer de lointaines contrées. Polyvalence et perspicacité s'allient chez lui à une gentillesse innée. Le Tigre d'Eau reste calme dans les moments critiques, mais son indécision s'avère parfois fort ennuyeuse. Habile communicateur, bourré de talents et de charme, il parviendra le plus souvent à ses fins. Son imagination fertile fait de lui un excellent orateur ou écrivain.

Le Tigre de Bois (1914, 1974)

Le Tigre de Bois se démarque par sa personnalité sympathique et attachante. Moins farouchement indépendant que les autres Tigres, il sera davantage porté à la collaboration pour atteindre ses objectifs. Sa tendance à l'éparpillement, toutefois, n'est pas à son avantage. En règle générale, le Tigre de Bois jouit d'une grande popularité et compte de nombreux amis. Il mène une vie sociale bien remplie et des plus agréables. Le Tigre de Bois est également doué d'un excellent sens de l'humour.

Le Tigre de Feu (1926, 1986)

C'est avec entrain et brio que le Tigre de Feu aborde la vie. Aimant par-dessus tout l'action, il plonge de tout cœur dans les projets qui frappent son imagination. Ses remarquables qualités de leadership lui permettent de communiquer aux autres ses idées et son enthousiasme. De nature optimiste et généreuse, le Tigre de Feu a une personnalité fort attachante. C'est également un orateur habile et plein d'esprit.

Le Tigre de Terre (1938, 1998)

Voilà un Tigre qui a une bonne tête sur les épaules, et le sens des responsabilités ! Il examine les choses de manière objective, se faisant un point d'honneur d'être juste et intègre dans ses rapports avec les autres. Ce qui différencie le Tigre de Terre, c'est qu'il est prêt à se spécialiser au lieu de se laisser distraire par des intérêts secondaires. Toutefois, il lui arrive d'être absorbé au point de ne faire aucun cas des opinions de ceux qui l'entourent. Il jouit d'un excellent sens des affaires et connaît généralement une prospérité enviable lorsqu'il atteint l'âge mûr. Le Tigre de Terre est bien entouré et s'attache à soigner autant son apparence que sa réputation.

Perspectives du Tigre pour l'an 2000

La nouvelle année chinoise débute le 5 février 2000. Aussi, jusque-là, l'année du Lièvre fait-elle toujours sentir sa présence.

L'année du Lièvre (du 16 février 1999 au 4 février 2000), et plus particulièrement la fin de l'année, aura été à la fois avantageuse et agréable pour le Tigre.

Au cours de cette période, sa personnalité engageante, ses idées astucieuses et son esprit d'initiative auront fait une excellente impression, le mettant en bonne posture au terme de l'année du Lièvre. En effet, bon nombre de Tigres se verront offrir de nouvelles et stimulantes responsabilités professionnelles ou obtiendront une reconnaissance pour leurs accomplissements antérieurs. Si le Tigre entrevoit des occasions d'avancement, il fera bien de les saisir, en mettant à profit son expérience et ses capacités. Une attitude positive de sa part sera garante de succès et ouvrira la voie aux progrès que l'an 2000 lui réserve. Aux natifs en recherche d'emploi, il est suggéré de garder leur attention en éveil : ils pourraient fortuitement entendre parler d'un poste ou tomber sur une annonce, avec d'heureuses conséquences s'ils y donnent suite.

L'année du Lièvre est particulièrement propice au développement personnel. Le Tigre a ainsi tout intérêt à se prévaloir des possibilités de formation qui lui sont offertes. De même, s'il est tenté de s'initier à quelque discipline que ce soit, les circonstances s'y prêteront. Étant donné que ses perspectives pour l'an 2000 s'annoncent excellentes, ce qu'il choisit d'entreprendre dès maintenant jouera en sa faveur à plus long terme.

Aux plans social et familial, le Tigre sera comblé dans la dernière partie de l'année du Lièvre. Les nombreuses réceptions et sorties mondaines auxquelles il sera convié lui procureront un vif plaisir. Pour leur part, ceux qui cherchent la compagnie, l'amitié ou l'amour, seront exaucés, trouvant d'abondantes occasions de nouer des relations. Dans l'ensemble, le Tigre peut donc s'attendre à une vie personnelle dynamique, enrichissante et heureuse.

Cependant, malgré tous les aspects favorables, deux mises en garde s'imposent. D'une part, mieux vaudra surveiller son budget. S'il se montre insouciant, le Tigre risque de s'apercevoir, trop tard, qu'il a dépensé davantage que ce qu'il prévoyait dans les derniers mois de 1999. Aussi serait-il opportun qu'il resserre les cordons de la bourse. D'autre part, il doit veiller à ne pas accepter un nombre démesuré d'engagements. Car il lui arrive, n'est-ce pas, de se laisser emporter par son enthousiasme et sa bonne volonté! S'il ne met pas un frein à son ardeur, il sera entraîné dans un tourbillon d'activités qui lui laisseront peu de répit. Il devrait donc se prémunir contre toute éventualité de ce genre. Le mois de décembre 1999, qui s'annonce particulièrement fourni, comporte des risques à cet égard, et le Tigre serait alors bien avisé de gérer son temps et ses engagements avec soin.

L'année du Dragon, qui débute le 5 février, sera riche de développements pour le Tigre. À l'amorce du nouveau millénaire, il sera plus que jamais déterminé à allonger la liste de ses réalisations et à pleinement exploiter son potentiel. L'année du Dragon lui donnera assurément l'occasion de se distinguer sous ce rapport.

Au sortir de l'année du Lièvre, il aura beaucoup appris, en plus d'avoir mené à terme plusieurs projets. Toutefois, malgré ces avancées substantielles, bien des Tigres estimeront qu'ils ont davantage encore à offrir, aussi redoubleront-ils d'efforts pour améliorer leur sort et donner forme à leurs aspirations. Pour ce faire, le Tigre devra à tout prix cerner ses objectifs ainsi que les démarches à entreprendre. En effet, rêver est une chose ; faire de son rêve une réalité en est une autre.

S'il est un domaine prometteur pour le Tigre cette année, c'est bien celui du travail. En effet, les défis qui lui seront proposés ne manqueront pas d'intérêt ; mais plus encore, ils seront pour lui une source de profonde satisfaction, ce qui est primordial à ses yeux. Il a de bonnes chances, par exemple, de se voir confier de nouvelles responsabilités, des fonctions d'une autre nature, ou encore d'obtenir une promotion. Si le mandat offert a de quoi inquiéter de prime abord, ce sera néanmoins l'occasion rêvée pour le Tigre de parfaire ses habiletés. À noter que sa nature entreprenante et son ingéniosité pourraient lui être d'un grand secours, aussi devrait-il consciemment les mettre à profit. Le Tigre aura également intérêt à soumettre tout projet qu'il envisage de réaliser, en se montrant ouvert à la discussion, afin d'évaluer le potentiel de succès auquel il peut s'attendre. S'il s'agit d'une initiative de nature artistique, il lui sera avantageux d'exploiter ses talents et de se promouvoir avec aplomb. L'année du Dragon étant particulièrement propice aux idées novatrices et à tout ce qui concerne la créativité, le Tigre pourra se compter au nombre des gagnants et affermir sa réputation.

Pour ceux qui cherchent du travail ou qui jugent le moment venu de changer d'orientation professionnelle, l'année laisse entrevoir d'intéressantes possibilités. Toutefois, dénicher une situation ne sera pas chose aisée, et le Tigre devra faire preuve de doigté et d'audace pour arriver à ses fins. Il est capital, en effet, qu'il entame ses démarches avec dynamisme au lieu d'attendre que les occasions lui tombent du ciel. Afin d'accroître l'efficacité de ses recherches, il pourrait faire l'exercice d'examiner les diverses perspectives que lui ouvre l'expérience acquise. De même, il trouvera sans doute profitable d'explorer d'autres secteurs d'intérêt, aussi éloignés soient-ils de ce qu'il a connu jusqu'à présent. Le Tigre constatera que son caractère enthousiaste et fonceur lui sera utile, et que l'emploi décroché pourrait fort bien lui servir de tremplin pour accéder à une situation plus avantageuse encore. Les premiers mois de l'année, tout comme la période allant de septembre jusqu'à la fin novembre, laissent présager un vent de renouveau en ce qui concerne sa vie professionnelle. Dans l'ensemble, donc, l'année du Dragon est prometteuse pour le Tigre, mais c'est à lui que revient la responsabilité de prendre l'initiative et de saisir la balle au bond.

Côté finances, par contre, la prudence sera de mise. Le Tigre fera bien, cette année, de s'interdire toute complaisance. Avant de contracter un engagement de taille, mieux vaudra qu'il ait soigneusement pris connaissance de toutes les clauses du contrat pour savoir à quoi s'en tenir relativement à ses obligations. En effet, il lui arrive d'être négligent ou de pécher par excès de confiance dans le cadre de ses transactions financières ; or, s'il ne se montre pas particulièrement vigilant cette année, il pourrait être aux prises avec des obligations dépassant ses prévisions. Pareillement, ses dépenses sont à suivre de près, faute de quoi il sera peut-être obligé de se priver plus tard afin de rétablir l'équilibre. Le Tigre a toutes les chances d'améliorer sa situation financière, à condition qu'il adopte une attitude faite de modération et de prévoyance.

Au plan personnel, le Tigre mènera une vie des plus actives cette année, et pour les natifs en quête de compagnie, les perspectives amoureuses ou matrimoniales sont excellentes. Le Tigre bénéficiera également de multiples occasions d'élargir son cercle d'amis et de connaissances, notamment au printemps et à l'été. Cependant, il devra veiller à ce que sa conduite soit en tous points honorable : s'il se laisse distraire par d'autres objets d'intérêt, problèmes, difficultés et chagrin l'attendront au tournant. Cet avertissement ne vaut que pour un petit nombre, mais mérite d'être gardé à l'esprit. Que les Tigres profitent donc de l'année, qu'ils s'amusent, sans toutefois aller jusqu'à tenter la Providence !

Au chapitre de sa vie domestique, le Tigre connaîtra une année bien remplie. Une foule d'activités et d'engagements familiaux l'attendent en effet, aussi n'aura-t-il pas le temps de s'ennuyer ! Dans certains cas, des changements importants se produiront ; il pourrait s'agir, par exemple, du départ d'un membre de la famille pour des raisons d'études, de travail ou autres. Ce seront parfois les Tigres eux-mêmes qui choisiront de déménager ; le choix d'un domicile et le règlement des formalités occuperont alors une partie de leur temps. Quels que soient les développements réservés au Tigre en l'an 2000, sa capacité de prendre la situation en mains suscitera l'admiration de son entourage. Ainsi, lorsque le ménage traversera des moments de tension ou fera face à des circonstances imprévues, la force de caractère du Tigre sera une précieuse source d'inspiration.

Malgré l'aspect mouvementé de sa vie familiale, le Tigre passera des moments inoubliables en compagnie des siens. Les intérêts qu'il partagera avec eux, ainsi que les projets qui les réuniront, seront riches d'agréments. Il se montrera également prodigue d'encouragements et d'attentions, ce qui lui vaudra la gratitude de son entourage.

En ce qui a trait aux voyages, ils sont sous d'heureux auspices, et le Tigre peut s'attendre à tirer un plaisir

80

inégalé de toute période de vacances qu'il s'accordera. Il aura notamment l'occasion, au cours de l'année, de visiter des lieux insolites qui le fascineront. Pour ceux qui caressent le rêve d'ajouter à leur expérience de vie un séjour prolongé à l'étranger, l'année s'y révélera propice. L'année du Dragon favorise effectivement l'esprit d'aventure, aussi laisse-t-elle augurer d'heureuses perspectives pour les natifs en quête de défis et de renouveau !

Pareillement, le Tigre trouvera que les circonstances sont excellentes pour explorer d'autres champs d'intérêt. Il se consacrera de préférence à ceux qui lui permettent de se dépasser ou qui sont une source de dépaysement, et dont il est susceptible, dès lors, de tirer une profonde satisfaction.

Dans l'ensemble, donc, l'année s'annonce positive pour le Tigre. Afin de pleinement en tirer parti, il lui faudra réfléchir à ses objectifs, pour ensuite s'atteler à leur réalisation d'une manière méthodique. En faisant un bon usage de son temps, il ira de l'avant et se taillera un succès bien mérité. Il peut également s'attendre à connaître une vie familiale et sociale trépidante ainsi qu'à voir sa compagnie fréquemment sollicitée par ses semblables. À vrai dire, l'an 2000 a toutes les chances de lui réussir et lui réserve de superbes possibilités. Que le Tigre audacieux, enthousiaste et créatif en profite donc !

Abordons maintenant les différents types de Tigres et, tout d'abord, le **Tigre de Métal**, pour qui l'année annonce d'intéressants changements dont les retombées se feront sentir à long terme. En effet, en ce début de millénaire, bon nombre de Tigres de Métal jugeront opportun de passer à l'action, aussi déploieront-ils des efforts concertés pour concrétiser leurs idées et projets. L'un des domaines qui connaîtra une importante évolution est celui du travail. Bien qu'au fil des ans, le Tigre de Métal ait accumulé quantité de réalisations, plusieurs de ces natifs auront le sentiment de ne pas s'être encore pleinement accompli sur le plan professionnel, ou estimeront que leurs fonctions actuelles manquent d'intérêt. En vue de redresser la situation, certains chercheront à obtenir une promotion ou à assumer davantage de responsabilités ; d'autres souhaiteront plutôt se faire confier des tâches de nature différente, ou envisageront même un changement de carrière. Quelle que soit la direction choisie, une fois que le Tigre de Métal en aura décidé, il s'attachera à la suivre avec toute sa résolution habituelle. Bien entendu, son parcours ne décrira pas toujours une ligne droite ; mais le Tigre de Métal est toujours prêt à relever des défis, et la détermination dont il fera preuve au cours de l'année sera richement récompensée. Il ne doit toutefois pas escompter des résultats instantanés, ni céder au découragement si jamais ses premières tentatives font chou blanc. Le succès viendra, assurément, et parfois peu de temps après un revers ou une déception. Pour leur part, les Tigres de Métal qui sont en recherche d'emploi ont d'excellentes chances d'obtenir une situation dans le courant de l'année, mais, à nouveau, leur ingéniosité et leur débrouillardise seront la clef du succès. Il est conseillé à ces Tigres de donner suite à toute ouverture de poste qui les intéresse, mais également d'évaluer de quelles manières ils pourraient utiliser à profit leurs capacités et leur expérience. L'esprit d'entreprise dont ils sont doués leur permettra d'élargir l'éventail des options et, une fois que leurs démarches auront abouti, ils peuvent espérer avancer à grands pas. Au plan financier, en revanche, l'année exigera d'être prudent. Si le Tigre de Métal éprouve le moindre doute à l'égard d'une transaction, il devra impérativement obtenir des éclaircissements et, le cas échéant, faire appel à un spécialiste. L'année serait en effet mal choisie pour courir des risques inutiles ou faire preuve de complaisance dans ce domaine. À noter que le Tigre de Métal trouvera salutaire, s'il n'en pas déjà pris l'habitude, de se constituer un dossier et de faire un suivi de ses finances. En mettant de l'ordre dans ses affaires, il pourra employer son argent à meilleur escient et aussi voir grossir son pécule. Sur le plan personnel, la vie du Tigre de Métal sera plutôt mouvementée. En effet, de nombreux développements l'inciteront à faire preuve de sollicitude à l'égard des siens, et il assistera notamment un membre de sa famille dans la résolution d'un problème délicat. Bien que le ménage traverse à l'occasion des moments d'inquiétude ou de stress, la nature attentionnée du Tigre de Métal ainsi que son discernement seront précieux à son entourage, qui lui manifestera d'ailleurs sa reconnaissance. Toutefois, en dépit de quelques périodes ardues, la vie familiale du Tigre de Métal lui sera des plus agréables. Il prendra un vif plaisir aux projets et intérêts partagés, ainsi qu'à une foule d'activités divertissantes : sorties, visites de lieux intéressants et périodes de vacances ou de repos. De même, le Tigre de Métal se consacrera avec bonheur à ses intérêts personnels, et il lui est même conseillé de les explorer davantage au cours de l'année ; lui seront gratifiants, entre autres, le perfectionnement de certaines habiletés, l'élaboration de projets plus ambitieux, ou la fréquentation d'amateurs aussi passionnés que lui. Toute initiative positive de sa part rendra ses passe-temps et activités personnelles d'autant plus enrichissants et lui fera connaître des moments inoubliables. La vie sociale du Tigre de Métal sera également réjouissante : il passera d'agréables moments en compagnie de ses amis, et il établira des contacts qui pourraient s'avérer intéressants à plus longue échéance, en se joignant à un groupe de quartier, une association amicale, ou autre. L'année recèle donc d'excellentes perspectives pour le Tigre de Métal, qui devra, s'il veut pleinement en bénéficier, se fixer des objectifs précis et les poursuivre avec diligence. Il verra que les efforts déployés pour atteindre ses buts seront amplement récompensés et qu'ils auront dans bien des cas une portée considérable.

Une année exigeante mais prometteuse attend le **Tigre d'Eau**. Les développements qui se produiront sont, en effet, susceptibles d'avoir un impact tangible sur son avenir. L'un des domaines qui connaîtra une évolution notable est celui du travail, car de nombreux Tigres d'Eau prendront les moyens nécessaires pour améliorer leur situation au cours de l'année. Certains demanderont une promotion ou des responsabilités accrues, tandis que d'autres envisageront de se lancer dans une nouvelle carrière. Bien que leurs démarches ne portent pas toujours immédiatement les fruits espérés, les Tigres d'Eau qui poursuivent leurs objectifs avec détermination iront de l'avant. Comme le Tigre d'Eau l'a souvent démontré par le passé, une fois que lui est donnée l'occasion de faire ses preuves, plus rien ne l'arrête : il s'attirera l'estime de tous et jouira sans tarder d'une réputation enviable. L'année du Dragon sera également favorable aux natifs en recherche d'emploi. En plus de rester à l'affût de toute ouverture de poste, ils gagneront à se mettre en contact direct avec les entreprises au sein desquelles ils souhaiteraient travailler ainsi qu'avec des personnes occupant le type de poste qui les intéresse. Par le biais de démarches de cet ordre, ils disposeront de précieux conseils et indices, ce qui pourrait bien les mettre dans le droit fil du succès. En tout état de cause, il est capital que les Tigres d'Eau prennent l'initiative sur ce plan. Ils constateront, en effet, que le fait de s'appliquer à atteindre un but clairement défini engendre progrès et réussite. Par ailleurs, les avancées professionnelles du Tigre d'Eau favoriseront bien souvent sa situation financière. Toutefois, malgré la hausse de revenu à laquelle il peut s'attendre, il devra exercer sa vigilance relativement aux questions d'argent. Lui sont particulièrement déconseillés, cette année, risques indus, opérations de nature spéculative et dépenses extravagantes. Encore une fois, le Tigre d'Eau sera pécuniairement avantagé, mais, à défaut de prendre garde, il risque de perdre ou de dilapider des sommes importantes. Aussi, Tigres d'Eau, prenez bonne note de cet avertissement! Sur le plan familial, toutefois, le Tigre d'Eau sera comblé. Il suivra avec joie les progrès accomplis par les siens et tirera également une vive satisfaction des projets personnels auxquels il se consacrera, notamment ceux qui touchent à la maison ou au jardin. Plusieurs Tigres d'Eau choisiront de déménager cette année, et le choix d'un quartier et d'un domicile occupera une partie de leur temps. Ils désespéreront parfois de dénicher le logement de leurs rêves, et se demanderont même si les efforts en valent la peine, mais une fois leur choix arrêté, ils s'installeront rapidement et seront enchantés, et soulagés aussi! Tout au long de l'année, le Tigre d'Eau trouvera autour de lui le soutien dont il a besoin et il ne devra pas craindre de solliciter aide et conseils s'il est surmené (par ses tâches domestiques, notamment) ou préoccupé. Vu le caractère mouvementé de sa vie cette année, il risque d'être porté à négliger ses propres intérêts ou ses activités sociales; or ceux-ci méritent sans aucun doute qu'il leur réserve du temps. En effet, ses loisirs et sa vie sociale lui offriront des occasions de délassement et de répit qui lui seront des plus bienfaisantes. De surcroît, le Tigre d'Eau sera bien avisé de se ménager, dans le courant de l'année, une période de vacances qui, non seulement lui apportera un regain d'énergie, mais sera également pour lui l'occasion de visiter des lieux captivants. Dans l'ensemble, donc, l'an 2000 inaugure une période d'intense activité pour le Tigre d'Eau, notamment en raison des objectifs qu'il se sera fixés. Toutefois, comme il en a parfaitement conscience, les progrès seront fonction de ses propres initiatives, aussi mettra-t-il les bouchées doubles pour atteindre ses buts. Les avancées qu'il connaîtra au cours de l'année du Dragon prépareront assurément son succès à venir.

Tout ne se déroulera peut-être pas selon le scénario souhaité par le **Tigre de Bois** au cours de l'an 2000, mais ces douze mois se révéleront tout de même marquants pour lui. En effet, certains éléments des projets qu'il entretenait pourraient être affectés, pendant l'année du Dragon, par des revirements de situation susceptibles de gêner sa marche vers le progrès. Cependant, ce qu'il percevra sans doute comme des obstacles sur sa route ne jouera pas forcément à son désavantage. Ces contretemps lui donneront la chance de prouver de quelle étoffe il est fait et, devant faire appel à ses ressources intérieures pour les surmonter, il apprendra à se connaître beaucoup plus intimement. Sa force de caractère s'en trouvera grandie ; il sera amené à imaginer des solutions novatrices. Le Tigre de Bois peut donc espérer tirer de grands profits de cette année, même si sous certains aspects, les choses ne se présentent pas de la manière dont il les avait envisagées. Sur le plan du travail, plusieurs changements importants sont à prévoir. Pour de nombreux Tigres de Bois, cela voudra dire une nouvelle affectation ou des responsabilités différentes et, encore une fois, si elles ne correspondent pas à ce qu'aurait souhaité le natif du signe, néanmoins le bagage d'expérience et d'habiletés qu'il acquerra constituera un atout pour plus tard. Dans un même ordre d'idées, malgré le plan de carrière plus ou moins précis qu'il a déjà établi, ce sera tout à son avantage d'adopter une attitude ouverte et flexible face aux occasions qui se présentent, plutôt que s'en tenir strictement à la ligne qu'il s'était tracée. Les Tigres de Bois qui cherchent du travail seront également bien avisés d'élargir l'éventail des postes auxquels poser leur candidature. Ce faisant, ils multiplieront leurs possibilités, et il peut fort bien arriver qu'un emploi offert maintenant serve ensuite de tremplin pour gravir des échelons. En termes de travail donc, l'année du Dragon recèle un potentiel considérable pour le Tigre de Bois mais elle requiert qu'il demeure souple, qu'il explore toutes les avenues et cesse de se cramponner aux scénarios rêvés. En matière d'argent, il devra se montrer prudent au cours de l'année. En raison des dépenses qu'il aura à faire, il trouvera utile de tenir des comptes serrés et de suivre de près sa situation financière. Il évitera les problèmes en adoptant une saine gestion; ce ne sera pas le moment de négliger ses affaires ou de prendre des risques. Sa vie familiale, quant à elle, connaîtra une grande animation, des développements nombreux et des occasions mémorables. L'année verra des Tigres de Bois se marier, avoir un enfant ou observer avec contentement les progrès de certains membres de leur entourage. Cependant, alors que le natif du signe vivra de grandes joies, il aura inévitablement sa part de soucis. Dans ces moments plus difficiles, qu'il n'hésite pas à demander conseil à ses proches car il tirera beaucoup de réconfort du soutien reçu. Il est important qu'il se rappelle qu'il n'est pas seul face à ses difficultés; en effet, plusieurs personnes l'aiment, le respectent et sont prêtes à l'épauler. Ces quelques nuages, toutefois, ne viendront pas assombrir les nombreux

moments de bonheur que lui réserve l'an 2000, spécialement pendant l'été. Il sera choyé par la présence des siens,
et la poursuite de ses activités favorites sera une bonne
source de divertissement, surtout s'il peut les partager avec
des êtres aimés, ou si elles le mettent en contact avec
d'autres. La vie sociale du Tigre de Bois est bien aspectée,
et on recherchera fréquemment sa présence. Il aura
également l'occasion de nouer de nouvelles amitiés, et de
nombreuses fêtes et sorties mondaines sont en perspective.
À presque tous égards, donc, l'année du Dragon sera une
année agréable qui apportera des gratifications au Tigre de
Bois. Même s'il est appelé à modifier certains de ses plans,
il aura la chance d'acquérir de l'expérience et de se former
à l'école de la vie en affrontant les défis. L'année sera
également semée d'événements marquants affectant en
particulier sa vie privée.

Le **Tigre de Feu** est reconnu pour sa vitalité
débordante et son esprit curieux ; il a toujours des projets
en vue, qu'il rêve de mettre à exécution. Au cours de l'an
2000, il peut espérer des résultats positifs ; toutefois, en
début d'année, il devra s'appliquer à établir une hiérar-
chie de ses priorités les plus immédiates, et grâce à son
sens de l'organisation, planifier son action en conséquence. Les bénéfices qu'il peut attendre de cet exercice :
un emploi plus rationnel de son temps et des résultats
plus satisfaisants. Que cela concerne ses intérêts personnels ou sa vie au travail, une approche méthodique sera
récompensée. Au cours de l'année, plusieurs Tigres de
Feu entreprendront des projets de rénovation domici-
liaire ou décideront de déménager. Ils auront, bien sûr,
toutes les raisons du monde d'être fiers des fruits de
leurs efforts, mais qu'ils n'oublient pas de réserver assez
de temps lorsqu'il s'agira de travaux majeurs. Même avec
les meilleurs plans, les plus précis et les plus détaillés, la

phase d'exécution est toujours plus longue que prévu, et les pépins sont inévitables. Rappel utile à ceux qui auront à déménager des objets lourds, ou seront aux prises avec des tâches compliquées pour lesquelles ils manquent de connaissances : demander de l'aide peut éviter un accident ou une mésaventure! En plus de ressentir un profond sentiment de satisfaction lié aux travaux faits dans la maison, le Tigre de Feu sera comblé dans la poursuite de ses intérêts personnels. Et s'il a l'occasion d'en développer de nouvelles facettes, d'entrer en contact avec des fervents des activités qui le passionnent, ou même d'écrire au sujet de ses expériences, son plaisir sera décuplé. Sa vie familiale et sociale le tiendra passablement occupé au cours de l'année; son rôle parmi les siens l'amènera à prendre pleinement part à leurs activités, et ils lui en seront reconnaissants. De bonnes nouvelles touchant certains membres de la famille donneront lieu à des réunions agréables. Son cercle d'amis lui procurera également de l'agrément, et nombre d'invitations à des fêtes intimes et autres sont à prévoir. Le domaine des voyages se trouvera tout aussi bien aspecté, et le Tigre de Feu s'efforcera de ne laisser passer aucune chance de partir. Peut-être pourra-t-il enfin visiter des contrées dont il n'avait pu que rêver jusqu'alors, ou se rendre chez des parents ou amis habitant assez loin. De toutes façons, il vivra des moments inoubliables liés à ses déplacements. Au plan des études, les Tigres de Feu nés en 1986 (ceux nés en 1926 ayant selon toute probabilité terminé cette étape de leur vie) connaîtront de beaux progrès au cours de l'année du Dragon. Cependant, leur emploi du temps devant accommoder un grand nombre d'activités diverses, tant académiques que sportives ou sociales, ils devront veiller à bien les planifier, se rappelant que les journées n'ont que vingt-quatre heures.

En prévision des tests ou examens, ils s'assureront d'allouer assez de temps à la révision des matières. Ils ont, pour la plupart, encore plusieurs années d'études devant eux, mais comme les résultats qu'ils obtiennent maintenant sont susceptibles d'avoir un impact sur leurs débouchés futurs, ils feront bien de ne pas faiblir à la tâche. Si jamais ils se font du souci à quelque sujet que ce soit, ils devront sans hésiter s'en ouvrir aux autres. En effet, ils trouveront les membres de leur entourage prêts à les aider et à calmer leurs craintes. Dans l'ensemble, donc, l'année s'annonce agréable pour le Tigre de Feu ; pour profiter au maximum des tendances favorables qui prévalent, il se sera fait au préalable une idée claire de ce qu'il veut accomplir au cours de l'an 2000. Prudence, méthode et une bonne gestion de son temps devraient lui assurer d'en récolter moult bénéfices.

Le **Tigre de Terre** connaîtra une année avantageuse qui verra des développements positifs dans presque toutes les sphères de sa vie. Les moments dédiés à la poursuite de ses intérêts personnels seront particulièrement gratifiants, et il devrait viser non seulement à leur consacrer du temps mais aussi à les développer, en approfondissant par exemple les connaissances utiles à leur pratique, ou en s'attaquant à un projet plus ambitieux. Se fixer de nouveaux défis le stimulera et embellira sa vie. Il serait même possible, et pourquoi pas, qu'il puisse tirer profit de certaines de ses habiletés. Grâce à leur esprit d'entreprise en effet, des Tigres de Terre pourront se créer une source supplémentaire de revenus en exploitant leurs talents. Pour ceux qui n'ont pas encore de passe-temps précis, ou ceux qui prendront leur retraite et donc, disposeront de plus amples moments de liberté, il serait tout indiqué d'adopter un hobby, peut-être un art ou une technique qui éveille leur curiosité mais qu'ils n'ont pas eu le loisir d'explorer auparavant. Comme le Tigre de Terre sera à même de le découvrir, le domaine des loisirs sera pour lui générateur de plaisirs tout au long de l'année. Dans son foyer, les choses iront également bien, et divers projets familiaux viendront agrémenter les saisons, comme des voyages ou des excursions. À cette étape de sa vie, le Tigre de Terre se réjouira particulièrement des succès de ceux qui l'entourent. À titre d'aîné, il ne devra pas hésiter à partager les fruits de sa sagesse avec des plus jeunes, car ceux de la génération qui suit ont pour lui une grande estime et rechercheront ses conseils. Par ailleurs, bon nombre de Tigres de Terre décideront de s'atteler à faire un tri de leurs affaires et de leur papiers. Cette corvée les amènera à se débarrasser de tout de qui encombre inutilement la maison, et les remplira d'aise. Une vie sociale nourrie s'annonce pour l'an 2000 ; rencontres amicales, fêtes et soirées diverses se succéderont, et ce, d'une façon plus soutenue au cours de l'été. Il y aura inévitablement quelques Tigres de Terre qui se sentiront seuls, peut-être parce que dans le passé leur rythme de vie trépidant les a privés du temps nécessaire pour cultiver des amitiés ; à ceux-là, il sera recommandé de faire un effort pour briser le carcan de la solitude. En se joignant à un groupe qui pratique une activité ou un sport qui les intéresse, qui milite pour une cause qui leur tient à cœur, ils feront de nouvelles connaissances dont certaines deviendront de bons amis, et ajouteront du piquant à leur vie. Pour ce qui est de ses affaires, le Tigre de Terre devra procéder avec prudence et discernement. Toute transaction financière ne devra être conclue qu'une fois qu'il aura reçu les éclaircissements et les garanties nécessaires : ce ne sera tout simplement pas l'année pour aller à l'aveuglette ou prendre des risques. Pareillement, si le Tigre de Terre doit remplir des formulaires ou des documents importants, relatifs aux impôts par exemple, il prendra le temps de lire et relire, de demander conseil ou de consulter un spécialiste. Sinon, il pourrait se trouver pris dans un échange interminable de lettres et de missives, et risquer de perdre certains bénéfices ou payer plus qu'il ne faut : qu'il en prenne donc bonne note et reste sur ses gardes ! Dans une veine plus positive, il éprouvera beaucoup de plaisir à voyager au cours de l'an 2000 et devrait planifier de partir au moins une fois, peut-être vers une destination inconnue de lui mais qui chatouille sa curiosité, ou pour rendre visite à des amis qu'il n'a pas revus depuis longtemps ; quoi qu'il en soit, il rapportera dans ses bagages des souvenirs impérissables. Somme toute, l'année du Dragon sera favorable au Tigre de Terre, et s'il a bien aménagé son temps, il en fera un bilan positif. En raison de sa nature riche et généreuse, il se trouvera particulièrement gratifié par ses excellentes relations avec l'entourage.

Tigres célèbres

Victoria Adams (Posh Spice), Kofi Annan, Ludwig van Beethoven, Tony Bennett, Jon Bon Jovi, Emily Brontë, Mel Brooks, Agatha Christie, André Citroën, Phil Collins, Bob Coltrane, Tom Cruise, Mireille Darc, Charles de Gaulle, Leonardo DiCaprio, Emily Dickinson, Isadora Duncan, la Reine Elizabeth II, Mel Gibson, Elliott Gould, Francisco de Goya, Germaine Greer, Sir Alec Guinness, William Hurt, Bianca Jagger, Jerry Lewis, Mahomet, Karl Marx, Miou-Miou, Marilyn Monroe, Demi Moore, Paganini, Camille Pissarro, Pierre Auguste Renoir, Arthur Rimbaud, Dame Joan Sutherland, Dylan Thomas, Liv Ullman, Jon Voight, Oscar Wilde, Tennessee Williams, Stevie Wonder.

Le Lièvre

29 janvier 1903 au 15 février 1904	*Lièvre d'Eau*
14 février 1915 au 2 février 1916	*Lièvre de Bois*
2 février 1927 au 22 janvier 1928	*Lièvre de Feu*
19 février 1939 au 7 février 1940	*Lièvre de Terre*
6 février 1951 au 26 janvier 1952	*Lièvre de Métal*
25 janvier 1963 au 12 février 1964	*Lièvre d'Eau*
11 février 1975 au 30 janvier 1976	*Lièvre de Bois*
29 janvier 1987 au 16 février 1988	*Lièvre de Feu*
16 février 1999 au 4 février 2000	*Lièvre de Terre*

LA PERSONNALITÉ DU LIÈVRE

La clé du succès est toute simple : ne ménager aucun
effort et bien faire tout ce que l'on fait,
sans songer à la gloire.

HENRY WADSWORTH LONGFELLOW, un Lièvre

Le Lièvre naît sous le double signe de la vertu et de la prudence. C'est un être doté d'une bonne intelligence, qui préfère mener une vie calme et paisible. Il déteste la discorde et tente à tout prix d'éviter les frictions et les conflits. C'est un pacificateur : il aime faire régner l'harmonie, et a généralement une influence lénifiante sur son entourage.

Ses intérêts sont très variés et s'étendent souvent aux arts. Il a le goût du raffinement et des belles manières. Mais il sait également fort bien s'amuser, et on le retrouve fréquemment dans les restaurants et les boîtes à la mode.

Spirituel et vif d'esprit, le Lièvre raffole des discussions entre amis. Son opinion et ses conseils sont prisés, d'autant plus qu'on le sait discret et plein de tact. Rarement élève-t-il la voix lorsqu'il sent monter sa colère et, pour préserver la paix, il est prêt à ignorer des choses qui lui déplaisent ; il aime demeurer en bons termes avec tout le monde. Ce qui ne veut pas dire qu'il est insensible ; au contraire, toute critique le hérisse intérieurement. Et dès qu'une situation risque de s'envenimer, il est le premier à tourner les talons.

Doué d'une mémoire remarquable, le Lièvre accomplit les tâches qu'on lui confie avec efficacité, sans faire de bruit. En affaires, il fait preuve d'une grande

94

astuce. Cependant, le contexte dans lequel il se trouve tend à affecter sa performance. Ainsi, un climat de tension ou l'obligation de prendre des décisions rapides le font réagir négativement. Autant que faire se peut, il prépare soigneusement son plan d'action, quelle que soit l'activité envisagée, et essaie de prévoir... même les imprévus. Il déteste prendre des risques et n'accepte pas de bon cœur le changement. En fait, ce qu'il recherche, c'est un environnement stable, paisible et sans surprises. Une fois qu'il l'a trouvé, il est plus qu'heureux si les choses restent telles quelles.

Consciencieux dans tout ce qu'il fait, méthodique, vigilant, le Lièvre a toutes les chances de réussir dans sa profession. On peut le retrouver dans la carrière diplomatique, comme avocat, commerçant, administrateur ou homme du culte ; il excelle partout où ses talents de communicateur peuvent être mis à profit. On le respecte tant pour sa loyauté que son intégrité ; par ailleurs, si jamais il accède à un poste de pouvoir, il risque de se montrer parfois autoritaire et intransigeant.

Le Lièvre accorde une grande importance à son milieu de vie. Il est donc tout à fait disposé à consacrer temps et argent pour aménager son intérieur et le doter des derniers conforts car, fiez-vous au Lièvre, jamais il ne néglige son bien-être ! Il a fréquemment une âme de collectionneur ; nombreux sont en effet les natifs du signe qui se passionnent pour les meubles anciens, les objets d'art, les timbres, les pièces de monnaie, etc.

La femme Lièvre, bienveillante et d'une grande délicatesse, s'exerce toujours à créer un foyer chaleureux. Comme elle est très sociable, elle adore recevoir. Et elle a un rare talent pour organiser son temps de sorte que, même très sollicitée, elle arrive toujours à trouver des moments pour se délasser, lire ou voir des amis. Elle possède un sens de l'humour hors pair, est douée pour les arts, et souvent le jardinage est un de ses violons d'Ingres.

Le Lièvre, soucieux de son apparence, apporte un grand soin à sa tenue et il est généralement très bien mis. C'est un être pour qui les relations humaines ont une grande importance; il ne manque pas d'admirateurs, et vit fréquemment plusieurs aventures amoureuses avant de s'établir. Le Lièvre n'est pas le plus fidèle des signes mais, pour une relation durable, il est susceptible de s'entendre particulièrement bien avec les natifs de la Chèvre, du Serpent, du Cochon et du Bœuf. Vu son affabilité, il peut également faire bon ménage avec le Tigre, le Dragon, le Cheval, le Singe, le Chien et un autre Lièvre. Cependant, les relations sont beaucoup moins harmonieuses avec le Rat et le Coq à cause de leur franc-parler et de leurs jugements sévères. Or, nous le savons, le Lièvre déteste toute forme de critique ou d'affrontement.

Il semble né sous une bonne étoile et la chance veut qu'il se trouve souvent «où il faut, quand il faut». Ses talents sont multiples et le Lièvre a le don de les exploiter. Cependant, à l'occasion, il ne répugne pas à faire passer le plaisir avant le travail; il préfère de beaucoup la vie facile! Il affiche parfois de la réserve, et même une certaine méfiance à l'égard des motifs d'autrui, mais possède tout ce qu'il faut pour connaître une existence heureuse, relativement exempte de discorde et de mésentente.

Les cinq types de Lièvres

S'ajoute aux caractéristiques qui marquent les douze signes du zodiaque chinois, l'influence de cinq éléments qui viennent les renforcer ou les tempérer. On retrouve ci-après les effets qu'ils exercent sur le Lièvre et les années au cours desquelles chaque élément prédomine. Ainsi, les Lièvres nés en 1951 sont des Lièvres de Métal, ceux qui sont nés en 1903 et 1963, des Lièvres d'Eau, etc.

Le Lièvre de Métal (1951)

Ce Lièvre, pourvu de nombreux talents, est ambitieux, sait ce qu'il veut et a des buts précis. Si on le dit parfois réservé et même distant, c'est qu'il partage peu ses opinions. Bien servi par un esprit vif et alerte, il a un sens aigu des affaires : c'est un fin stratège. Il s'intéresse aux arts et aime évoluer dans le beau monde. Le plus souvent, il n'a pas un très grand cercle d'amis mais plutôt, un cercle de très bons amis.

Le Lièvre d'Eau (1903, 1963)

Le Lièvre d'Eau est doué d'intuition et de perspicacité, qualités qui accompagnent une grande sensibilité. Cela l'amène quelquefois à prendre les choses trop à cœur. D'une extrême minutie, il s'applique à tout ce qu'il fait. Il possède une mémoire remarquable ainsi que le don d'exprimer ses idées, et ce, même s'il est d'un naturel réservé. Il jouit de l'estime de ses proches et de ses collègues, et sa présence est recherchée.

Le Lièvre de Bois (1915, 1975)

Le Lièvre de Bois est généreux, facile à vivre et fait preuve d'une grande adaptation. Au travail solitaire il préfère le travail de groupe, car il aime se sentir entouré et soutenu. Il manifeste toutefois une certaine réticence à exprimer ses vues ; il serait donc dans son intérêt d'apprendre à communiquer plus ouvertement et surtout plus directement. Il adore sortir et compte généralement de nombreux amis.

Le Lièvre de Feu (1927, 1987)

Le Lièvre de Feu a un tempérament chaleureux et extraverti. Il aime se retrouver entre amis et s'efforce d'être en bons termes avec tous. Discret et diplomate, il comprend bien la nature humaine. Doté d'une volonté de fer, il a un excellent potentiel et peut aller loin dans la vie, d'autant plus s'il reçoit l'appui de son entourage. Car il supporte mal que les choses ne tournent pas rond, et les déceptions entraînent souvent sautes d'humeur ou déprime.

Le Lièvre de Terre (1939, 1999)

Le Lièvre de Terre est du type tranquille. Réaliste quant à ses buts, il est prêt à fournir l'effort nécessaire pour les atteindre. Il a le sens des affaires et, en matière de finances, la chance joue souvent en sa faveur. Clairvoyance et finesse le caractérisent. Il sait être très persuasif et arrive plus souvent qu'autrement à rallier les autres à ses idées. Ses amis et collègues le tiennent en haute estime et sollicitent fréquemment son opinion.

Perspectives du Lièvre pour l'an 2000

La nouvelle année chinoise commence le 5 février 2000. Jusqu'à cette date, c'est toujours l'année du Lièvre qui fait sentir sa présence.

L'année du Lièvre (du 16 février 1999 au 4 février 2000) a été favorable pour le Lièvre, et les derniers mois de cette année-là peuvent encore le voir accomplir bien des choses, vu que tous les domaines de sa vie sont bien aspectés. Donc, s'il se trouve des projets qu'il n'a pas encore menés à terme, le moment est tout indiqué pour donner le dernier coup de collier. Une action résolue aboutira à d'excellents résultats, du moins si le Lièvre ne manque pas d'en prendre l'initiative.

Les choses augurent particulièrement bien au niveau du travail. Au cours de l'année, l'esprit consciencieux du Lièvre et son sérieux ont vraiment impressionné; s'il souhaite maintenant effectuer une percée, il devrait activement explorer les avenues pour ce faire. Ceux qui cherchent un emploi devraient être spécialement aux aguets. À compter de septembre 1999, pourraient se faire jour des possibilités singulièrement intéressantes.

Le Lièvre sera également favorisé en ce qui concerne ses finances au cours du dernier trimestre, qui le verra peut-être faire des achats pour la maison. Ces nouvelles acquisitions viendront agrémenter son décor et ajouter à son bien-être : un réel plaisir pour lui. À l'approche du prochain millénaire, plusieurs Lièvres décideront également de se gâter un peu en rafraîchissant leur garde-robe.

La vie personnelle du Lièvre lui apportera beaucoup de contentement, et son entourage sera prêt à l'épauler dans tout ce qu'il fait. Au terme de l'année qui s'achève, le Lièvre peut entrevoir des réunions de toutes sortes avec parents et amis, des sorties mondaines, des fêtes excitantes et mémorables. Pour ceux qui cherchent l'âme sœur ou qui désirent se faire de nouveaux amis, toutes ces occasions ne manqueront pas de favoriser les nouvelles rencontres. Les dernières semaines de l'année s'annoncent donc très agréables pour le Lièvre car, quand il est question de s'amuser et d'avoir du plaisir, il n'a pas son pareil!

L'année du Dragon qui débute le 5 février s'annonce, comme on dit pour le temps qu'il fait, variable. Certaines parties de l'année iront très bien, d'autres ne seront pas exemptes de soucis ou de problèmes. Toutefois, le Lièvre qui continue à faire jouer son tact, qui garde l'œil ouvert et use de prudence, aura les ressources qu'il faut pour minimiser l'impact de certaines situations moins favorables.

Au travail, il fera bien de s'en tenir à du connu, et d'appliquer ses énergies à ses champs de compétence. Pour le Lièvre, ce n'est pas le moment de s'aventurer dans des entreprises trop ambitieuses ou dans des domaines où il a peu ou pas d'expérience. Il accomplira cependant des progrès grâce à la persistance de ses efforts et à la souplesse dont il saura faire preuve pour s'adapter aux changements de conjoncture.

Nombre de Lièvres décideront de rester dans leurs fonctions en l'an 2000; malgré tout, leur milieu verra des transformations susceptibles d'affecter leurs plans et leurs attentes; ce pourrait être par exemple l'arrivée de nouvelles figures ou une réorganisation décidée par l'employeur, et qui a une portée directe sur leur charge de travail. On comprend comment le Lièvre, qui préfère la stabilité, pourrait ressentir un certain malaise ou même de l'inquiétude. Mais, qu'il se persuade qu'en période de transition, il a tout intérêt à faire contre mauvaise fortune bon cœur, pour tirer le meilleur parti possible de la situation. Après tout, qu'on le veuille ou non, le progrès implique toujours des mutations, mais de ces dernières naissent souvent des occasions insoupçonnées. Au cours de l'année du Dragon, le Lièvre devra donc apprendre à nager avec le courant plutôt qu'essayer vainement d'y résister. Tout de même, en dépit de ces perturbations passagères, il arrivera à produire des résultats très honorables mais, répétons-le, dans les domaines qu'il connaît bien.

Cette dernière précision s'applique aussi aux Lièvres qui seront en recherche d'emploi ou à ceux qui voudraient en changer. En effet, ils auront tout avantage en cette année du Dragon à s'intéresser à des postes faisant appel à leurs compétences actuelles, ou qui répondent à leurs affinités, plutôt qu'essayer de décrocher un emploi pour lequel ils n'auraient qu'une formation rudimentaire. Car c'est en faisant valoir leur expérience et leurs habiletés que la plupart réussiront à trouver le genre de situation qui leur convient. Admettons d'emblée que ce ne sera pas toujours facile, et que certains Lièvres connaîtront des déceptions ou des incidents de parcours. Mais envers et contre tout, ils veilleront à garder foi en eux-mêmes et à persévérer dans leur quête. Et dans bien des cas, c'est fortuitement qu'ils trouveront le poste idéal pour ajouter à leur bagage d'expérience.

Pour le Lièvre, ce sont les mois d'avril et mai ainsi que le dernier trimestre de l'année qui devraient voir le plus de mouvement au plan du travail. À partir du début d'octobre, les choses deviendront plus faciles, et les problèmes se résoudront d'eux-mêmes. La vie du Lièvre reprendra un cours plus tranquille, et il recevra, peut-être un peu tard, le crédit qui lui est dû. Ce qui importe avant tout, c'est de ne pas baisser les bras devant les difficultés; elles ne sont que temporaires après tout, et une fois qu'elles seront derrière lui, le Lièvre pourra continuer sur sa lancée, plus riche dès lors à cause de ce qu'il aura traversé.

Sur le plan économique, l'année sera raisonnablement bonne pour le Lièvre et, s'il gère son argent avec l'habileté qu'on lui connaît, il devrait jouir d'une modeste amélioration de sa situation financière. Mais ceci, à condition qu'il observe la plus grande circonspection face à tout investissement ou tout projet qui présente des risques. En l'an 2000 donc, le mieux pour lui sera de concentrer ses placements dans des domaines qui lui sont familiers ou à propos desquels il s'est suffisamment renseigné, afin de ne pas mettre en péril son avoir. Et s'il ressent la moindre inquiétude au sujet de quelque transaction que ce soit, le Lièvre verra à obtenir l'opinion d'une personne compétente avant de procéder. En somme, pour bien s'en tirer, il exercera toute l'année à l'égard de l'argent sa prudence coutumière.

Tout comme en 1999, le Lièvre profitera de l'année du Dragon pour faire certains achats pratiques pour la maison, et celui qui est plus attiré par les meubles anciens, l'art ou les objets de collection aura le plaisir de dénicher quelques trouvailles. Cependant, mettre de côté une certaine somme pour des vacances ou un court répit serait assurément une bonne idée. Pour évacuer le stress de l'année, le Lièvre devrait se faire un devoir de mettre la clé sur la porte pour aller se ressourcer dans un décor différent.

Sur le plan domestique, l'année s'annonce agréable, avec moult bons moments que le Lièvre partagera avec ceux qui lui sont chers. Il s'intéressera de près à leurs activités, toujours prodigue d'encouragements et de conseils. Mais, peut-être ne se rend-il pas vraiment compte du rôle important qu'il joue dans le vie des siens : eh bien, cette année, l'estime et l'affection qu'on lui témoignera auront de quoi lui réchauffer le cœur. Différents événements heureux viendront ponctuer la vie du foyer au cours des mois. Certains, en particulier des succès remportés par des membres de la famille, donneront lieu à des réunions et des réjouissances.

Toutefois, même si le climat familial est généralement bon chez le Lièvre, formulons malgré tout une petite mise en garde. S'il se sent envahi par la frustration, l'incertitude ou simplement la fatigue occasionnées par le travail, il devra éviter de passer sa mauvaise humeur sur son entourage. Combien mieux ce serait de s'ouvrir et de parler des difficultés auxquelles il fait face : un fardeau partagé est déjà plus léger ! Dans le même ordre d'idées, pour diminuer le stress, le Lièvre fera bien de se ménager régulièrement des heures de détente ou de repos. À cette fin, ses intérêts personnels constitueront un excellent dérivatif à ses préoccupations. De même, la pratique régulière d'un sport, quel qu'il soit, pourrait non seulement contribuer à le maintenir en forme (surtout s'il mène une vie sédentaire) mais lui permettre de libérer les tensions accumulées. Alors, ce sera vélo, natation, ou conditionnement physique ?

Le Lièvre attache de l'importance à sa vie sociale, et celle-ci sera bien remplie au cours de l'année. En plus de rencontres informelles entre amis, plusieurs événements à caractère mondain sont à prévoir. Et pour ceux qui cherchent l'âme sœur ou qui souhaitent tout simplement élargir leur cercle d'amis, les occasions ne manqueront pas. La facilité qu'a le Lièvre d'entrer en contact et d'établir des relations avec les gens le servira bien au cours de l'an 2000. Les mois de mars, mai, août et septembre devraient lui sourire particulièrement.

Tout en convenant que l'année du Dragon ne sera pas des plus faciles pour lui, elle gratifiera tout de même le Lièvre de très bons moments, dont ceux passés en compagnie des personnes qu'il aime ne seront pas les moindres. Certes, la situation au travail présentera des défis, mais elle lui permettra d'enrichir son expérience tant au niveau personnel que professionnel. Ainsi mieux outillé, il saura tirer profit des possibilités intéressantes qui poindront à l'horizon. À travers les périodes cahoteuses, le Lièvre fera bien de se rappeler que dans son entourage plusieurs sont prêts à l'aider. En fait, ils seront heureux de pouvoir lui rendre les bontés qu'il a si souvent eues à leur égard.

Abordons maintenant les différents types de Lièvres et, en premier lieu, le **Lièvre de Métal**, pour qui l'année du Dragon s'annonce excellente. Doué de perspicacité et de finesse, le Lièvre de Métal n'a pas son pareil pour être au bon endroit au bon moment. C'est en un rien de temps qu'il fait le tour d'une situation pour ensuite soigneusement manœuvrer en conséquence. En présence d'une occasion avantageuse, il sait agir promptement et avec fermeté ; mais il sait tout aussi bien se montrer patient lorsqu'il le faut, rester aux aguets et prévoir la prochaine étape. Son esprit de stratège et ses multiples habiletés, qui lui ont valu de beaux succès dans le passé, continueront de le servir en l'an 2000. Au cours de l'année, le Lièvre de Métal verra les événements se produire sans que rien ne lui échappe, vaquant à ses occupations avec son attention coutumière, dans l'attente du moment propice. Mais lorsqu'une occasion se présentera, notamment sur le plan professionnel, il ne manquera pas de la saisir, se donnant ainsi toutes les chances d'améliorer sa situation ainsi que ses perspectives d'avenir. Convenons-en, les ouvertures ne foisonneront pas cette année, cependant le Lièvre de Métal sera habile à en tirer le meilleur parti possible, en particulier si elles coïncident avec ses domaines de spécialisation. À noter que l'année du Dragon sera marquée par nombre d'événements imprévus : *en sortiront gagnants les esprits éveillés et hardis*! Les mois d'avril et mai, tout comme le dernier trimestre de l'année, s'avéreront particulièrement productifs au point de vue du travail. L'année favorisera également les Lièvres de Métal se cherchant un emploi. Ceux-ci devront non seulement surveiller les offres qui méritent d'être considérées, mais également prêter une oreille attentive à tout indice ou conseil émanant de personnes bien placées pour les informer. Encore une fois, le talent qu'a le Lièvre de Métal pour dépister les occasions prometteuses lui sera fort utile. Côté finances, la situation s'annonce bonne et, si le Lièvre de Métal s'applique à la gestion de son budget avec la rigueur dont il est capable, d'excellents résultats sont à prévoir. De même, en choisissant de consacrer certaines sommes à l'épargne ou aux investissements, il mettra des atouts dans son jeu pour l'avenir. En ce qui concerne sa vie familiale, elle lui laissera peu de répit. Il s'affairera aux tâches domestiques habituelles (elles lui sembleront innombrables!), mais les besoins de son entourage tout comme les rénovations à entreprendre chez lui exigeront également une disponibilité de tous les instants. Vu son emploi du temps chargé, le Lièvre de Métal ferait bien d'établir la liste de ses priorités au lieu de trop disperser ses efforts. Si cela signifie l'interruption ou le report d'un projet, qu'il l'accepte alors avec philosophie! Sinon, il risque de s'esquinter à vouloir tout faire, en plus de bâcler les choses, et les résultats au bout du compte laisseront à désirer. Dans les moments d'intense activité, le Lièvre de Métal ne devrait s'embarrasser d'aucuns scrupules pour demander l'aide de ses proches, car elle lui sera volontiers accordée, ce qui lui permettra de reprendre son souffle. Malgré toute l'effervescence qui caractérisera sa vie familiale, il trouvera dans l'amour et les encouragements prodigués par les siens une précieuse source de réconfort. Sur ce fond d'activité générale, certains événements prendront un relief tout particulier en vertu de leur caractère mémorable et réjouissant, tels que les fiançailles ou le mariage d'un être cher, ou encore la naissance d'un enfant. La vie sociale du Lièvre de Métal sera également heureuse, il aura d'excellents moments avec ses amis et un carnet mondain bien rempli. Les natifs qui recherchent la compagnie, pour leur part, se verront exaucés au cours de l'année du Dragon, qui leur réserve une foule d'occasions de nouer des relations. Les premières semaines de l'année, tout comme la période estivale, y seront particulièrement propices. Dans l'ensemble, le Lièvre de Métal sera satisfait de la tournure des événements et, en exploitant au mieux leur potentiel, il aura toutes les chances d'améliorer sa situation, tout en tirant une vive satisfaction de sa vie personnelle. En somme, l'an 2000 s'annonce pour lui à la fois agréable, active et constructive.

Le **Lièvre d'Eau** connaîtra une année mitigée ; tandis que certains aspects de sa vie le rempliront de joie, d'autres lui seront une source d'inquiétude. Cependant, il sera toujours bien entouré, peu importe les circonstances, aussi devrait-il sans hésitation consulter ses proches s'il traverse une période d'incertitude ou s'il rencontre des difficultés. Ce faisant, il reprendra courage et renouvellera sa confiance, sentiments d'une valeur inestimable pour ce natif qui ressent très profondément les choses. La vie domestique du Lièvre d'Eau sera sous d'heureux auspices durant l'année du Dragon, celle-ci lui promettant de nombreux moments de félicité. En plus du soutien indéfectible qui lui sera offert, il éprouvera un plaisir immense à suivre de près les activités de son entourage, et notamment les succès d'un plus jeune, qui le rempliront de fierté. Bien que le Lièvre d'Eau ne veuille pas s'immiscer indûment dans les affaires d'autrui, ses suggestions, en matière d'éducation par exemple, pourraient s'avérer utiles et opportunes. D'ailleurs, sa nature aussi attentionnée qu'affectueuse ne manquera pas d'être appréciée et reconnue, tout comme le rôle primordial qu'il joue dans la vie des siens ; voilà pourquoi il mériterait, à son tour, de s'ouvrir aux autres et de prendre conseil lorsque le besoin s'en fait sentir. Le Lièvre d'Eau tirera également une vive satisfaction de ses intérêts personnels cette année et, à nouveau, ceux qu'il partagera avec d'autres lui donneront l'occasion de vivre des moments exceptionnels. S'il a un penchant pour les activités de nature artistique, tels la photographie, l'écriture, les arts visuels ou la musique, il gagnera à s'y consacrer davantage et, le cas échéant, à obtenir du feed-back. Il apprendra beaucoup ainsi, et l'appréciation des autres, leurs idées, leurs encouragements, l'inciteront à aller plus loin. De plus, le Lièvre d'Eau entreprendra avec bonheur des projets touchant à son domicile et à son jardin ; il pourrait s'agir, entre autres exemples, de travaux d'aménagement, d'un changement de décor ou de modifications visant à accroître le confort de son intérieur. Toutefois, pour toute entreprise de ce type, il sera bien avisé de suivre à la lettre les consignes de sécurité ainsi que de réquisitionner d'autres bras s'il a à soulever des objets lourds ! Prenez donc toutes les précautions nécessaires, Lièvres d'Eau, afin d'éviter de fâcheux contretemps ! Bien que le Lièvre d'Eau aura un emploi du temps chargé en l'an 2000, il ne devra pas pour autant laisser ses multiples occupations reléguer sa vie sociale à l'arrière-plan. Après tout, elle lui est une source d'agrément et, de plus, l'année du Dragon réserve aux natifs de ce signe nombre d'activités mondaines, en particulier durant la période estivale. La belle prestance du Lièvre d'Eau attirera assurément l'attention, et il peut d'ailleurs s'attendre à établir une relation qui, à plus long terme, lui sera aussi profitable qu'agréable. Au plan du travail, cependant, la prudence est de rigueur. Malgré les nombreuses réussites à son actif, le Lièvre d'Eau fera bien, cette année, d'éviter les risques inutiles et les objectifs par trop ambitieux. Mieux vaudrait qu'il se consacre à la consolidation de ses acquis récents et qu'il poursuive ses activités avec l'assiduité propre à son signe, sans compter sur de rapides avancées. *Petit train va loin*, comme on dit, et un effort soutenu dans les domaines qui font du Lièvre d'Eau un spécialiste produiront des résultats significatifs. Les natifs se cherchant un emploi, pour leur part, jouiront de meilleures chances de succès s'ils se concentrent sur les offres correspondant à leur champ d'expertise traditionnel; en effet, un changement de cap trop brusque risquerait de se révéler décevant. De plus, si la chose lui est possible, le Lièvre d'Eau aura intérêt à ajouter à sa formation ou à suivre des cours de recyclage, ainsi qu'à développer ses compétences en informatique. Ses perspectives d'avenir s'en trouveront nettement accrues, et une occasion prometteuse pourrait même surgir à l'occasion de ces démarches. Dans l'ensemble, bien que l'année ne sera pas des plus aisées pour le Lièvre d'Eau, il en retirera néanmoins de grandes satisfactions, notamment au chapitre de ses loisirs, de ses projets domestiques, et de sa vie familiale et sociale. En menant ses affaires avec la diligence qui le caractérise, il s'attirera l'admiration de tous, ce qui jouera à son avantage à plus long terme.

Le **Lièvre de Bois** connaîtra une année dynamique, qui sera remarquablement agréable sur le plan personnel. L'an 2000 laisse augurer pour lui des moments significatifs et heureux auprès des siens, ainsi qu'une occasion de réjouissance pour son propre compte. Comme à son habitude, il participera pleinement aux activités familiales et se montrera prodigue d'aide et de conseils. Toutefois, malgré les joies qui l'attendent à cet égard, le Lièvre de Bois devra garder certains points à l'esprit. Comme à chaque année, il est inévitable que des difficultés surgissent et qu'elles créent des tensions ou suscitent de l'inquiétude. Dans de telles circonstances, il gagnera à reconnaître, par exemple, qu'il est en proie à l'exaspération (ou que d'autres le sont!) et à faire la part des choses. Une attitude philosophe pourrait éviter des querelles qui empoisonneraient l'atmosphère. De même, si jamais le Lièvre de Bois sent qu'il n'est pas au sommet de sa forme, ou voire même, s'il est exténué, il trouvera salutaire d'en aviser son entourage et, au besoin, de solliciter de l'aide, notamment pour les tâches domestiques. Pareillement, advenant que des questions le préoccupent, mieux vaudrait qu'il en discute avec d'autres plutôt que tout garder pour lui. En somme, le Lièvre de Bois constatera en l'an 2000 que c'est en adoptant une attitude franche et ouverte qu'il pourra créer un climat de coopération et raffermir les liens qui lui tiennent tant à cœur. Parallèlement aux satisfactions de sa vie familiale, il connaîtra une vie sociale riche d'agréments, ponctuée de réunions et de sorties plus intéressantes les unes que les autres. Sympathique et chaleureux, le Lièvre de Bois est d'un commerce agréable; beaucoup chercheront à le fréquenter cette année, et il aura l'occasion de nouer de nouvelles amitiés. Par ailleurs, les Lièvres de Bois ayant récemment essuyé des difficultés gagneraient à se détourner résolument du passé, pour voir en l'année du Dragon le début d'un nouveau cycle et vivre chaque moment dans le présent. En s'efforçant d'adopter une attitude positive, et avec le soutien de leur entourage, ils pourront être les artisans de leur fortune. Au demeurant, le Lièvre de Bois tirera de grands bienfaits de ses passe-temps, et en particulier de toute activité de plein air. L'année réserve aussi d'excellents moments aux natifs affectionnant les voyages ou les sports. Le domaine qui pourrait s'avérer le plus problématique pour le Lièvre de Bois durant l'année du Dragon est celui de l'emploi. Il lui faudra impérativement s'acquitter de ses tâches avec soin, en gardant constamment à l'œil la tournure que prennent les événements. Malgré sa prédilection pour les situations où prévalent la stabilité et la sécurité, il serait à son désavantage de laisser passer toute proposition nouvelle. Dans les périodes de changement, il devra faire preuve d'ouverture d'esprit et d'une grande capacité d'adaptation. Une attitude réaliste lui sera tout aussi salutaire. Bien qu'il puisse être tenté de donner corps à certaines de ses idées ou de viser des objectifs ambitieux, le Lièvre de Bois aura intérêt à user de prudence, car il pourrait ne pas avoir encore accumulé toute l'expérience nécessaire au succès de ses initiatives. Aussi serait-il pré-férable qu'il se fixe des buts accessibles. Les Lièvres de Bois en recherche d'emploi ou en quête de nouveaux horizons professionnels, pour leur part, seront bien avisés de réfléchir à la direction qu'ils souhaitent imprimer à leur carrière, pour ensuite tâcher d'acquérir l'expérience dont ils auront besoin pour aller de l'avant. À nouveau, il sera capital qu'ils nourrissent des attentes réalistes, mais leur enthousiasme tout comme la constance des efforts qu'ils déploient pour parvenir à leurs fins sauront leur gagner la faveur d'autrui, et ils pourraient alors se voir offrir la chance qu'ils attendaient. De plus, si le Lièvre de Bois est en mesure d'ajouter des cordes à son arc cette année, en suivant des cours par exemple, ses perspectives d'avenir en seront grandement améliorées. Dans l'ensemble, l'année du Dragon sera à la fois agréable et constructive pour le Lièvre de Bois, et sa vie personnelle sera remplie de moments heureux et mémorables. Sa vie professionnelle, toutefois, lui demandera d'agir prudemment, et il devra veiller à partager avec d'autres les problèmes ou les incertitudes auxquels il fait face. Qu'il soit réconforté par le fait que ses accomplissements en l'an 2000 lui ouvriront la voie du succès qu'il mérite.

L'année du Dragon s'annonce des plus prometteuses pour le **Lièvre de Feu**, mais pour en tirer le meilleur parti possible, il aura intérêt à préciser les objectifs qu'il souhaite atteindre en l'an 2000 et à en discuter avec d'autres. En se fixant des buts et en planifiant ses activités, il sera apte à canaliser ses efforts d'une manière plus efficace que s'il se laisse porter par les événements. Ses projets pourraient toucher à n'importe quel aspect de sa vie, mais le domaine des loisirs méritera une attention toute particulière. Si un passe-temps ou une discipline éveille depuis toujours sa curiosité, il serait réellement souhaitable que le Lièvre de Feu fasse le nécessaire pour s'y initier. Cette suggestion vaut pour tous les natifs du signe, ceux de 1927 comme ceux de 1987. En s'adonnant ainsi à une occupation qui leur tient à cœur, ils trouveront l'année spécialement gratifiante. De même, les circonstances seront idéales pour démarrer des projets touchant à la maison ou au jardin. Comme le veut la sagesse populaire, *Il faut profiter du moment présent*, et l'année du Dragon favorisera toute tentative que fera le Lièvre de Feu pour réaliser ses aspirations, mais ce sera tout de même à lui de prendre l'initiative. Il se réjouira cependant de l'immense soutien qu'apporte son entourage à ses efforts et, s'il choisit de se montrer ouvert aux échanges, il en retirera d'excellents conseils et même des offres de collaboration. Les natifs de 1987, pour leur part, connaîtront une année décisive sur le plan scolaire. Ils couvriront énormément de matière, et bon nombre d'entre eux seront stimulés par certains des travaux qu'ils doivent rédiger ou par des sujets qui captent leur imagination. Ces jeunes avanceront à grands pas s'ils s'attellent au travail avec leur assiduité coutumière. Dans certaines disciplines, le Lièvre de Feu sera parfaitement à l'aise, mais d'autres lui sembleront plus ardues et pourraient provoquer chez lui des sentiments d'inquiétude. Il serait nettement préférable, alors, qu'il partage ses difficultés et demande de l'aide plutôt qu'essayer de se débrouiller tout seul. Ses proches seront en mesure de l'épauler et de l'orienter, ce qui le tranquillisera. Le Lièvre de Feu goûtera tout de même pleinement sa vie familiale et jouera un rôle de tout premier plan dans les activités de ses proches. Il chérira en particulier les moments consacrés aux projets conjoints, tels les embellissements apportés au domicile, les loisirs communs, les vacances et les visites touristiques en famille. Sa vie sociale se déroulera également à merveille, lui réservant une foule d'occasions de se divertir en compagnie de ses amis et d'assister à divers événements culturels et mondains. L'année laisse également entrevoir d'excellentes chances pour lui d'ajouter à son cercle d'amis ; advenant qu'il ait souffert de solitude ou de tristesse dernièrement, pourra-t-il s'attendre à ce que ses amitiés, celles de longue date comme les plus récentes, revêtent une importance inestimable au cours de l'année. Dans l'ensemble, le Lièvre de Feu connaîtra une année heureuse. Il devra néanmoins veiller à clairement identifier ses objectifs, afin de pouvoir s'attaquer efficacement à leur réalisation. Les efforts qu'il engagera produiront assurément des résultats gratifiants, et il bénéficiera de l'appui indéfectible et des encouragements de ceux qui l'entourent.

L'année promet d'être agréable pour le **Lièvre de Terre**, qui se trouvera satisfait de ses accomplissements, surtout s'il planifie ses activités et fait une gestion efficace de son temps. L'un des secteurs qui s'annonce stimulant est celui des projets d'ordre pratique, l'année s'annonçant effectivement propice aux rénovations, aux changements de décor, aux travaux d'aménagement, etc. Peut-être le Lièvre de Terre a-t-il certains d'entre eux à l'esprit depuis quelque temps déjà, mais il ne pourrait souhaiter de meilleures circonstances pour faire de ses rêves une réalité. Cependant, si l'entreprise est de taille, il fera bien de s'allouer des délais généreux ; de plus, s'il a l'intention de travailler seul plutôt qu'engager quel-qu'un, il serait sage qu'il fasse appel à son entourage au lieu de tout porter sur ses épaules. Ses plans auront ainsi toutes les chances de bien se dérouler, sans compter que, pour les proches ayant mis la main à la pâte, les résultats revêtiront une valeur toute spéciale. À noter toutefois que dans le cas de tâches complexes ou dont l'exécution laisse le Lièvre de Terre hésitant, il ne devrait pas mettre sa sûreté en jeu, mais s'adresser à un expert. De même, le déplacement d'objets lourds méritera qu'il soit prudent. Tandis que certains Lièvres de Terre se contenteront d'apporter des améliorations à leur logement, d'autres changeront de domicile. Pour ces derniers, la période de recherche et de visites sera assez longue, mais, une fois le contrat signé, ils seront enchantés de leur choix. En plus des efforts et du temps qu'il consacrera cette année aux questions de logement, le Lièvre de Terre n'oubliera pas de cultiver ses intérêts personnels, source de contentement certain. À nouveau, ce sont les activités de nature pratique et créative qui lui conviendront le mieux et, s'il est en mesure de fréquenter d'autres amateurs, il devrait le faire; non seulement ces rencontres lui donneront-elles l'occasion d'approfondir ses connaissances, mais elles seront également divertissantes. Pour leur part, les natifs qui ont une prédilection pour le jardinage et les activités de plein air connaîtront cette année des moments de pur plaisir. Sur le plan financier, maintenant, des faits positifs sont à prévoir. Le Lièvre de Terre pourrait en effet jouir d'une somme additionnelle, sous la forme d'une rémunération qui lui était due, d'un montant d'assurance ou d'un don. Cette heureuse nouvelle sera d'ailleurs un des facteurs qui incitera bon nombre de Lièvres de Terre à concrétiser certains des projets auxquels ils songeaient, notamment ceux touchant à leur domicile. Il est également conseillé au Lièvre de Terre de mettre un montant de côté pour des vacances ou un voyage. Le changement d'air, le repos et l'émerveillement suscité par les lieux touristiques visités lui seront des plus bienfaisants. Au cours de l'année du Dragon, le Lièvre de Terre verra la plupart de ses projets et activités recevoir l'appui de son entourage, mais, attention, il devra se montrer réceptif! Même s'il sait très exactement ce qu'il veut, il aurait intérêt à ne pas écarter du revers de la main les suggestions et conseils qui lui sont prodigués. Un tel comportement engendreraient des tensions qui, avec un minimum d'effort, pourraient être évitées. Le Lièvre de Terre trouvera également utile, dans les moments difficiles ou les périodes de grande activité, de rallier la famille en proposant une sortie, un dîner au restaurant, ou tout autre petit plaisir qui enchantera ses proches. S'il applique ce conseil, ce sera une merveilleuse soupape pour les tensions accumulées et le geste sera assurément apprécié. Dans l'ensemble, les relations qu'il entretient avec famille et amis seront positives et lui apporteront beaucoup de bonheur, mais, afin de préserver l'atmosphère de gaieté qu'il aime tant, gentillesse et prévenances seront de mise. Au plan professionnel, le Lièvre de Terre devra s'acquitter de ses tâches d'une manière consciencieuse, comme à son habitude, tout en restant à l'affût de tout nouveau développement. Pendant une partie de l'année, mieux vaudra qu'il fasse montre de prudence et de tact ; néanmoins, étant donné l'esprit alerte et perspicace dont il est doué, ce natif saura nul doute tirer son épingle du jeu et il peut s'attendre à avoir fait de grandes avancées au sortir de l'année. Sous bien des rapports, donc, le Lièvre de Terre connaîtra une fort bonne année : il tirera une vive satisfaction de ses projets domestiques et personnels, ses voyages et ses finances seront favorisés, et il passera des moments mémorables en compagnie de sa famille et de ses amis. À noter toutefois qu'il sera dans l'intérêt de tous que le Lièvre de Terre se prévale davantage de l'appui, des conseils et de l'aide que les autres seront volontiers prêts à lui offrir.

Lièvres célèbres

Paula Abdul, Drew Barrymore, Ingrid Bergman, Melanie Brown (Scary Spice), Habib Bourguiba, Emma Bunton (Baby Spice), Nicolas Cage, Fidel Castro, Confucius, Gustave Courbet, Marie Curie, Johnny Depp, Albert Einstein, Peter Falk, Jodie Foster, James Galway, Cary Grant, Edvard Grieg, Seamus Heaney, Whitney Houston, Henry James, Michael Jordan, Garry Kasparov,

John Keats, Julian Lennon, Gina Lollobrigida, Robert Ludlum, George Michael, Arthur Miller, Roger Moore, Christina Onassis, George Orwell, Édith Piaf, Sidney Poitier, Elisabeth Schwarzkopf, Jane Seymour, Neil Simon, Frank Sinatra, Staline, Stendhal, Sting, Arturo Toscanini, Tina Turner, Luther Vandross, la Reine Victoria, Orson Welles, Walt Whitman, Robin Williams, Tiger Woods.

Le Dragon

16 février 1904 au 3 février 1905	Dragon de Bois
3 février 1916 au 22 janvier 1917	Dragon de Feu
23 janvier 1928 au 9 février 1929	Dragon de Terre
8 février 1940 au 26 janvier 1941	Dragon de Métal
27 janvier 1952 au 13 février 1953	Dragon d'Eau
13 février 1964 au 1er février 1965	Dragon de Bois
31 janvier 1976 au 17 février 1977	Dragon de Feu
17 février 1988 au 5 février 1989	Dragon de Terre
5 février 2000 au 23 janvier 2001	Dragon de Métal

LA PERSONNALITÉ DU DRAGON

L'action est la seule voie menant à la connaissance.

GEORGES BERNARD SHAW, un Dragon

Le Dragon est né sous le signe de la chance. Il a une personnalité fière, pétulante, un aplomb imperturbable. Également doué d'une vive intelligence, il tire promptement parti des occasions qui lui sont avantageuses. À peu près tout ce qu'il entreprend lui réussit, son ambition et sa détermination y étant d'ailleurs pour beaucoup. De nature perfectionniste, le natif de ce signe se fait toujours un point d'honneur de viser l'excellence.

Cependant, le Dragon supporte difficilement les imbéciles et critique volontiers ce qui lui déplaît. Ses opinions souvent tranchées, il les exprime sans ménagements et, pour tout dire, tact et diplomatie ne sont pas au nombre de ses qualités. Il lui arrive de prendre ce qu'on lui dit au pied de la lettre, aussi se révèle-t-il parfois crédule. Lorsque le Dragon se sent trahi, ou blessé dans son amour-propre, alors il est plein d'amertume et ne pardonne pas de sitôt.

D'un naturel extraverti, le Dragon n'a pas son pareil pour attirer l'attention et faire parler de lui. Il aime par-dessus tout tenir la vedette, et c'est lorsqu'il fait face à un problème délicat ou à une situation tendue qu'il se montre sous son meilleur angle. À bien des égards, on pourrait dire que le Dragon est né pour les feux de la rampe ; il est bien rare, d'ailleurs, qu'il soit en manque d'auditeurs. Ses idées invariablement intéressantes, et à l'occasion controversées, lui valent l'estime de tous.

118

Le Dragon est toujours prêt à déployer une énergie fabuleuse pour arriver à ses fins et n'a pas l'habitude de se confiner aux horaires de travail standard. Néanmoins, son côté impulsif peut parfois lui nuire, par exemple lorsque ses actes entraînent des conséquences auxquelles il n'avait pas songé. Son tempérament le porte également à vivre avec intensité le moment présent, aussi rien ne l'exaspère davantage que de devoir attendre. En fait, le Dragon a horreur des retards ; aussi minimes soient-ils, ils l'irritent au plus haut point.

Le Dragon sait fort bien de quoi il est capable ; mais attention, car toute médaille a son revers : la confiance peut frôler la présomption et, s'il ne prend pas garde, il risque de commettre de graves erreurs de jugement. Heureusement, le Dragon est tenace, et nul n'est mieux apte à rattraper les situations qui semblent pourtant mener tout droit à la catastrophe.

Sa confiance, sa volonté et son désir de réussir sont tels qu'il parviendra souvent au sommet de la profession qu'il a élue. Étant donné ses qualités de meneur, il réussira plus particulièrement dans les postes lui permettant de donner corps aux idées qui lui sont chères ou de mettre en place des directives qu'il a lui-même conçues. Ainsi, il aura du succès en politique, dans le monde du spectacle, à la tête d'une équipe ou d'une entreprise, et dans tout emploi le mettant en rapport avec les médias.

Le Dragon a l'habitude de s'en remettre à son propre jugement et dédaigne parfois celui des autres. Il aime à être autonome, et bien des natifs de ce signe poussent cette soif d'indépendance au point d'opter pour le célibat à vie. Les admirateurs du Dragon sont pourtant nombreux à être attirés par sa fougueuse personnalité et sa beauté singulière. Le Dragon qui choisit de se marier le fait tôt. Il s'accorde à merveille avec le Serpent, le Rat, le Singe et le Coq. Les natifs du Lièvre, du Cochon, du Cheval et de la Chèvre sont également pour lui d'excellents compagnons, qui seront prêts à le suivre dans ses escapades. Si la compréhension mutuelle entre deux Dragons rend l'entente possible, les choses sont toutefois plus malaisées avec le Bœuf et le Chien, qui tous deux reprocheront au Dragon sa nature impulsive et extravertie. De même, l'alliance avec le Tigre risque d'être ardue, car, tout comme le Dragon, le Tigre est direct, très volontaire, et il aime mener.

La femme Dragon est une femme décidée, qui sait ce qu'elle veut faire de sa vie. Tout ce qu'elle entreprend, elle l'aborde avec optimisme et détermination. Aucune tâche n'est jugée trop insignifiante pour qu'elle s'en acquitte, et elle peut travailler infatigablement jusqu'à ce que la réussite lui soit assurée. Elle est bénie, de surcroît, d'un remarquable sens pratique. La femme Dragon est une femme émancipée, qui déteste être enfermée dans la routine ou se voir imposer des contraintes arbitraires. Elle préfère, et de loin, jouir d'une marge de manœuvre suffisante pour aller où elle veut et faire à sa guise. Sa maison est bien tenue, mais les tâches ménagères sont vite expédiées, car d'autres occupations jugées plus importantes et plus agréables emportent la faveur de cette native. Tout comme son homologue masculin, elle a tendance à dire le fond de sa pensée.

Le Dragon cultive une foule d'intérêts et apprécie particulièrement les activités sportives et de plein air. C'est avec un vif plaisir qu'il voyage, mais il préfère généralement sortir des sentiers battus plutôt que s'en tenir aux lieux touristiques. Étant donné son goût marqué pour l'aventure, il n'est pas rare qu'il parcoure de grandes distances au cours de sa vie, du moins si l'état de ses finances le lui permet, et c'est souvent le cas, puisque ce natif est doué de bon sens sur ce plan.

Le Dragon exige beaucoup des autres — déjà, enfant, sa précocité sollicitait l'attention —, mais son caractère original et plein d'exubérance fait qu'il compte de nombreux amis et qu'il est presque toujours le point de mire. Son charisme et son assurance en font souvent une source d'inspiration pour ses semblables. En Chine, le Dragon mène le carnaval et on le considère doté d'une chance extraordinaire.

Les cinq types de Dragons

Cinq éléments, soit le Métal, l'Eau, le Bois, le Feu et la Terre, viennent tempérer ou renforcer les douze signes du zodiaque chinois. Les effets apportés par ces éléments sont décrits ci-après, accompagnés des années où ils dominent. Ainsi, les Dragons nés en 1940 sont des Dragons de Métal, et ceux de 1952 sont des Dragons d'Eau, etc.

Le Dragon de Métal (1940, 2000)

Ce Dragon se distingue par sa volonté de fer et sa forte personnalité. Énergique et plein d'ambition, il s'attache néanmoins à être scrupuleux dans ses rapports avec autrui. Cela ne l'empêche pas pour autant de s'exprimer franchement et sans détour lorsqu'il a quelque chose à dire. Le Dragon de Métal ne se laisse pas davantage arrêter s'il rencontre le désaccord de ses interlocuteurs ou s'il n'obtient pas leur coopération. Reconnu pour sa grande exigence morale, il jouit de la considération de ses amis et collègues.

Le Dragon d'Eau (1952)

En plus d'être sympathique et facile à vivre, le Dragon d'Eau est doué d'une vive intelligence et laisse rarement une bonne occasion lui échapper. Contrairement aux autres types de Dragons, il ne s'attend pas à ce que ses démarches obtiennent un succès immédiat, mais sait patienter. Il se montre compréhensif, enclin à partager ses idées et ouvert à la collaboration. Son principal point faible, c'est sa tendance à papillonner au lieu de concentrer ses efforts sur la tâche qu'il doit accomplir. Doué d'un excellent sens de l'humour, il est également bon orateur.

Le Dragon de Bois (1904, 1964)

Le Dragon de Bois se fait remarquer par son esprit pragmatique, son imagination sans bornes et sa vive curiosité. Les sujets les plus divers excitent son intérêt et il lui vient parfois des idées fort originales. Ce penseur toujours prêt à l'action dispose de tout le dynamisme et de toute la persévérance nécessaires pour concrétiser ses idées. Plus diplomate que les autres types de Dragons, le Dragon de Bois jouit également d'un excellent sens de l'humour. Il a un sens aigu des affaires et sait se montrer généreux.

Le Dragon de Feu (1916, 1976)

Le Dragon de Feu a l'esprit clair et désire passionnément réussir. C'est un travailleur acharné et consciencieux, dont l'intégrité et la franchise suscitent l'admiration. Son tempérament volontaire en fait un excellent meneur d'hommes. Il lui arrive toutefois de se fier à son jugement d'une manière par trop exclusive, sans tenir compte de l'opinion ou des sentiments d'autrui. Il peut également se montrer distant et gagnerait à inviter ses pairs à se joindre à lui dans la poursuite de certaines activités. La musique, la littérature et les arts lui sont généralement très agréables.

Le Dragon de Terre (1928, 1988)

Le Dragon de Terre se révèle souvent plus calme et réfléchi que les autres types de Dragons. Ses intérêts sont multiples, son esprit éveillé et curieux lui fait observer avec acuité tout ce qui se déroule autour de lui. Il sait se fixer des objectifs clairs et n'éprouve généralement aucune difficulté à faire appuyer ses projets. Habile en matière de finances, le Dragon de Terre est susceptible d'accumuler une grande fortune au cours de sa vie. C'est un bon organisateur, quoiqu'il lui arrive de se montrer tatillon et procédurier. Il se mêle avec aisance et compte de nombreux amis.

Les perspectives du Dragon pour l'an 2000

La nouvelle année chinoise débute le 5 février 2000. Jusque-là, l'année du Lièvre exerce donc toujours son influence.

L'année du Lièvre (du 16 février 1999 au 4 février 2000) aura été fort agréable pour le Dragon. Elle l'aura fait vivre à un rythme moins trépidant que certaines années passées, mais ses derniers mois s'avéreront particulièrement significatifs. La prochaine année chinoise étant celle du Dragon, le natif de ce signe peut compter sur de superbes possibilités de succès à tous égards. Toutefois, pour jouir pleinement de ce vent favorable, le Dragon doit tirer profit de la période de préparation qui s'offre à lui dans le dernier trimestre de l'année du Lièvre.

Dès maintenant, il a intérêt à se faire une idée claire de ce qu'il souhaite accomplir durant les douze prochains mois et à en discuter avec d'autres. Les projets qu'il conçoit ainsi pourront évoluer d'une manière intéressante et inciteront le Dragon à mener ses affaires avec résolution et à-propos. S'il estime que pour arriver à ses fins il lui faut davantage d'expérience ou une formation accrue, qu'il n'hésite pas à se donner ces atouts. C'est en se préparant adéquatement à l'heureuse et palpitante conjoncture qui l'attend qu'il mettra toutes les chances de son côté.

En cette période de fin d'année, il sera également utile que le Dragon mette un point final à tout ce qui est encore en suspens, qu'il s'agisse de sa correspondance, de projets inachevés, ou de ceux qu'il reporte depuis quelque temps déjà ! Grâce à un effort concerté, il accomplira beaucoup et, une fois ces questions réglées, aura le champ libre pour se préparer aux festivités du nouveau millénaire.

En effet, la compagnie du Dragon sera très recherchée pendant les vacances de Noël et du jour de l'an. Soirées en famille, fêtes entre amis et réceptions mondaines, les occasions de se divertir foisonneront. Le Dragon retrouvera avec bonheur des amis et connaissances qu'il n'a pas fréquentés depuis longtemps et vivra des moments inoubliables. À l'une de ces occasions, une personne qu'il avait perdue de vue lui offrira un conseil fort sage et qui méritera d'être suivi. Ce conseil pourrait en effet se révéler des plus opportuns étant donné les excellentes possibilités que recèle la nouvelle année.

L'année du Dragon débute le 5 février, et les développements positifs ne tarderont pas à se produire. D'un tempérament enthousiaste et déterminé, le Dragon n'est pas porté à faire les choses à moitié ; il constatera donc avec satisfaction qu'une fois ses objectifs ciblés, les changements se feront rapidement sentir. L'an 2000 marque réellement une période de renouveau ! En l'espace de quelques semaines, le Dragon verra surgir de riches occasions, ou sera lui-même à l'origine de plusieurs initiatives prometteuses.

C'est souvent sur le plan du travail que se manifesteront les tendances propices, aussi le Dragon peut-il s'attendre à ce que sa carrière connaisse une évolution tangible. Que ce soit par le biais d'une mutation, d'une promotion ou d'un changement de carrière, le natif de ce signe qui cherche à améliorer sa situation sera susceptible d'avancer à pas de géant. Il arrivera parfois que les changements paraissent anodins au départ, mais qu'ils prennent de l'ampleur par la suite, revêtant une portée considérable. En somme, l'année s'annonce réellement pleine de promesses pour le Dragon ; sa nature entreprenante, dynamique et enthousiaste lui permettra assurément de récolter de beaux succès.

Aux Dragons en recherche d'emploi, la chance sourira également. À nouveau, l'optimisme et le caractère volontaire propres au natif de ce signe seront reconnus et récompensés. Le Dragon n'aura qu'à explorer activement toutes les avenues qu'il entrevoit. Il trouvera également utile d'établir un contact direct avec les entreprises pour le compte desquelles il souhaiterait travailler, en faisant valoir son expérience et en expliquant comment il se propose d'apporter sa pierre à l'édifice. Soit, ce type de démarche demande de l'audace, mais le Dragon en tirera assurément de précieuses informations qui pourraient le mettre sur la bonne piste. Comme le veut le proverbe, *Qui ne risque rien n'a rien*, et cette année plus que jamais le Dragon aura nettement intérêt à risquer, pour gagner !

L'année dans son ensemble étant sous d'heureux auspices en ce qui concerne le travail, les occasions favorables pourraient surgir à tout moment. Toutefois, c'est au cours des mois de février et mars, puis à nouveau en septembre et en octobre que des faits particulièrement significatifs sont susceptibles de se produire.

L'an 2000 favorisant l'esprit d'entreprise, le Dragon fera bien de promouvoir tout projet d'affaires auquel il songe ; ce sera pour lui l'occasion de sonder ses interlocuteurs et de mieux jauger ses chances de succès. Ce qu'il propose et entreprend dès maintenant laissera la porte grande ouverte à de fructueux développements, aussi ne devra-t-il pas hésiter à prendre l'initiative. À défaut de se montrer hardi, il risque un jour de se tourner vers le passé en se demandant « Que serait-il advenu si... ? ». De plus, le Dragon pourra presque invariablement compter sur le soutien de ceux qui l'entourent ; s'il expose ses idées à la discussion et s'il s'adresse aux spécialistes lorsque le besoin s'en fait sentir, il en retirera d'utiles informations. Un point essentiel mérite toutefois son attention : le Dragon devra éviter les coups de tête auxquels il est enclin et plutôt veiller à entreprendre ses actions d'une manière organisée. Il n'est pas rare, en effet, que ce soit le soin et le temps mis dans les premières étapes d'un projet qui fassent pencher la balance du côté du succès. Notez-le donc bien, natifs du Dragon : préparez le terrain, planifiez vos efforts et prenez conseil !

L'année laisse également augurer des faits positifs au plan des finances. Il est à prévoir, en effet, que bon nombre de Dragons jouiront de revenus accrus et que leur situation matérielle globale changera pour le mieux. En dépit de cette tendance favorable, le Dragon aura avantage à gérer son argent avec plus de suivi, par exemple en établissant un budget à long terme. Il pourra ainsi se ménager une marge de manœuvre pour les achats importants et mettre ses ressources à meilleur profit. Cela lui sera d'autant plus utile que des dépenses reliées au logement seront fort certainement au programme de l'an 2000. En effet, de nombreux natifs du signe décideront cette année de remplacer leur mobilier, de renouveler le décor de certaines pièces, et d'accroître le confort du foyer au moyen de certaines acquisitions. L'achat d'équipement électronique pourrait également en attirer plusieurs, mais le Dragon sera bien avisé d'éviter toute précipitation et de s'assurer que l'objet convoité satisfera à ses besoins même futurs, tout particulièrement s'il s'agit d'un ordinateur. De plus, il serait souhaitable qu'il se préoccupe de faire des économies cette année ; à ce titre, s'il contribue dès maintenant à un plan d'épargne, il se félicitera dans les années à venir de la somme accumulée. Bien qu'en l'an 2000 le Dragon ait la chance et la bonne fortune pour compagnes, il serait sage qu'il n'en présume pas et qu'il se tienne loin des propositions hasardeuses et des opérations de nature spéculative.

La vie personnelle du Dragon sera magnifiquement favorisée cette année, aussi peut-il s'attendre à vivre des moments significatifs et enrichissants en compagnie de son entourage. En retour de l'appui que reçoivent ses propres projets, le Dragon encouragera chaleureusement ses proches dans leurs initiatives et sera le fier témoin des succès que connaîtront certains. Par ailleurs, advenant qu'une de ses relations personnelles ait été ébranlée dernièrement, il devrait tout mettre en œuvre pour faire la paix plutôt que laisser les choses se détériorer. Une attitude positive et conciliante de sa part produira d'excellents résultats, et il constatera que ses efforts en valaient la peine. Aux célibataires qui cherchent la compagnie, l'année réserve de superbes perspectives amoureuses ; une rencontre fortuite les transportera. Bon nombre de ces natifs répondront à l'appel du cœur dans le courant de l'année, et les auspices sont favorables au point que des fiançailles et mariages sont à prévoir.

Les voyages seront également privilégiés par les tendances de l'année. Le Dragon qui rêve depuis toujours de visiter certains lieux trouvera que le moment est idéal pour tenter de concrétiser son rêve. Encore une fois, c'est en poursuivant résolument ses buts qu'il sera exaucé. De même, si le natif de ce signe songe à partir à l'étranger, en vue d'ajouter à son expérience ou de parfaire sa maîtrise d'une langue, l'année privilégiera ses démarches en ce sens.

Sous tous rapports donc, l'an 2000 s'annonce prometteur pour le Dragon. Pour profiter au maximum des superbes aspects qui prédominent, il lui faudra cependant à tout prix se donner un programme d'action, saisir les occasions qui se présentent ou encore les créer lui-même. Cette année revêtira une importance particulière puisqu'elle est du signe même du Dragon ; elle lui permettra de mettre ses talents à profit et d'avancer à grands pas. Aussi le Dragon peut-il espérer se voir couronné de succès sur bien des plans et retirer une immense joie de sa vie personnelle au cours de l'année.

Attardons-nous maintenant aux perspectives propres aux différents types de Dragons, à commencer par le **Dragon de Métal**. L'année nouvelle, placée sous l'influence de son propre signe et porteuse d'heureux présages, devrait amener des développements significatifs. On peut même dire qu'elle va inaugurer une étape importante dans la vie du Dragon de Métal. Au cours des dernières années, ce dernier a mûrement réfléchi quant à ses plans pour l'avenir ; il a entretenu différents scénarios, pesé le pour et le contre des options possibles. Et, avec l'arrivée du millénaire, le voilà prêt à passer à l'action avec toute la détermination qu'on lui connaît. C'est au chapitre du travail que se produiront les changements les plus notoires. Ainsi, certains Dragons de Métal décideront-ils de faire coïncider le début de la retraite avec leur soixantième anniversaire, se disant qu'ils ont bien mérité de consacrer du temps à ces activités qu'ils avaient mises en veilleuse. D'autres, par contre, se verront offrir de nouvelles responsabilités professionnelles qui les feront accéder à des échelons supérieurs. Notons que l'année se prêtera particulièrement bien à toute idée ou projet original que pourrait nourrir le Dragon de Métal : c'est donc avec énergie qu'il s'en fera le promoteur. Ses démarches en ce sens devraient d'ailleurs aboutir à des résultats très gratifiants, comme aussi toutes les initiatives qu'il prendra en l'an 2000 pour donner corps à ses aspirations. Pour sa part, le domaine des loisirs s'avère bien aspecté et sera pour le Dragon de Métal une riche source de plaisir et de satisfaction. Il ne serait pas étonnant, du reste, qu'il voie un de ses intérêts personnels prendre une ampleur inattendue. En approfondissant les connaissances liées à cette activité, en développant son savoir-faire, il pourrait même y trouver un source de rémunération inopinée. Sans compter que son esprit entreprenant pourrait également l'amener à mettre sur pied un cours pour former d'autres adeptes, ou l'inciter à écrire un guide à partir des notions qu'il a acquises. Nul doute que son imagination saura découvrir des débouchés à ses talents! Il est à prévoir que le Dragon de Métal apportera des changements à son milieu de vie au cours de l'année. Tandis que certains décideront que le temps est venu de déménager, d'autres choisiront de rénover ou de réaménager certaines pièces de la maison afin de rendre leur décor plus conforme à leurs goûts et à leurs besoins. Les passionnés de jardinage, quant à eux, seront probablement tentés de donner libre cours à leur esprit aventureux en expérimentant avec de nouvelles espèces ou de nouvelles techniques, ou en modifiant l'aménagement paysager. Mais, que ce soit à l'intérieur ou à l'extérieur, les travaux qu'entreprendra le Dragon de Métal lui apporteront beaucoup de contentement. Qu'il veille toutefois à s'accorder le temps nécessaire pour mener à bien ses projets. Ce serait dommage de laisser des échéances irréalistes hypothéquer le plaisir d'une activité qui, à l'origine, ne devait procurer que de l'agrément! Un autre secteur bien aspecté cette année est celui des finances, qui verra le Dragon de Métal en bonne posture et disposé à faire les dépenses qu'il reportait peut-être depuis un certain temps déjà, dépenses reliées principalement au logement, au transport ou aux voyages. Pour les achats coûteux cependant, il lui sera conseillé de ne pas agir à la hâte mais, plutôt, de se donner la peine d'étudier le marché, de comparer les prix et d'attendre les soldes si possible : le temps (qu'on prend), c'est de l'argent (qu'on épargne)! Comme la conjoncture est également propice aux voyages, pourquoi le Dragon de Métal n'en profiterait-il pas pour réaliser un de ses rêves en visitant des lieux qui l'attirent ? Toutes les vacances qu'il pourra s'offrir lui procureront joie et repos bien mérités. D'heureuses perspectives se profilent aussi au niveau de la vie tant familiale que sociale, le Dragon de Métal pouvant s'attendre à passer des moments impérissables avec ses proches et ses amis. Les activités qu'il pourra partager avec des êtres chers auront pour lui un attrait particulier. En outre, sachant que leurs résultats auront de quoi embellir la vie de tous, c'est avec enthousiasme qu'il s'attellera aux travaux touchant la maison. Il suivra également avec intérêt et fierté le cheminement des différents membres de la famille, se réjouissant avec chacun des progrès accomplis. Mentionnons toutefois que s'il surgit des divergences d'opinions, le Dragon de Métal devra se garder d'envenimer la situation en se montrant entêté ou intransigeant. Force est d'admettre qu'il tient farouchement à ses idées, mais ce serait dommage qu'il laisse son bouillant caractère assombrir ce qui sera par ailleurs une merveilleuse année. Inévitablement, il se trouvera des Dragons de Métal ayant essuyé des revers, soit matériels ou personnels, dans les derniers temps. On ne peut que les encourager à vivre résolument la vie au présent ; à tout prix, ils doivent éviter de laisser la rémanence du passé saper leurs forces vives. Et qu'ils soient assurés qu'une action positive de leur part se verra récompensée. Par ailleurs, les Dragons de Métal qui souffrent de solitude sont susceptibles de nouer une nouvelle amitié vers la fin de 1999 ou peu après, amitié qu'ils pourraient fort bien voir évoluer avec bonheur... En somme, le Dragon de Métal détient nombre d'atouts pour faire de l'an 2000 une année totalement réussie. Ardemment motivé et en faisant bon usage de son temps, il parviendra aux buts qu'il s'était fixés, pour son plus grand plaisir.

C'est avec optimisme que le **Dragon d'Eau** peut accueillir l'année. En effet, ses accomplissements lui servant de tremplin, il sera en mesure de tirer pleinement profit de ses connaissances et de son savoir-faire. C'est ainsi qu'on pourrait le voir changer de type d'emploi pour satisfaire des ambitions de longue date, ou bénéficier d'une promotion, ou encore assumer des responsabilités plus conformes à ses désirs. De toutes façons, il peut certainement espérer recevoir le plein crédit pour ce qu'il a réalisé, pour les projets qu'il a menés à terme et pour les suggestions utiles qu'il a pu apporter. À n'en pas douter, on tient le Dragon d'Eau en haute estime et, tout au cours de l'année, son entourage sera dûment impressionné par sa contribution efficace. Cet élément ne sera d'ailleurs pas étranger à l'avancement qu'il connaîtra. D'autre part, les Dragons d'Eau qui souhaiteraient changer de milieu ou affronter de nouveaux défis, peut-être parce qu'ils ont l'impression de piétiner dans le poste qu'ils occupent, peuvent espérer d'heureux développements. Après avoir considéré leurs options et bien réfléchi au type d'emploi qu'ils veulent, il s'agira donc pour eux de prendre les moyens d'y arriver. Ils poseront bien sûr leur candidature aux postes annoncés; mais ils devraient également entrer en contact avec les sociétés pour lesquelles ils aimeraient travailler de même qu'avec des personnes qui exercent des fonctions analogues à celles qu'ils recherchent. En tout état de cause, une approche dynamique comptera pour beaucoup dans le succès de leurs démarches, et pourra dans plusieurs cas s'avérer le facteur clé. Le Dragon d'Eau sait qu'il possède de beaux talents; en faisant preuve d'initiative, il saura leur trouver un débouché qui leur rende justice. Au plan financier, il connaîtra une année florissante. En fait, nombre de Dragons d'Eau verront leurs revenus augmenter de façon appréciable, soit à cause d'une hausse de rémunération ou par le biais d'une autre source. Fidèle à ses principes, le Dragon d'Eau saura habilement gérer son argent; en ce sens, il sera bien avisé de penser à grossir ses économies, sans négliger toutefois de mettre un montant de côté en prévision des loisirs, des vacances ou de petits luxes pour lui-même et les siens. En ce qui a trait aux vacances justement, tout voyage que décidera d'entreprendre le Dragon d'Eau se révélera particulièrement agréable, car les aspects y sont très favorables en l'an 2000; une destination hors des sentiers battus pourrait lui procurer, à titre d'exemple, une expérience nouvelle et très enrichissante. Le natif de ce signe trouvera sans doute qu'il a fort à faire tout au long de l'année, mais qu'il se dise bien que le temps qu'il consacre à ses intérêts personnels et à ses hobbies n'est pas du temps perdu, au contraire. Non seulement le délasseront-ils, ils lui procureront aussi d'abondantes satisfactions, surtout s'ils font appel à des ressources que n'exploite pas son travail de tous les jours et qu'ils mobilisent ses talents de créateur. Au plan familial, le Dragon d'Eau se verra copieusement sollicité. Qu'il soit assuré cependant que son concours bienveillant constituera un appui précieux pour les siens. Ces derniers sachant d'ailleurs qu'ils peuvent toujours se fier à son bon jugement, ils rechercheront fréquemment ses conseils, et le Dragon d'Eau sera heureux de les leur prodiguer. Tout comme il le sera de voir les progrès qu'ils accomplissent, et de célébrer les bonnes nouvelles qui les concernent. En revanche, advenant qu'il éprouve lui-même des difficultés ou qu'il se sente débordé, c'est sans hésiter qu'il devra demander de l'aide, entre autres pour les travaux à effectuer dans la maison. Cependant, le rythme de vie trépidant du Dragon d'Eau ne l'empêchera pas de trouver dans les relations familiales joie et harmonie. Il partagera également d'excellents moments avec ses amis, et assistera à nombre de soirées et spectacles divertissants. Dans ce contexte, il aura par ailleurs l'occasion d'élargir son cercle d'amis et de connaissances, dont certaines joueront un rôle important au cours des prochaines années. Dans l'ensemble donc, le temps sera au beau pour le Dragon d'Eau. En faisant bon usage de ses talents et en saisissant les chances qui s'offrent à lui, il pourra améliorer considérablement sa situation. Des contacts humains vrais et chaleureux ainsi que des loisirs captivants viendront agrémenter son panorama. Bref, tous les ingrédients seront réunis pour que le début du millénaire soit riche de gratifications. Qui plus est, le Dragon d'Eau peut se réjouir que la tendance positive de l'an 2000 se maintiendra au-delà de la fin de l'année.

Le **Dragon de Bois** jouira cette année d'un climat idéal. Cet esprit novateur, qui fourmille d'idées originales, aura amplement l'occasion en l'an 2000 de donner corps à plusieurs d'entre elles, et de passer à l'action. Ajoutons que pour mener à bien ses diverses entreprises, l'appui qu'il recevra de son entourage sera pour lui un stimulant précieux. Presque toutes les sphères de sa vie connaîtront sous peu des développements positifs, et tout particulièrement celle du travail. Alors que la dernière année aura vu de nombreux Dragons de Bois vivre des changements au niveau de leurs fonctions, parfaire leur formation ou s'atteler à des projets nouveaux, l'année qui vient leur permettra en effet de récolter les fruits de leurs efforts et de progresser plus avant. La diligence et l'esprit de coopération du Dragon de Bois feront de lui un collaborateur apprécié dans le contexte d'un travail d'équipe, ce qui favorisera également ses avancées. À plusieurs reprises cette année, le bagage qu'il a acquis ainsi que ses bonnes relations lui seront fort utiles, le mettant dans une position idéale pour obtenir une promotion ou une mutation. Dans tous les cas, le poste auquel il pourrait accéder lui offrira l'occasion d'assumer des responsabilités accrues et de mettre à profit son sens de l'initiative. Étant donné les superbes aspects qui prévalent, ce sera l'année rêvée pour aller de l'avant, aussi le Dragon de Bois méritera-t-il de s'y employer avec énergie. Pour leur part, les natifs qui songent à travailler à leur compte et souhaitent éprouver la validité de certaines idées mettront toutes les chances de leur côté en se renseignant sur les démarches à entreprendre. La conjoncture favorisera les esprits entreprenants, mais il n'en reste pas moins que planification et méthode s'avéreront essentiels, d'autant plus si d'importants engagements figurent à l'ordre du jour. Par ailleurs, bon nombre des Dragons de Bois qui se cherchent une situation verront leur quête aboutir dans le courant de l'année, souvent d'une manière inattendue. Une fois familiarisés avec leur nouvel environnement de travail, ils constateront que la voie du progrès leur est ouverte. Le secteur des finances, quant à lui, se présente sous d'excellents auspices. En cette année de vaches grasses, le Dragon de Bois fera bien de réserver une partie de ses rentrées d'argent additionnelles en vue de grossir le pécule qu'il se constitue sagement pour l'avenir. À noter que l'an 2000 laisse également présager quelques coups de chance… si un concours attire l'attention du Dragon de Bois, pourquoi ne pas y participer? Qui sait, il pourrait compter parmi les heureux gagnants! Sur le plan de sa vie personnelle, le ciel est dégagé, l'harmonie et la joie continueront de prédominer dans les relations avec les proches. Il arrivera parfois que le Dragon de Bois se sente quelque peu dépassé par la somme d'engagements, d'activités et de tâches ménagères au programme. Plutôt que s'efforcer d'être partout à la fois, il gagnera alors à établir ses priorités ainsi qu'à mettre les autres membres de la famille à contribution. Il lui est également suggéré d'accorder une grande considération aux conseils d'autrui, et notamment aux conseils provenant de personnes plus âgées et que l'expérience a rendues sages. Par ailleurs, le Dragon de Bois peut s'attendre à retirer une profonde satisfaction des moments qu'il consacrera à ses passe-temps ; ceux d'entre eux qui présentent un défi à ses yeux ou qui mènent à une réalisation concrète se révéleront singulièrement enrichissants. Sa vie sociale s'annonce également réjouissante, ponctuée qu'elle sera de réunions entre amis et d'activités mondaines diverses. Pour les célibataires, tout comme pour ceux qui souhaiteraient ajouter à leur cercle de connaissances, les perspectives de rencontre bénéficient d'excellents auspices. Dans certains cas, l'établissement d'une nouvelle relation pourra même transformer leur vie. En somme, le Dragon de Bois se portera comme un charme en l'an 2000, et c'est avec détermination qu'il visera à en tirer profit au maximum. Son expérience, ses habiletés et l'aisance avec laquelle il s'accorde avec autrui joueront très certainement à son avantage. L'année sera pour lui à la fois productive, enrichissante et agréable.

L'arrivée de l'an 2000 insufflera un élan d'enthousiasme au **Dragon de Feu**, qui aura le sentiment d'entamer une nouvelle étape de sa vie. C'est avec une détermination renouvelée qu'il poursuivra ses objectifs, et il peut d'ailleurs s'attendre à ce que d'intéressants développements se produisent au cours de l'année. Cependant, bien que tous les natifs de ce signe jouissent d'un excellent potentiel de réussite, une mise en garde s'impose quant au caractère parfois démesuré de leurs attentes. On le sait, le Dragon de Feu est facilement porté à l'exubérance : mais s'il manque de réalisme, des déceptions l'attendront au tournant. De plus, certaines des réalisations qu'il contemple auraient de meilleures chances de succès ultérieurement, une fois acquise l'expérience pertinente. Néanmoins, le Dragon de Feu avancera à grands pas cette année, pourvu qu'il se fixe des buts qui sont à sa portée et qui coïncident avec son savoir-faire actuel. En tenant compte du précédent avertissement et en donnant le meilleur de lui-même, il récoltera des résultats significatifs tout en établissant de solides bases pour l'avenir. Tous les Dragons de Feu devront donc veiller cette année à ne laisser passer aucune occasion d'améliorer leur sort, et même à les créer s'il le faut ! Leur motivation et les efforts qu'ils fourniront s'avéreront payants. Au plan professionnel, les possibilités foisonnent : promotion, responsabilités accrues, changement de carrière, tout pourrait arriver ! Il suffira que le Dragon de Feu cerne ses ambitions et qu'il prenne à tâche de les concrétiser. De plus, il trouvera sans doute salutaire de soumettre ses idées et projets à son entourage, ainsi qu'aux personnes bien placées pour le guider en vertu de leur expérience. S'il donne libre cours à sa nature dynamique et entreprenante, le Dragon de Feu impressionnera favorablement ses collègues et supérieurs. D'heureux résultats pourraient survenir en conséquence. Bon nombre des natifs qui sont en recherche d'emploi verront également leurs efforts et leur persévérance récompensés cette année. Le poste obtenu ne correspondra pas toujours à ce qu'ils avaient à l'esprit, mais leurs nouvelles fonctions se révéleront peut-être plus intéressantes qu'il n'y paraissait. Et sait-on jamais, ils pourraient même se découvrir des aptitudes qu'ils ne soupçonnaient pas ! En réalité, le Dragon de Feu aura toutes les chances cette année de faire ses preuves : s'il se montre prêt à relever les défis, sa réputation et son expérience s'en trouveront accrues, ce qui laissera la porte grande ouverte aux progrès des prochaines années. Tout comme le secteur du travail, la sphère personnelle jouit d'auspices enviables. L'année favorisera l'épanouissement du Dragon de Feu, pour qui d'excitants développements sont en perspective : relation amoureuse, fiançailles, mariage ou naissance d'un enfant, il y aura assurément matière à célébration. Malgré le grand vent d'activité qui soufflera (parfois un peu trop fort!), le Dragon de Feu ne manquera jamais d'entrain ; l'année le verra au sommet de sa forme, comblé par l'amour, la compagnie et le soutien de ses proches. En retour, c'est de bon cœur qu'il prêtera main-forte à des parents plus âgés, qui lui seront très reconnaissants de ses attentions. L'estime et la confiance que lui porte son cercle intime seront amplement justifiées cette année. Parallèlement au plaisir que lui réserve sa vie familiale, le Dragon de Feu sera convié à quantité d'activités mondaines divertissantes. Comme on le voit, l'an 2000 laisse présager bien des bonnes choses pour ce natif! Cependant, un ou deux points mériteront son attention. Étant donné son emploi du temps chargé, il pourrait facilement négliger la correspondance de nature officielle à laquelle il doit donner suite. Il aura donc intérêt à se surveiller, car des retards ou des oublis risqueraient de jouer contre lui. De même, s'il envisage de conclure une transaction importante, la sagesse commandera qu'il en vérifie les conditions et qu'il s'assure de pouvoir respecter ses obligations. À nouveau, en dépit des aspects positifs qui prévalent, la prudence constituera une précieuse alliée. Que sert de courir des risques inutiles ? Hormis ces quelques mots d'avertissement, le Dragon de Feu peut s'attendre à passer une année réellement splendide, qui favorisera ses efforts en vue d'améliorer sa situation et qui lui promet une vie personnelle exceptionnellement heureuse.

L'année se révélera agréable et constructive pour le **Dragon de Terre**. Toutefois, afin de bénéficier pleinement des aspects positifs qui ont cours, il gagnera à préciser les objectifs qu'il souhaite atteindre. Projets domestiques, voyages, passe-temps, cours ou ateliers, peu importe le domaine qui l'intéresse, le Dragon de Terre constatera qu'en ayant une idée claire de ses buts, l'année n'en sera que plus enrichissante. D'ailleurs, les projets touchant à la maison ou au jardin promettent des moments particulièrement gratifiants. S'il se décide à concrétiser certaines des idées qu'il caresse depuis quelque temps déjà, le Dragon de Terre se trouvera enchanté (et pas peu fier!) des résultats. Il lui faudra cependant se fixer un échéancier raisonnable, qui tienne compte des éventuels contretemps qui pourraient survenir. À l'occasion, l'exécution de travaux ambitieux prendra plus de temps que prévu et occasionnera pas mal de désordre! Mieux vaudra donc s'y préparer psychologiquement! Heureusement, à la vue du résultat, le Dragon de Terre estimera que ses efforts en valaient la peine. Plusieurs des natifs de ce signe choisiront de déménager cette année. Là encore, bien que la durée des démarches puisse excéder leur estimation première, ils éprouveront un vif plaisir à faire de leur nouveau logement un nid douillet. En somme, en ce qui concerne les activités domestiques, l'année s'annonce fort active, mais également riche de satisfaction. Les voyages se présentent eux aussi sous d'excellents auspices. Le Dragon de Terre mériterait de se ménager une période de vacances cette année, soit pour visiter une région dont les attraits sont reconnus, soit pour revoir des amis ou parents. Ses hobbies constitueront également une grande source de plaisir, aussi devrait-il leur accorder une place de choix dans sa vie; pourquoi ne pas envisager de parfaire ses connaissances ou ses techniques d'une manière ou d'une autre? Comme on l'a dit, l'année s'annonce productive pour le Dragon de Terre, mais c'est en se donnant des objectifs clairs et en faisant preuve d'efficacité dans la gestion de son temps qu'il mènera ses projets à bien. Malgré les auspices favorables, les documents importants dont il doit s'occuper requerront une attention particulière cette année. S'il doit remplir des formulaires officiels, par exemple, ou signer un contrat dans le cadre d'une transaction, il aura intérêt à vérifier tous les points de détail qui le laissent perplexe. Qu'il prenne garde, sans quoi des problèmes risquent de s'ensuivre! Pour leur part, les natifs qui vont à l'école pourront être fiers des progrès qu'ils accomplissent. Certaines des matières auxquelles ils seront initiés leur plairont énormément. Toutefois, s'ils éprouvent quelque difficulté personnelle ou scolaire, ils devront sans hésitation se confier. À n'en pas douter, leur entourage les aidera de bon cœur, et ils s'en sentiront allégés. Par ailleurs, une vie sociale bien remplie les attend, et les perspectives de se faire de nouveaux amis et de bien s'amuser sont excellentes. Fidèle à son tempérament, le Dragon de Terre attachera un grand prix à la qualité des moments passés en famille. Il sera certes reconnaissant de l'amour, du soutien et de l'estime qu'on lui témoignera. Il serait souhaitable qu'il partage non seulement ses inquiétudes éventuelles, mais également les idées de projets qui l'habitent. Ses proches seront certainement aptes à apporter de l'eau à son moulin. Plusieurs événements familiaux s'avéreront également réjouissants cette année. Pour les natifs de 1928, il s'agira peut-être des succès remportés par des enfants ou petits-enfants, tandis que les natifs de 1988 verront leurs accomplissements reconnus et applaudis. Dans l'ensemble, donc, l'année laisse entrevoir de profondes satisfactions pour le Dragon de Terre. En s'établissant un programme d'activités qu'il poursuivra avec sa diligence et son enthousiasme coutumiers, il obtiendra des résultats impressionnants. De plus, ses relations personnelles lui réservent beaucoup de bonheur.

Dragons célèbres

Maya Angelou, Jeffrey Archer, Joan Baez, Count Basie, Pat Benatar, James Brown, James Coburn, Courteney Cox, Roald Dahl, Salvador Dalí, Charles Darwin, Honoré Daumier, Alexandra David-Neel, Christian Dior, Placido Domingo, Kirk Douglas, Faye Dunaway, le Prince Edward, Sigmund Freud, Graham Greene, Che Guevara, Jeanne d'Arc, Imran Khan, Martin Luther King, John Lennon, Abraham Lincoln, Édouard Manet, Yehudi Menuhin, François Mitterrand, Hosni Mubarak, Al Pacino, Gregory Peck, Christopher Reeve, Keanu Reeves, Rimski-Korsakov, George Bernard Shaw, Ringo Starr, Karlheinz Stockhausen, Shirley Temple, Paul Verlaine, Raquel Welch, Mae West, Frank Zappa.

Le Serpent

4 février 1905 au 24 janvier 1906	*Serpent de Bois*
23 janvier 1917 au 10 février 1918	*Serpent de Feu*
10 février 1929 au 29 janvier 1930	*Serpent de Terre*
27 janvier 1941 au 14 février 1942	*Serpent de Métal*
14 février 1953 au 2 février 1954	*Serpent d'Eau*
2 février 1965 au 20 janvier 1966	*Serpent de Bois*
18 février 1977 au 6 février 1978	*Serpent de Feu*
6 février 1989 au 26 janvier 1990	*Serpent de Terre*

LA PERSONNALITÉ DU SERPENT

Apprenez à vous limiter, à vous contenter d'une
chose précise, d'un travail précis ; osez être qui vous êtes,
renonçant de bonne grâce à tout ce que vous n'êtes pas,
et croyez en votre individualité.

HENRI-FRÉDÉRIC AMIEL, un Serpent

Le Serpent naît sous le signe de la sagesse. Doté d'une intelligence remarquable, l'esprit toujours en éveil, il est sans cesse à tirer des plans, sans cesse à se demander de quelle manière il pourrait le mieux mettre ses nombreux talents à profit.

Sans aimer le changement pour le changement, le Serpent peut se lasser de ce qu'il connaît trop bien, et on le verra à plusieurs reprises au cours de sa vie changer de centres d'intérêt ou, au travail, changer carrément d'orientation. Les défis sont pour lui un puissant stimulant, et son flair indéniable lui permet d'éviter la plupart des écueils. C'est un organisateur-né ; il a le sens des affaires et généralement, comme investisseur, la chance lui sourit. Voilà pourquoi la plupart des Serpents connaissent avec les années une situation financière enviable, à condition de n'être pas pris par la passion du jeu : il n'y a en effet pas pire joueur que le Serpent dans tout le zodiaque chinois !

De tempérament flegmatique, le Serpent préfère la vie calme et fait tout pour fuir l'agitation excessive. Il n'aime pas davantage être brusqué dans ses décisions. En fait, il déteste qu'on se mêle de ses affaires, et incline à être son propre juge plutôt qu'à se fier à l'opinion d'au-

144

trui. Ce qui ne veut pas dire que les vues qu'il adopte manquent de profondeur. Au contraire, il aime méditer et mûrement réfléchir avant de s'exprimer.

Il arrive que le Serpent fasse figure de solitaire car il est tranquille et d'une grande réserve. La communication est même parfois difficile avec lui. Ajoutons que les conversations oiseuses l'ennuient au plus haut point, et qu'il tolère mal la bêtise. En revanche, il est doté d'un bon sens de l'humour, chose qui s'avère singulièrement précieuse dans les moments de tension.

Le Serpent est dur à la tâche et minutieux dans tout ce qu'il fait. D'une grande détermination, il peut se montrer impitoyable pour arriver à ses fins. Ce qu'il réussit généralement, bien servi par l'assurance, la volonté et la vivacité d'esprit qui le caractérisent. Toutefois, en cas d'insuccès, il est long à se remettre. Pour tout dire, c'est un mauvais perdant : il ne supporte pas l'échec.

On dit souvent le Serpent évasif, et il est vrai qu'il se confie difficilement. Cette extrême discrétion, cette méfiance même, peut parfois lui nuire ; il fera bien d'apprendre à la tempérer le plus possible.

Invariablement, après un effort ou une activité intense, le Serpent éprouve un impérieux besoin de se reposer ; c'est que la somme d'énergie nerveuse qu'il dépense alors est considérable. Et ces ménagements lui sont réellement nécessaires. En fait, s'il ne fait pas attention, il pourrait devenir candidat aux troubles nerveux ou à l'hypertension.

Le Serpent a parfois la réputation d'être lent à démarrer dans la vie. Et c'est vrai qu'il met souvent un certain temps à dénicher le travail qui le rend heureux, mais une fois qu'il l'a trouvé, il s'y donne complètement. Il réussit généralement bien dans tout emploi qui implique de la recherche ou de la rédaction, pourvu qu'il puisse articuler ses idées en toute liberté. L'enseignement, la politique et le travail social sont également des domaines qui lui conviennent, et il ferait un excellent directeur du personnel.

Le Serpent choisit ses amis avec soin et, bien que d'ordinaire il ne badine pas avec ses finances, il sait se montrer fort généreux avec ceux qu'il aime, n'hésitant pas à leur offrir des cadeaux somptueux. Mais il doit par ailleurs pouvoir compter sur leur loyauté : possessif comme il l'est, il sera facilement blessé et pourra devenir très jaloux si on abuse de sa confiance.

Il a généralement fière allure et ne manque jamais d'admirateurs. À ce chapitre, la femme Serpent est particulièrement séduisante. Elle possède un genre bien à elle et beaucoup de goût pour s'habiller (mais pas dans le style chic pas cher !). Très sociable, elle a communément une foule d'amis. Notons en plus chez cette native du signe un rare talent pour impressionner les gens qui comptent. Dans sa vie de tous les jours, elle cultive des intérêts fort variés et participe à nombre d'activités, ce qui ne l'empêche pas pourtant d'être un peu secrète et de vouloir préserver sa vie privée. De nature, la femme Serpent est plutôt calme, et ses conseils sont ordinairement très appréciés de ceux qui l'entourent.

La réputation du Serpent en matière de cœur n'est plus à faire : c'est un grand amoureux. Mais il finit généralement par se ranger, et fait alors un excellent partenaire pour le natif du Bœuf, du Dragon, du Lièvre et du Coq. L'entente sera fréquemment bonne avec le Rat, le Cheval, la Chèvre, le Singe et le Chien, pourvu qu'ils laissent au Serpent la latitude de poursuivre ses intérêts personnels. Toutefois, qu'il se tienne loin du natif de son propre signe : deux Serpents deviennent facilement jaloux l'un de l'autre ! Il se trouvera par ailleurs peu d'affinités avec le Cochon honnête et terre-à-terre, et encore moins avec le Tigre, trop agité et enclin à perturber sa tranquillité.

Amateur de raffinement, souvent amateur d'art, le Serpent aime la lecture, et en particulier les ouvrages traitant de philosophie, de religion, de politique ou d'occultisme. L'inconnu le fascine, et il cherche constamment des réponses aux questions que pose son esprit curieux. En fait, dans l'histoire, on remarque que plusieurs penseurs de génie étaient des Serpents. D'autre part, bien que tantôt réticent à l'admettre, le Serpent, avec son intuition peu commune, possède souvent des dons médiumniques.

Dans tout le zodiaque chinois, le Serpent n'est certes pas le plus énergique. Il préfère aller à son propre rythme et faire ce qui lui plaît; bref, être son propre maître. Au cours de sa vie, il tâtera de plusieurs choses — il y a chez certains un peu du dilettante — mais viendra un moment où son labeur et ses efforts seront reconnus; et invariablement, il connaîtra le succès et la sécurité financière.

Les cinq types de Serpents

Outre les douze signes du zodiaque chinois, il y a cinq éléments qui renforcent ou modèrent chacun d'eux. Leurs effets sont décrits ci-après. Les années au cours desquelles chaque élément exerce son influence sont aussi notées. Ainsi, les Serpents nés en 1941 sont des Serpents de Métal, ceux qui sont nés en 1953, des Serpents d'Eau, etc.

Le Serpent de Métal (1941)

Tranquille, d'une grande assurance, et d'une indépendance farouche, le Serpent de Métal préfère travailler seul; dans son intimité, ne sont admis que de rares élus. Il sait profiter de toutes les occasions, et poursuit ses objectifs avec une stupéfiante détermination. Habile en affaires, c'est un investisseur astucieux. Il raffole des bonnes choses de la vie et s'avère souvent fin gastronome; les arts, la littérature et la musique trouvent en lui un amateur averti. Il peut compter sur quelques amitiés très sincères, et se montre généreux avec les êtres chers.

Le Serpent d'Eau (1953)

Ce Serpent cultive des intérêts variés. Il aime l'étude en général et, s'il s'adonne à la recherche, devient aisément un spécialiste dans le domaine choisi. Doué d'une grande intelligence et d'une excellente mémoire, il fait preuve de clairvoyance en matière d'argent. Sans bruit, il vaque à ses affaires; sa réserve ne l'empêche toutefois pas d'exprimer ses vues et de prendre les moyens pour réaliser ses ambitions. C'est un être d'une loyauté à toute épreuve.

Le Serpent de Bois (1905, 1965)

De tempérament chaleureux, le Serpent de Bois comprend bien la nature humaine. Avec lui, la communication est facile; il compte d'ailleurs beaucoup d'amis et d'admirateurs. Il est spirituel, intelligent et d'une belle ambition; ses centres d'intérêt sont nombreux. Le calme et la stabilité sont nécessaires à son bien-être, et il donne sa pleine mesure lorsqu'il peut travailler avec le minimum d'ingérence. C'est un amateur d'art, qui collectionne avec plaisir tableaux et meubles anciens. Tant ses proches que ses connaissances sollicitent fréquemment son opinion, qu'on sait éclairée.

Le Serpent de Feu (1917, 1977)

Plus énergique et plus extraverti que les autres types de son signe, le Serpent de Feu fait preuve d'assurance et d'ambition. Jamais il n'hésite à dire bien haut ce qu'il pense; c'est même d'un ton coupant qu'il peut rabrouer ceux qu'il n'aime pas. Par contre, on ne saurait nier ses qualités de chef; ses manières fermes et résolues lui gagnent en effet le respect et l'appui de la majorité. Son sens de l'humour est réputé; il raffole des soirées et des spectacles et compte une foule d'amis. C'est aussi un passionné des voyages.

Le Serpent de Terre (1929, 1989)

Être plein de charme et de gentillesse, le Serpent de Terre a le don de divertir son entourage. Il est fiable et consciencieux dans son travail, et aborde tout ce qu'il fait de manière méthodique et réfléchie. Cela l'entraîne parfois à pécher par excès de prudence; et si on le presse de prendre des décisions, il peut aisément se cabrer. D'une habileté consommée pour les questions financières, c'est un investisseur avisé. Il jouit d'un large cercle d'amis, auxquels il apporte, comme à sa famille, un soutien précieux.

Perspectives du Serpent pour l'an 2000

La nouvelle année chinoise débute le 5 février 2000. Jusque-là, c'est toujours l'année du Lièvre qui exerce son influence.

L'année du Lièvre (du 16 février 1999 au 4 février 2000) est de celles qui conviennent parfaitement au Serpent. Dans une large mesure, il aura pu mener ses affaires comme il l'entendait, en donnant libre cours à ses idées, et ce, avec d'heureux résultats.

L'année étant particulièrement propice au développement personnel, plusieurs Serpents en auront profité pour ajouter à leurs compétences, s'initier à un nouveau passe-temps ou se perfectionner d'une manière ou d'une autre. Dans les derniers mois de l'année, le Serpent gagnera à poursuivre ces initiatives qui lui procurent une profonde satisfaction. De plus, son aptitude à dépister les occasions prometteuses et à proposer des idées qui tombent pile pourrait réellement l'avantager en cette fin d'année du Lièvre, aussi doit-il plus que jamais rester à l'affût ! D'excellents progrès sont en réserve pour ceux qui feront preuve d'astuce et de perspicacité.

Le Serpent peut également s'attendre à passer des heures inoubliables en compagnie de sa famille et de ses amis. Bien qu'étant l'un des signes les plus réservés du zodiaque chinois, il se laissera certainement gagner par l'atmosphère de fête qui régnera à la fin de 1999 et célébrera l'arrivée du nouveau millénaire en grande pompe. Par ailleurs, le soutien dont il bénéficiera lui sera précieux ; s'il peut discuter ouvertement de ses projets, mais aussi de ses préoccupations, grand bien lui en fera. Son entourage l'épaulera volontiers.

Deux mises en gardes méritent toutefois d'être faites. Généralement fort habile à gérer ses finances, le Serpent devra néanmoins fuir toute transaction hasardeuse et ne pas trop compter sur sa bonne étoile. Les opérations financières qui éveillent ses doutes mériteront d'être soigneusement examinées, sans quoi il pourrait le regretter. Ensuite, le Serpent devra éviter tout comportement susceptible de le mettre dans l'embarras ou de lui attirer la critique, sous peine d'aller au-devant d'une situation potentiellement préjudiciable. Mieux vaudra donc que sa conduite soit honorable en tous points.

Pour peu que ces avertissements soient pris en considération, la période se révélera constructive, et enrichissante sur le plan personnel. De plus, la saison des festivités battant son plein à la fin de l'année du Lièvre, le Serpent peut être assuré d'en retirer énormément de plaisir.

L'année du Dragon débute le 5 février. Ce sera une année inégale, dont le Serpent n'appréciera pas toujours le caractère mouvementé. Toutefois, malgré les appréhensions et les soucis que susciteront certains événements, s'il reste fidèle à sa nature de tranquille observateur et vise à tirer le meilleur parti des circonstances, il pourra compter de beaux résultats à son actif au sortir de l'année.

Sur le plan professionnel, l'année augure bien. Le Serpent se verra offrir plusieurs occasions d'élargir son expérience et de mettre au point certaines de ses idées. Convenons-en, ses avancées ne seront pas toujours conformes au scénario d'origine, mais il pourra être fier de ses accomplissements ; c'est en partie grâce à eux qu'il aura le vent en poupe en 2001, l'année de son propre signe.

Les Serpents s'étant récemment vu attribuer de nouvelles fonctions profiteront de l'année pour s'accoutumer à tous les aspects de leur travail, tandis que les natifs souhaitant un changement professionnel auront intérêt à préciser leurs objectifs d'avenir. Dans certains cas, le Serpent optera pour une réorientation radicale, estimant les défis plus attrayants ainsi. Si cela exige qu'il développe son savoir-faire, l'année du Dragon sera propice à des démarches en ce sens.

Sous bien des rapports, le Serpent trouvera l'année idéale pour se préparer en vue de la prochaine étape importante de sa vie, qui commencera fin 2000 et se poursuivra en 2001. La réflexion qu'il mènera sur son avenir lui permettra de cibler ses énergies avec un surcroît d'efficacité et, s'il repère des occasions intéressantes, il lui faudra les explorer avec énergie. Il est vrai que ses premières initiatives ne déboucheront pas toujours sur du concret, mais de fil en aiguille il perfectionnera son approche et ses idées ; sa persévérance finira par être payante.

Le Serpent se distingue par son esprit novateur, aussi y a-t-il fort à parier que des idées prometteuses lui viendront cette année, et il fera bien de les cultiver. Avec le temps, certaines d'entre elles pourraient connaître d'heureux développements. À nouveau, il doit se rappeler que ses entreprises en l'année du Dragon revêtiront une importance significative par la suite.

Côté finances, les aspects laissent présager une légère amélioration. Cependant, quoique le Serpent se montre d'ordinaire prudent dans la gestion de ses affaires, il lui est conseillé d'éviter autant que possible les risques indus, et plus particulièrement de ne pas investir dans des opérations spéculatives ou au sujet desquelles il sait peu de choses. De même, la plus grande circonspection s'imposera à l'égard des entreprises douteuses ou des projets censés permettre de faire fortune du jour au lendemain. Tout ce qui brille n'est pas d'or, aussi le Serpent aura-t-il intérêt à rester sur ses gardes.

En revanche, sa vie personnelle est bien aspectée. Le Serpent s'adonnera avec plaisir à ses intérêts, notamment à ceux qui font appel à sa créativité. Pour les bricoleurs, artistes et photographes amateurs, des heures captivantes sont en perspective. Si d'aventure se présentait la possibilité pour le Serpent de diffuser ou de promouvoir le fruit de ses efforts, pourquoi ne pas en profiter? L'admiration que susciteront ses œuvres l'encouragera certainement à entreprendre des projets plus ambitieux encore.

La vie au foyer, pour sa part, ne s'annonce pas de tout repos. En plus de vaquer à ses propres occupations, le Serpent investira temps et énergie au bénéfice de ses proches, remplissant son rôle de soutien et de guide auprès d'eux. Comme toujours, ceux-ci feront grand cas de ses judicieux conseils et apprécieront à sa juste valeur sa nature aimante et attentionnée. Une personne plus âgée se montrera particulièrement reconnaissante de son aide et de sa bienveillance, et des plus jeunes solliciteront fréquemment son point de vue. Pour tout dire, le Serpent doit s'attendre à ce que règne chez lui une activité considérable, qui risque même de l'accaparer. Mieux vaudra donc s'en tenir à un nombre raisonnable d'engagements et, lors des périodes mouvementées, procéder par ordre d'importance. Bien sûr, l'exécution de certains projets devra peut-être attendre, mais le Serpent s'évitera ainsi un surcroît de pression. De plus, s'il se trouve débordé, il devra sans hésitation demander qu'on lui prête main-forte. L'aide viendra volontiers, à condition qu'il en exprime le besoin au lieu de persévérer sans mot dire, comme y sont enclins bien des Serpents.

Malgré le caractère parfois agité de sa vie domestique, le Serpent n'en retirera pas moins un immense contentement. Il se réjouira plus particulièrement des progrès réalisés par ses proches et de la contribution, toujours appréciée, qu'il sera en mesure d'apporter. D'heureux moments passés en famille sont également en vue, dans le cadre de loisirs partagés, de visites rendues à des amis, de sorties et d'excursions.

La vie sociale du Serpent en l'an 2000 dépendra réellement de la forme qu'il souhaite lui donner. Certains natifs préféreront restreindre leur activités mondaines afin de mettre l'accent sur leur vie familiale et leurs passe-temps ; d'autres continueront, sur une base plus ou moins régulière, de fréquenter avec un vif plaisir leur cercle d'amis actuel. Les Serpents désirant tisser de nouvelles amitiés et mener une vie sociale plus active jouiront d'auspices favorables. Cependant, il leur faudra prendre les devants, en sortant davantage et en se donnant toutes les chances possibles de faire des rencontres. De telles démarches exigeront un effort certain, notamment de la part des natifs plus réservés, mais ils s'en féliciteront par la suite. De très belles amitiés pourraient se faire jour s'ils adhèrent à des clubs et associations reliés à leurs intérêts, car ils seront alors susceptibles d'entrer en contact avec des personnes du même âge et avec qui ils ont des affinités.

Les voyages sont également bien aspectés, et tous les Serpents gagneraient à s'offrir une période de vacances cette année. Non seulement en ressentiront-ils les effets bienfaisants, mais ils seront enchantés de visiter des lieux qui sortent des sentiers battus, satisfaisant ainsi leur goût de l'insolite.

Bien que l'année du Dragon comporte sa part de stress et de défis, elle revêtira une importance significative dans la vie du Serpent. Ce sera le moment pour lui d'aviser à son parcours, notamment professionnel. Les décisions auxquelles il arrivera, ses accomplissements et les projets mis en branle seront de précieux atouts pour l'année prochaine, qui s'annonce faste. En fait, on pourrait dire que le Serpent s'apprête à faire peau neuve et à renouveler ses horizons. À partir de fin septembre, les aspects commenceront à exercer leur influence bénéfique : les projets du Serpent prendront de l'ampleur et ses efforts porteront fruits graduellement. Autre bonne nouvelle : l'an 2001 lui réserve des perspectives plus excitantes encore !

Abordons maintenant les différents types de Serpents et, tout d'abord, le **Serpent de Métal**, qui connaîtra une année au climat changeant. Le Serpent de Métal a une nature déterminée, une vision claire et précise de ce qu'il souhaite accomplir. Pourtant, quoique ces qualités lui ait valu de belles réussites par le passé, les obstacles qu'il rencontrera en l'an 2000 pourraient signifier que ses projets ne se dérouleront pas comme il l'envisageait. Il faut donc reconnaître que certaines déceptions sont à prévoir durant l'année du Dragon ; mais elles n'auront pas que des mauvais côtés. En réalité, plusieurs des développements qui auront lieu inciteront le Serpent de Métal à prendre du recul, à interroger ses objectifs à plus long terme, ce qui fera souvent naître chez lui des idées nouvelles et parfois davantage susceptibles de donner des résultats. Comme il s'en rend bien compte, mieux vaut s'adapter aux circonstances telles qu'elles sont plutôt que s'accrocher à une vue de l'esprit qui serait inadéquate. C'est au plan professionnel que se feront le plus sentir les aspects incertains de l'année, aussi le Serpent de Métal peut-il s'attendre à devoir prendre de délicates décisions. Elles pourraient se rapporter, par exemple, à la possibilité pour lui d'accepter de nouvelles fonctions — dans certains cas, fort impressionnantes et ayant de quoi mettre son assurance à l'épreuve —, de changer d'emploi ou de prendre sa retraite. Cependant, en examinant ses options et en se rappelant qu'il a toutes les qualités pour relever les défis qui lui sont présentés, le Serpent de Métal verra d'intéressantes avenues s'ouvrir à lui. La tournure des événements et les choix qu'il fera auront également pour heureuse conséquence de l'inciter à faire preuve d'un enthousiasme et d'une fermeté renouvelés dans la poursuite de ses projets et activités. Plus que jamais, les natifs de ce signe seront déterminés à réussir avec éclat. La fin de l'année laisse augurer un changement pour le mieux ainsi que de prometteuses perspectives pour l'an 2001. Si jamais le Serpent de Métal se trouve en mauvaise posture au cours de l'année, il fera bien de se confier à d'autres de préférence à porter seul le poids de ses soucis. Ce faisant, son irritation et son inquiétude seront apaisées, sans compter qu'il retirera de ses échanges d'utiles renseignements et conseils. Tout comme les questions professionnelles, les questions financières demanderont cette année au Serpent de Métal une attention soutenue. Même s'il est doté d'un bon sens des affaires, il lui faudra agir avec prudence. Cet avertissement est d'autant plus opportun que plusieurs Serpents de Métal disposeront d'un montant additionnel dans le courant de l'année. À cet égard, le natif du signe aura intérêt à soigneusement passer en revue les diverses possibilités qui s'offrent à lui. L'année serait en effet mal choisie pour précipiter des décisions importantes, courir des risques indus ou compter un peu trop sur sa bonne étoile. En menant ses affaires avec soin, le Serpent de Métal prospérera : il lui suffira de mettre en œuvre la minutie et la vigilance qui lui sont si naturelles. Au chapitre des intérêts personnels, en revanche, il peut s'attendre à de grandes joies et il gagnera d'ailleurs à réserver à ses activités favorites des plages régulières dans son emploi du temps. Aux natifs ayant une prédilection pour les activités extérieures, telles que le jardinage, les événements sportifs, les voyages ou la visite de lieux culturels, l'année réserve des moments inoubliables et gratifiants. Le Serpent de Métal devrait également saisir toute occasion de voyage qui se présente, et plus particulièrement accepter avec empressement toute invitation lui permettant de revoir des amis ou parents éloignés. Sa vie familiale et sociale, pour sa part, sera riche de satisfactions. Il se trouvera rasséréné par l'appui de ses proches et par l'intérêt qu'ils témoignent à l'égard de ses projets. Les succès d'un plus jeune l'empliront de fierté, et le Serpent de Métal verra que s'il incline à prodiguer des encouragements ou offrir son assistance, son entourage lui en sera reconnaissant. Tout au long de l'année, d'ailleurs, sa sincérité et ses attentions envers les autres seront reconnues et réellement appréciées. Le Serpent de Métal sera également enchanté des améliorations qu'il apportera à son intérieur, mais devra veiller à suivre les consignes de sécurité et à demander de l'aide si jamais les tâches qu'il entreprend sont dangereuses ou s'il doit déplacer des objets lourds. Il serait malvenu cette année de courir des risques ou de mettre en péril sa sûreté. Dans l'ensemble, bien que l'année du Dragon ne s'annonce pas des plus aisées pour le Serpent de Métal, s'il parvient à composer avec les événements et les circonstances dans lesquelles il se trouve, les idées et projets qui naîtront chez lui auront un excellent potentiel de succès. Sous bien des rapports, la première année du nouveau millénaire constituera l'aboutissement d'un cycle de sa vie et l'amorce d'une période plus faste. Les actions et les décisions du Serpent de Métal en l'an 2000 prépareront le terrain fertile de l'avenir.

Le **Serpent d'Eau** aura connu une vie mouvementée ces derniers temps et ses nombreux accomplissements auront de quoi le rendre fier. Pourtant, plusieurs des natifs de ce signe estimeront qu'ils n'exploitent pas encore pleinement leur potentiel et nourriront en conséquence de ferventes ambitions. Le Serpent d'Eau étant doté d'une nature patiente, il sera toutefois disposé à poursuivre ses buts avec constance et persévérance. Au cours de l'année du Dragon, bon nombre de Serpents d'Eau décideront que le moment est venu de faire le point et de goûter aux succès qu'ils ont remportés, mais aussi de concentrer leur énergie sur la direction qu'ils souhaitent réellement donner à leur existence. Aussi lors de la période de réflexion et de planification qui attend le Serpent d'Eau, aura-t-il intérêt à discuter de ses idées avec d'autres ainsi qu'à rencontrer des personnes ayant déjà accompli ce qu'il envisage lui-même. De telles démarches seront porteuses de précieux renseignements et conseils, en plus de le mettre en garde contre les écueils à éviter. Les ressources de son entourage pourront assurément lui être profitables, mais il lui appartiendra de faire les premiers pas et de se montrer ouvert, surtout s'il veut qu'on l'apprécie à sa juste valeur. Comme il le constatera, ses initiatives en l'an 2000 joueront un rôle de tout premier plan dans les succès futurs. Néanmoins, parallèlement à la réflexion qu'il mènera sur son avenir, le Serpent d'Eau devra s'en tenir à la prudence pour ce qui est des questions immédiates. Ainsi, au plan professionnel, il sera bien avisé de rester à l'affût des nouveaux développements et de s'adapter aux changements au fur et à mesure qu'ils surviennent. Entre autres exemples, des modifications pourraient toucher aux procédures qu'il avait coutume de suivre, ou encore il pourrait se voir confier des responsabilités d'un autre type. Quoi qu'il en soit, mieux vaudra que le Serpent d'Eau fasse preuve de bonne volonté et de souplesse en l'an 2000, et qu'il évite de se cantonner dans ses habitudes. Tout en agissant avec précaution dans sa vie quotidienne, il fera bien de toujours porter son regard vers l'avenir et d'explorer promptement les avenues susceptibles de favoriser ses objectifs à plus longue échéance. À noter que ce conseil vaut pour tous les Serpents d'Eau, qu'ils occupent déjà un emploi ou qu'ils soient présentement en recherche de travail. C'est en restant aux aguets et en tirant parti des possibilités qui s'ouvrent à eux qu'ils iront de l'avant. Force est d'admettre que celles-ci ne seront pas légion, mais, comme le Serpent d'Eau a pu le vérifier par le passé, patience et persévérance sont souvent la clef du succès, et nul doute que ces qualités le serviront de nouveau. De plus, s'il estime qu'une formation additionnelle l'avantagerait, il ne devra pas hésiter à faire le nécessaire pour l'acquérir. Que son choix se porte sur un stage, un programme de formation ou l'apprentissage en autodidacte, les connaissances acquises dès maintenant porteront leurs fruits ultérieurement, et il trouvera gratifiant au plus haut point le temps consacré à son développement personnel. Le Serpent d'Eau gère habituellement ses finances avec grand soin et ne devrait pas procéder autrement en l'an 2000. Une vigilance particulière sera de rigueur à l'égard de toute opération hasardeuse ou spéculative ; de plus, il gagnera à examiner de près les conséquences des engagements qu'il envisage de contracter. À défaut de se montrer prudent, il pourrait se faire jouer de vilains tours et regretter ses décisions. Au plan de sa vie personnelle, en revanche, les perspectives sont excellentes et le Serpent d'Eau peut espérer passer de superbes moments avec ses amis et sa famille. Il sera reconnaissant de pouvoir compter sur leur soutien ainsi que réconforté par leur marques d'affection. En retour, cependant, il serait souhaitable qu'il tâche de surmonter sa réserve coutumière et qu'il exprime plus ouvertement ses idées et préoccupations. Ses proches, en effet, ne demanderont pas mieux que de l'aider et souhaitent le voir se réaliser pleinement, mais pour cela le Serpent d'Eau doit se montrer communicatif. Au demeurant, les activités en famille lui apporteront de vives satisfactions et, dans la seconde partie de l'année, plusieurs occasions de réjouissance l'attendent, parmi lesquelles des réussites obtenues par les siens. Sa vie sociale lui sera également des plus agréables, avec au programme de sympathiques soirées entre amis et une foule d'activités mondaines. Le Serpent d'Eau qui vit sans attaches ou qui aimerait agrandir son cercle d'amis se verra offrir quantité d'occasions de faire des rencontres, et une amitié née dans le courant de l'année aura d'ailleurs toutes les chances de s'épanouir et d'acquérir une place de choix dans sa vie. Dans l'ensemble, bien que les progrès du Serpent d'Eau ne se révéleront pas toujours aussi considérables qu'il le souhaiterait, toutes les démarches qu'il entreprendra cette année auront des ramifications significatives par la suite et pourront parfois même constituer des points tournants sur son parcours. En somme, le Serpent d'Eau profitera de la première année du nouveau millénaire pour soigneusement ouvrir la voie aux développements palpitants que lui promet l'avenir.

Le Serpent de Bois connaîtra dans l'ensemble une année satisfaisante. Bien que ses réalisations ne coïncideront pas toujours avec ses ambitions, il peut s'attendre à des développements significatifs et gratifiants. Dans sa vie professionnelle, le Serpent de Bois sera en mesure de consolider les acquis des dernières années ; sa diligence et son sang-froid continueront de lui valoir l'admiration de tous. Bon nombre de Serpents de Bois concentreront leurs efforts sur le poste qu'ils occupent présentement, davantage encore s'ils assument de nouvelles fonctions depuis peu, et leur réputation ira grandissante au cours de l'année. Les natifs de ce signe auront d'ailleurs intérêt à saisir au passage toutes les occasions d'ajouter à leur formation, à leurs habiletés ou à leur expérience. Comme ils le constateront l'année suivante, qui s'annonce sous d'excellents auspices, les actions engagées en l'an 2000 constitueront le fondement de leurs succès futurs. Pour leur part, les Serpents de Bois qui sont impatients de changer de poste ou qui sont en recherche d'emploi gagneront à poursuivre vigoureusement leurs démarches et à explorer toutes les avenues intéressantes. Bien que celles-ci soient limitées et qu'il faille parfois plusieurs tentatives avant de réussir, la persistance des natifs de ce signe sera richement récompensée. De surcroît, plusieurs d'entre eux verront qu'une fois en poste, leurs perspectives de progrès seront excellentes. À vrai dire, c'est l'année du Dragon qui sera à l'origine d'une bonne part du succès auquel ils sont promis dans les années à venir. Pareillement, le Serpent de Bois qui voudrait mettre à l'essai certaines de ses idées trouvera que les circonstances lui sont favorables; qu'il en profite donc pour poser les bases de ses projets, évaluer la réaction qu'ils suscitent, recueillir l'information nécessaire et se chercher de solides appuis. À nouveau, ce qui est démarré maintenant donnera lieu à d'heureux développements vers la fin de l'année, et plus particulièrement en l'an 2001. Côté finances, une légère amélioration est à prévoir cette année. Grâce à une saine une gestion de ses dépenses, le Serpent de Bois se trouvera fort satisfait de son sort. Cependant, comme tous les Serpents, il devra veiller à ne pas relâcher sa prudence habituelle et à se méfier de toute entreprise hasardeuse qui lui serait proposée. La vie personnelle du Serpent de Bois, quant à elle, sera des plus actives cette année, et une foule de questions requerront son attention. Comme toujours, il sera aux petits soins pour son entourage et encouragera les projets des siens. Il prêtera également assistance à un membre plus âgé de la famille, offrant des conseils et une présence bénéfiques qui seront fort bien accueillis. Cependant, le Serpent de Bois si généreux de lui-même ferait bien à son tour de faire appel aux autres lorsqu'il se trouvera inquiet, préoccupé, ou débordé — par exemple, s'il traverse une période exigeante, un peu trop remplie d'engagements, ou de tâches ménagères! En l'an 2000, donc, le Serpent de Bois fera bien de mettre l'accent sur la réciprocité et éviter que tout repose sur ses épaules. Étant donné le caractère mouvementé de l'année qui vient, il serait souhaitable qu'il veille à son bien-être. À ce titre, il gagnerait à réserver du temps à ses loisirs, qui le délasseront et lui changeront les idées, de même qu'à des activités sportives qui le garderont en forme. Sa vie sociale méritera elle aussi de tenir une place dans son emploi du temps, car elle sera pour lui une importante source de divertissement cette année. Les Serpents de Bois vivant seuls ou souhaitant former des amitiés se verront, pour leur part, offrir quantités d'occasion de frayer avec d'autres et de nouer des relations significatives, notamment durant la période estivale. Dans l'ensemble, quoique le Serpent de Bois sera plutôt affairé cette année, il en retirera de grandes satisfactions, et, grâce à ses initiatives et à ses démarches, pourra compter avoir le vent en poupe en l'an 2001.

Le **Serpent de Feu** connaîtra une année intéressante qui, sans être exempt de soucis et de pressions, lui réserve une vie personnelle heureuse ainsi que des avancées tangibles. Il lui faudra cependant, et ce, dans tous les domaines, nourrir des attentes réalistes plutôt que fixer la barre trop haut, et exploiter ses habiletés et son savoir-faire. Il est vrai que le Serpent de Feu est doté d'un tempérament déterminé et ambitieux, néanmoins certains de ses projets exigeront d'abord qu'il gagne en expérience, ce qui méritera ses efforts cette année. Nul doute qu'il aura amplement le temps ultérieurement d'accomplir ses buts, et davantage encore. Au plan professionnel, l'enthousiasme et la nature consciencieuse du Serpent de Feu seront vues d'un bon œil, et il pourrait s'avérer avantageux pour lui d'assumer des responsabilités additionnelles ou d'ajouter à sa formation s'il en a la possibilité. De plus, il fera bien de surveiller attentivement la tournure des événements, les changements sur le point de se produire et les propositions à l'étude. C'est en restant bien informé qu'il sera apte à apporter sa contribution et à saisir les occasions avantageuses qui se présentent. De même, les Serpents de Feu souhaitant briguer un autre poste ou en quête de travail devront donner suite aux ouvertures qui les intéressent, mais jouiront de meilleures chances de succès en se concentrant sur les emplois qui coïncident avec l'expérience qu'ils ont à leur actif. À nouveau, les natifs de ce signe se muniront de précieux atouts s'ils sont en mesure de parfaire leur formation, par le biais de cours ou de stages. Comme tous les Serpents de Feu le constateront, les apprentissages et les accomplissements d'aujourd'hui seront la clé du succès de demain. En somme, dans le secteur du travail, cette année permettra essentiellement de préparer le terrain en vue des palpitants développements à venir ! Au chapitre des questions financières, par contre, une grande prudence sera de mise. En effet, le

Serpent de Feu risque de faire face à des dépenses considérables, reliées notamment à son logement, aussi
vaudra-t-il mieux qu'il gère son budget avec sagesse. De
plus, avant de conclure une transaction, il lui serait salutaire d'avoir une compréhension précise des obligations
qu'elle comporte ; il devra d'autre part éviter de mettre
tous ses œufs dans le même panier. En faisant preuve de
circonspection, le Serpent de Feu s'épargnera les problèmes, car la chance ne sourira pas aux complaisants ni
aux téméraires cette année. L'un des domaines les plus
favorablement aspectés, en revanche, est celui des relations interpersonnelles. La compagnie du Serpent de Feu
sera en effet vivement recherchée cette année, et de
superbes moments entre amis et en famille seront au programme. L'affection que lui manifestera son entourage
sera pour lui une source de réconfort, sans compter
qu'elle ravivera son enthousiasme et son courage s'il se
heurte à des difficultés. Le Serpent de Feu se fera également une joie de partager ses projets et intérêts, et ses
invitations en ce sens donneront lieu à des moments
inoubliables. Sur le plan personnel, le natif de ce signe
se sentira au sommet de sa forme ; advenant qu'il se sente
un peu seul, après s'être installé dans un nouveau quartier par exemple, et qu'il cherche l'amitié ou l'amour, les
aspects astraux contribueront à dynamiser sa vie sociale.
Mais bien entendu, il lui faudra tout de même faire
quelques efforts de son côté et sortir davantage ! Il constatera ainsi qu'en se joignant à un groupe d'intérêt, il sera
susceptible de rencontrer des personnes avec qui il a des
affinités et de former de belles amitiés. Malgré la satisfaction que lui apporteront ses rapports avec autrui, le
Serpent de Feu serait bien avisé de garder un point à
l'esprit : comme il lui arrive parfois d'exprimer ses opinions d'une manière tranchée, des désaccords peuvent

survenir, avec lesquels il n'est pas toujours aisé de composer. Dans de tels cas, l'entêtement et l'intransigeance sont à proscrire! Le Serpent de Feu serait sage, au contraire, de rester cordial et de promptement dissiper le différend, sous peine de voir la situation se détériorer et gâcher un moment agréable. Prenez donc bonne note du conseil, Serpents de Feu, et ne laissez personne faire une tempête dans un verre d'eau! Dans l'ensemble, toutefois, l'année du Dragon sera une année constructive. Le Serpent de Feu, déterminé et capable, sait qu'il est promis à un grand avenir; ce qu'il accomplira en l'an 2000 ouvrira la porte à cet avenir, tandis que sur le plan personnel, l'année sera pour lui sous le signe du bonheur.

Une année satisfaisante attend le **Serpent de Terre**, qui pourra compter sur des résultats positifs à plusieurs égards. Toutefois, pour tirer pleinement parti de l'année du Dragon, il aura intérêt non seulement à fixer ses objectifs, mais également à dégager ses priorités en prévision des périodes de plus grande activité. À défaut de cela, il risque de s'éparpiller et de compromettre ses réalisations. Pour sa part, le natif de 1989 connaîtra d'heureux développements sur le plan scolaire; il trouvera stimulants, par exemple, certains des travaux qu'il entreprendra et les nouvelles matières auxquelles il sera initié. D'ailleurs, le jeune Serpent de Terre se fera à coup sûr remarquer par sa curiosité, son entrain et les progrès qu'il accomplira. Toutefois, si quelque chose venait à le tracasser, qu'il s'agisse de ses devoirs ou d'une question personnelle, il devrait se confier sans hésitation. Bien souvent, ses inquiétudes s'en trouveront dissipées et il obtiendra le coup de main dont il a besoin, mais cela ne sera possible qu'à condition qu'il se montre ouvert et communicatif. Parallèlement à son cheminement scolaire, le jeune Serpent de Terre tirera un vif plaisir de ses intérêts personnels. Aux natifs ayant une prédilection pour les sports et les activités de plein air, l'année réserve des moments inoubliables et, s'ils se voient offrir l'occasion de développer davantage leur adresse, ils ne devraient pas hésiter à en profiter. Dans le même ordre d'idées, l'année sera également propice à la découverte de nouveaux intérêts ou passe-temps. L'année du Dragon favorisera l'esprit d'entreprise, aussi pourrait-ce être une période faste pour le Serpent de Terre qui, comme on le sait, est d'un naturel plutôt enthousiaste. Les natifs de 1929 bénéficieront tout autant de cette tendance favorable. Au cours des dernières années, plusieurs d'entre eux auront eu beaucoup à faire et vu d'importants changements toucher leur vie, tel un déménagement par exemple. En l'an 2000, le Serpent de Terre devrait s'accorder le répit mérité et se faire plaisir en s'adonnant à ses occupations favorites. De profondes satisfactions l'attendent, mais il serait souhaitable qu'il se fasse une idée plus précise de son programme pour l'année. En plus de s'intéresser aux activités de plein air, le Serpent de Terre est susceptible d'apprécier les activités de nature créative, et l'année promet des moments particulièrement gratifiants aux amateurs de photographie, de musique ou d'autres arts. Certains de ces natifs auront également vu leur curiosité piquée par les récents développements dans le domaine de l'informatique et prendront plaisir à ajouter à leurs connaissances et à parfaire leurs habiletés. Par ailleurs, le Serpent de Terre pourra également compter que, peu importe ses initiatives, il jouira du solide soutien de son entourage. À noter cependant qu'il serait à son avantage de prêter attention aux conseils qui lui seront offerts, même s'ils vont parfois à l'encontre de ses idées. En effet, ses proches, à qui ses intérêts tiennent à cœur, pourraient bien souvent avoir remarqué des détails qui lui auraient échappé. L'un des domaines qui pourrait se révéler délicat cette année, en revanche, est celui des démarches d'ordre administratif, parmi lesquelles les formulaires officiels qu'il faudra remplir. Le Serpent de Terre sera bien avisé de régler ces questions avec soin et en respectant les délais indiqués, sous peine d'être pris dans un bourbier bureaucratique. Gardez donc ce conseil à l'esprit, Serpents de Terre : pour éviter d'être pénalisés, faites appel à des spécialistes si vous êtes embarrassés ! Pareillement, mieux vaudra cette année éviter de courir des risque indus sur le plan financier. Bien que le Serpent de Terre soit généralement fort habile en la matière, il ne devra pas pour autant relâcher sa vigilance, mais au contraire vérifier tous les points qui méritent d'être éclaircis. Dans l'ensemble, à l'exception de ces dernières mises en garde, l'an 2000 sera riche de satisfactions pour le Serpent de Terre qui, en planifiant bien ses activités, peut s'attendre à une foule d'occasions enrichissantes et à d'excellents moments passés en bonne compagnie.

Serpents célèbres

Muhammad Ali, Yasser Arafat, Édouard Balladur, Kim Basinger, Charles Baudelaire, Émanuelle Béart, Bjork, Brahms, Jacques Brel, Copernic, Charles Darwin, Dostoïevski, Bob Dylan, Gabriel Fauré, Gustave Flaubert, Henry Fonda, Mahatma Gandhi, Greta Garbo, André Gide, Dizzie Gillepsie, Goethe, Grace de Monaco, Audrey Hepburn, Jessie Jackson, James Joyce, J. F. Kennedy, Carole King, Mao Tsé-toung, Henri Matisse, Nasser,

Claude Nougaro, Aristote Onassis, Jacqueline Onassis, Pablo Picasso, Brad Pitt, André Previn, Franklin D. Roosevelt, Jean-Paul Sartre, Franz Schubert, Brooke Shields, Paul Simon, Virginia Woolf.

Le Cheval

25 janvier 1906 au 12 février 1907	*Cheval de Feu*
11 février 1918 au 31 janvier 1919	*Cheval de Terre*
30 janvier 1930 au 16 février 1931	*Cheval de Métal*
15 février 1942 au 4 février 1943	*Cheval d'Eau*
3 février 1954 au 23 janvier 1955	*Cheval de Bois*
21 janvier 1966 au 8 février 1967	*Cheval de Feu*
7 février 1978 au 27 janvier 1979	*Cheval de Terre*
27 janvier 1990 au 14 février 1991	*Cheval de Métal*

LA PERSONNALITÉ DU CHEVAL

Ne nous tournons pas vers le passé avec colère,
ni vers l'avenir avec peur ; sachons plutôt voir
ce qui nous entoure avec lucidité.

JAMES THURBER, un Cheval

Le Cheval est né sous le double signe de l'élégance et de la fougue. Sa personnalité attachante, son charme, lui assurent une grande popularité. Étant lui-même fort sociable, il adore les soirées entre amis, les réceptions et autres activités mondaines qui lui donnent l'occasion de fréquenter ses semblables.

Où qu'il soit, il n'est pas rare que le Cheval soit le boute-en-train de l'assemblée. Doté d'excellentes qualités de leadership, il se fait également apprécier par son honnêteté et ses manières franches. Cet orateur éloquent, versé dans l'art de la persuasion, n'aime rien de mieux qu'un bon débat. Son esprit vif et agile, de surcroît, lui permet d'assimiler les choses en un temps record.

Le Cheval, cependant, est aussi un être au caractère irascible et bien que ses emportements soient passagers il lui arrive de regretter ses propos. De plus, il a peine à garder les secrets d'autrui, la discrétion n'étant pas au nombre de ses qualités.

Les intérêts du Cheval sont multiples, tout comme les activités auxquelles il prend part. D'ailleurs, il ne sait parfois plus où donner de la tête tant elles sont nombreuses, et peut gaspiller ses énergies sur des projets qu'il n'a jamais le temps de compléter. Le Cheval a également tendance à être versatile, aussi ses objets de

fascination sont-ils quelquefois de courte durée, se suc-
cédant au gré des modes.

Une marge de liberté et d'indépendance est nécessaire au natif de ce signe. À vrai dire, il se trouve fort mal
disposé à l'égard des règles et directives qu'on pourrait
tenter de lui faire suivre ; il préfère de loin n'avoir de
comptes à rendre à personne. Malgré son côté rebelle,
toutefois, il aime à se sentir entouré, encouragé et soutenu
dans ses entreprises.

Grâce à ses nombreux talents et à son caractère
avenant, le Cheval peut aller loin dans la vie. C'est un
amateur de défis, un travailleur méthodique et infatigable. Néanmoins, s'il s'avère que les événements jouent
contre lui et que certains projets échouent, il faudra du
temps au natif de ce signe pour se remettre d'aplomb et
faire un nouveau départ. En effet, le Cheval vit pour réussir ; à ses yeux, échouer est une terrible humiliation.

Le Cheval aime que sa vie soit variée. Il tâte souvent de plusieurs métiers avant de fixer son choix et,
même par la suite, reste à l'affût de nouvelles avenues allé-
chantes. À vrai dire, il est d'un naturel agité et a besoin
d'action, à défaut de quoi il s'ennuie facilement. Il excelle
toutefois dans les postes lui accordant toute latitude pour
exercer son esprit d'initiative ou privilégiant les relations
interpersonnelles.

Bien que le Cheval se préoccupe fort peu d'accumuler les richesses, c'est avec soin qu'il gère ses finances,
aussi est-il rare qu'il connaisse de sérieuses difficultés sur
ce plan.

Le Cheval est également un voyageur che-
vronné qu'attirent les lieux inconnus ou les contrées éloi-
gnées. Un jour ou l'autre, il sera tenté de s'établir à
l'étranger pour quelque temps et, grâce à sa faculté
d'adaptation, il se sentira chez lui où qu'il aille.

Portant un soin tout particulier à son apparence, le natif de ce signe a une prédilection pour les tenues élégantes, colorées et originales. Il connaît un grand succès auprès du sexe opposé et vivra souvent nombre d'aventures galantes avant de s'assagir. Loyal et protecteur envers son partenaire, le Cheval tient toutefois, en dépit de ses engagements familiaux, à conserver son indépendance et à jouir d'une liberté suffisante pour cultiver ses intérêts et s'adonner à ses loisirs. Il s'entend à merveille avec les natifs du Tigre, de la Chèvre, du Coq et du Chien. Se révèle également positive l'alliance avec le Lièvre, le Dragon, le Serpent, le Cochon et un autre Cheval, tandis que le côté sérieux et intolérant du Bœuf en fait un partenaire peu approprié. De même, le Cheval s'accorde malaisément avec le Singe et le Rat; le premier étant fort curieux et le second ayant besoin de sécurité, ils n'apprécieront aucunement ce compagnon qui se veut libre comme l'air.

La femme Cheval, généralement fort séduisante, est sympathique et ouverte aux autres. Douée d'une grande intelligence, elle s'intéresse à quantité de choses et ne laisse rien de ce qui se passe autour d'elle lui échapper. Les activités de plein air, les sports et le conditionnement physique lui procurent un vif plaisir. Elle aime également les voyages, la littérature et les arts, et brille dans la conversation.

Bien que le Cheval puisse se montrer têtu et un tantinet égocentrique, il reste qu'il a une nature attentionnée et offre volontiers son aide. Il jouit également d'un excellent sens de l'humour et sait faire bonne impression partout. S'il parvient à contenir sa fébrilité et à maîtriser son tempérament colérique, il nouera de belles amitiés, occupera son temps à de multiples activités et, en règle générale, atteindra la majeure partie de ses buts. Sa vie sera tout sauf ennuyante.

Les cinq types de Chevaux

Cinq éléments, soit le Métal, l'Eau, le Bois, le Feu et la Terre, viennent tempérer ou renforcer les douze signes du zodiaque chinois. Les effets de ces éléments sont décrits ci-après, accompagnés des années où ils dominent. Ainsi, les Chevaux nés en 1930 et 1990 sont des Chevaux de Métal, ceux de 1942 sont des Chevaux d'Eau, etc.

Le Cheval de Métal (1930, 1990)

Chez le Cheval de Métal se marient l'audace, la confiance et la franchise. Ce natif est un innovateur de premier ordre qui ne manque pas non plus d'ambition. Aimant les défis, il prendra un plaisir tout particulier à résoudre des problèmes complexes. Le Cheval de Métal a toutefois soif d'indépendance et ne voit pas d'un bon œil qu'on mette le nez dans ses affaires. Il peut se montrer charmant, voire charismatique, mais tout aussi bien têtu et quelque peu irritable. Il compte généralement de nombreux amis et mène une vie sociale des plus actives.

Le Cheval d'Eau (1942)

Doté d'une nature amicale et d'un bon sens de l'humour, le Cheval d'Eau a également une excellente culture générale. Se montrant aussi habile en affaires, il saisit promptement les occasions avantageuses qui surviennent. Cependant, sa tendance à l'éparpillement tout comme l'inconstance de ses intérêts, et parfois même de ses décisions, peuvent jouer à son détriment. Le Cheval d'Eau est néanmoins bourré de talents, aussi est-il souvent promis à un grand avenir. Soucieux de son apparence, il s'habille avec goût et élégance. Les voyages le passionnent, et il s'adonne volontiers aux activités sportives et de plein air.

Le Cheval de Bois (1894, 1954)

Plein de gentillesse, d'agréable compagnie, le Cheval de Bois est un habile communicateur et, tout comme le Cheval d'Eau, il possède une excellente culture générale. Ce travailleur acharné et consciencieux s'attire invariablement l'estime de ses amis et collègues. On recherche fréquemment son opinion, et son imagination fertile donne naissance à des idées aussi originales que pratiques. Le Cheval de Bois aime à mener une vie sociale dynamique. Il peut également se montrer fort généreux et a un sens moral poussé.

Le Cheval de Feu (1906, 1966)

L'élément Feu, lorsqu'il s'associe au tempérament du Cheval, produit l'une des forces les plus extraordinaires du zodiaque chinois. Le Cheval de Feu est promis à une existence trépidante ; il n'est pas rare qu'il laisse sa marque dans le domaine professionnel qu'il a choisi. Sa forte personnalité, son intelligence ainsi que sa détermination lui valent de nombreux appuis et l'admiration de tous. Le Cheval de Feu aime par-dessus tout l'action, l'aventure, aussi sa vie ne sera-t-elle pas sous le signe de la tranquillité. Il lui arrive toutefois d'exprimer ses opinions sans ménagements et, en règle générale, il tolère mal qu'on s'immisce dans ses affaires; il n'aime pas davantage obéir aux ordres. C'est un personnage haut en couleur, plein d'humour, et qui a une vie sociale bien remplie.

Le Cheval de Terre (1918, 1978)

Le Cheval de Terre est plein d'égards et d'affection pour autrui. Plus enclin à la prudence que les autres Chevaux, il se révèle également fort sage, perspicace et capable. Quoiqu'il soit parfois indécis, il est doué d'un sens aigu des affaires et sait jouer de finesse sur le plan financier. Sa nature tranquille et amicale lui vaut l'appréciation de sa famille et de ses amis.

Les perspectives du Cheval pour l'an 2000

La nouvelle année chinoise débute le 5 février 2000. Ainsi jusque-là est-ce toujours l'année du Lièvre qui exerce son influence.

L'année du Lièvre (du 16 février 1999 au 4 février 2000) aura été satisfaisante jusqu'à présent pour le Cheval, mais ce sont les derniers mois de l'année qui promettent les plus belles réussites. Sur le plan personnel, le Cheval se sentira au sommet de sa forme et peut s'attendre à des moments de bonheur auprès de ceux qu'il aime. Il profitera tout aussi pleinement des activités mondaines auxquelles il sera convié, et plus particulièrement des festivités entourant le nouveau millénaire. En effet, ce point tournant et la valeur symbolique qu'il revêt auront de quoi l'inspirer ; ce sera pour lui l'occasion de prendre du recul, de passer en revue tout ce qu'il a accompli, et ce, afin de mieux cerner la direction qu'il souhaite imprimer à sa vie future. Les fruits de sa réflexion pourraient d'ailleurs s'avérer des plus significatifs au cours de la prochaine année chinoise.

Cependant, bien que les relations familiales et amicales du Cheval se porteront à merveille à la fin de l'année du Lièvre, il faudra beaucoup de soins pour que se prolongent et s'épanouissent les nouvelles amitiés qu'il a nouées, d'autant plus si des perspectives amoureuses sont également dans l'air. Comme l'a compris le Cheval, mieux vaut pour les partenaires d'un couple apprendre à se connaître que s'engager l'un envers l'autre trop hâtivement.

Dans le secteur du travail, l'approche la plus profitable pour le Cheval consiste à exploiter les domaines qui lui sont déjà familiers plutôt que s'aventurer en terre inconnue. À certains moments de l'année du Lièvre, cela peut signifier user de discipline pour se garder des distractions et intérêts secondaires ; toutefois, les résultats obtenus par la suite compenseront amplement l'effort fourni.

Au plan financier, tout se déroulera bien dans l'ensemble, mais étant donné la foule d'activités sociales qui attendent le Cheval dans les derniers mois de l'année, il pourrait voir ses dépenses monter en flèche. Aussi a-t-il dès maintenant intérêt à planifier son budget en conséquence ainsi qu'à acheter ses cadeaux à l'avance, en répartissant ses achats sur plusieurs mois.

En somme, l'année de Lièvre sera constructive pour le Cheval, qui se verra offrir dans les derniers mois de nombreuses occasions de se divertir et tirera une grande satisfaction du bilan qu'il fera de ses accomplissements.

L'année du Dragon commence le 5 février 2000 et laisse augurer de passionnants développements pour le Cheval. À vrai dire, il sera gagnant sur toute la ligne ou presque, quoi qu'il entreprenne. Toutefois, question de tempérer les excellents moments en réserve, quelques pépins et obstacles surgiront en chemin. Bien qu'ils puissent paraître ennuyeux sur le coup, ils auront l'avantage de servir d'avertissement et d'inciter à la précaution. Mais il reste que, dans l'ensemble, l'année du Dragon réussira au Cheval et lui apportera bien du plaisir.

Au chapitre du travail, cette année sera capitale. Bon nombre de Chevaux jugeront que le moment est venu de changer d'horizon et d'exploiter plus à fond leur potentiel. En l'an 2000, il ne leur faudra négliger aucune occasion intéressante. Bien entendu, leurs démarches ne produiront pas toujours des résultats immédiats, mais la persévérance et la détermination dont ils feront preuve seront finalement récompensées ; pour plusieurs, en effet, le poste obtenu laissera la porte grande ouverte à d'autres avancées. Cependant, malgré ce vent de renouveau, le Cheval fera bien de se familiariser avec ses nouvelles tâches et de mettre un frein aux excès de sa nature enthousiaste. Qu'il se console, car les occasions de faire ses preuves ne manqueront pas, mais les actions téméraires et les décisions impétueuses, par contre, risqueraient de compromettre ses débuts. Un peu de patience, donc !

Les Chevaux qui se cherchent une situation seront pour beaucoup exaucés, et parfois d'une manière inattendue ; ils pourraient, par chance, avoir vent d'une ouverture de poste, se faire donner un conseil utile ou être recommandés par quelqu'un à leur insu. Quoi qu'il en soit, une fois dans leur nouvel environnement, ils seront dans bien des cas en mesure de mettre à profit leurs capacités et ainsi de favoriser leurs progrès subséquents.

La période allant de février à avril, ainsi que les mois de septembre et novembre seront nettement propices aux développements professionnels.

De plus, étant donné l'esprit inventif et astucieux dont est pourvu le Cheval, il mériterait de mettre ses idées de l'avant au cours de l'année et d'en évaluer les possibilités de réalisation. L'année du Dragon pourrait fort bien lui sourire, puisqu'elle est sous le signe de l'innovation ; le Cheval mettra toutes les chances de son côté s'il soigne la présentation de ses projets et réfléchit aux diverses tournures que ceux-ci pourraient prendre, au lieu de brûler les étapes. Encore une fois, il s'agira pour lui de contenir son ardeur et de se donner la peine de peaufiner ses propositions.

Pour les questions financières, prudence et modération sont recommandées cette année. Le Cheval trouvera salutaire de surveiller de près ses dépenses, faute de quoi elles pourraient insidieusement grimper... et excéder la limite prévue. De même, s'il conclut toute nouvelle transaction, il gagnera à en tenir compte dans son budget. Une gestion rigoureuse saura lui assurer une saine situation matérielle ; par contre, l'année ne pardonnera ni l'insouciance, ni les dépenses extravagantes. Le Cheval devra également examiner avec circonspection les propositions hasardeuses ou de nature spéculative qui lui seront faites. Les choses pourraient être plus risquées qu'il n'y paraît et, s'il se trouve tenté d'accepter, il sera sage de prendre conseil avant de s'engager. Que les Chevaux exercent donc une vigilance soutenue sur ce plan !

Dans la sphère relationnelle, en revanche, les auspices s'annoncent excellents, et le Cheval peut compter passer de délicieux moments en compagnie de ses proches et amis. Sur le plan familial, il aura fort à faire cette année. En plus de se montrer à l'écoute des besoins de son entourage, il s'attellera à la réalisation d'ambitieux projets chez lui : réaménagement de certaines pièces ou travaux de décoration, par exemple. Les activités manuelles auxquelles il se livrera lui apporteront un réel contentement, encore que leur durée pourrait dépasser ses prévisions à la suite de quelques accrocs et interruptions. Étant donné cette éventualité, le Cheval se gardera donc de tout mener de front ; il sera sans doute plus satisfait de contempler un petit nombre de tâches bien faites que de vivre dans un chantier permanent.

En plus de ces travaux pratiques, le Cheval s'adonnera avec joie à ses intérêts et loisirs conjointement avec ses proches. De même, toute période de repos ou de vacances en famille lui sera très bénéfique, et les voyages sont également bien aspectés.

De manière générale, l'année sera sous le signe du dynamisme et recèlera nombre d'occasions plaisantes, non seulement au plan familial, mais également en ce qui concerne la vie sociale du Cheval. En effet, une profusion d'activités mondaines diverses et enrichissantes seront au programme, et l'amateur de fêtes aura son content! Comme on peut s'y attendre, l'an 2000 sera propice aux rencontres, aux nouvelles amitiés, et davantage encore aux amours; à tel point que fiançailles et mariages sont à prévoir pour bon nombre de Chevaux cette année. La période estivale sera des plus heureuses à cet égard.

En somme, l'année s'annonce positive sous bien des rapports, mais certaines questions mériteront l'attention du Cheval. Comme à chaque année, il aura inévitablement son lot de problèmes, et son intérêt sera de les régler rondement, en faisant preuve de bon sens. Ils risquent autrement de traîner en longueur et de saper une énergie qui pourrait être employée à meilleur escient. Les différends avec autrui devraient recevoir un traitement identique : la recherche d'une solution expéditive et à l'amiable sera de loin préférable à une attitude intransigeante. Les aspects favorables de l'année sont tels qu'il serait malheureux de les compromettre pour des broutilles. Toujours au chapitre des relations interpersonnelles, vu l'intensité qui caractérisera sa vie sociale, le Cheval pourrait être exposé à certaines tentations, aussi devra-t-il veiller à ce que sa conduite ne lui cause pas de regrets ultérieurement. Que les natifs de ce signe se le tiennent pour dit !

Encore un autre aspect exigera l'attention du Cheval : il s'agit de sa propre santé. Car la grande animation de la période à venir pourrait le surmener, et il sera donc essentiel qu'il se ménage des moments de repos et de détente, qu'il fasse de l'exercice et qu'il surveille son alimentation. À défaut de cela, des petits ennuis pourraient le guetter. Pour réellement profiter du programme de l'année, il lui faudra rester en pleine forme.

Dans l'ensemble, l'année du Dragon promet quantité d'accomplissements. Dans le domaine du travail, de nouvelles avenues s'ouvriront, permettant au Cheval de relever de beaux défis et de montrer de quelle étoffe il est fait, tandis qu'au plan personnel l'année sera dynamique et heureuse. Débordant d'enthousiasme et n'ayant pas son pareil dans l'art des relations humaines, le Cheval sait de quoi il est capable ; et l'année du Dragon lui offrira non seulement l'occasion de briller, mais aussi de s'amuser !

Voyons maintenant ce que l'an 2000 réserve aux différents types de Chevaux. Pour leur part, les **Chevaux de Métal** vivront une année captivante. Fortement inspirés par le début du nouveau millénaire, beaucoup estimeront qu'il est temps de saisir l'occasion qui passe et de prendre un nouveau départ. Ils choisiront peut-être de mettre à exécution les projets auxquels ils songent depuis un certain temps, de s'initier à un passe-temps, d'ajouter à leurs compétences ou bien de rehausser leur vie en y intégrant de nouveaux éléments. Contrairement à leur habitude, les Chevaux de Métal ne s'arrêteront pas cette fois-ci à la simple réflexion : ils agiront de façon concertée dans le but de réaliser leurs plus grandes aspirations. À cet égard, le soutien qu'ils recevront de leur entourage fortifiera leur volonté, les incitant davantage encore à poursuivre dans cette voie. Plusieurs natifs du signe se décideront à entreprendre des travaux chez eux ; certains choisiront même de déménager, ce qui les occupera pendant une bonne partie de l'année. Une fois installés dans leur nouvelle résidence, ils prendront plaisir à découvrir les charmes et les attraits du quartier, ainsi qu'à faire la rencontre du voisinage. Qu'ils déménagent ou non, la majorité des Chevaux de Métal réorganiseront de fond en comble leur environnement, cherchant à le rendre plus ordonné et plus fonctionnel ; et à n'en pas douter, ils éprouveront une réelle satisfaction à la vue des résultats. Parallèlement à l'activité qui régnera sur le plan domestique, la vie familiale et sociale du Cheval de Métal s'annonce riche d'occasions réjouissantes. Comme toujours, il se trouvera fort sollicité par ses proches, à qui il portera un intérêt bienveillant. Un événement touchant sa famille l'emplira également de fierté : il pourrait s'agir de la naissance de petits-enfants, d'arrière-petits-enfants, ou du mariage d'un être cher. De même, sa vie sociale lui réserve de joyeux moments en compagnie de ses amis. À ce titre, les natifs du signe ayant dû faire face à de récents malheurs ou qui aimeraient se sentir davantage entourés bénéficieront des tendances favorables de l'année du Dragon ; celles-ci les stimuleront à élargir leur cercle d'amis et à remettre un peu de soleil dans leur vie. Par ailleurs, les voyages étant bien aspectés, le Cheval de Métal devrait envisager la possibilité de partir pour une destination longuement convoitée ou de rendre visite à des amis qu'il a rarement l'occasion de fréquenter. Une fois de plus, le fait de passer à l'action aura des effets bienfaisants. L'an 2000 se révélera tout aussi importante pour les Chevaux de Métal nés en 1990, notamment en ce qui a trait à leur éducation. Les examens, la nouvelle matière à assimiler et, dans certains cas, un imminent changement d'école en perspective, tous ces facteurs risquent de les mettre sous pression ; à vrai dire, les jeunes Chevaux de Métal pourraient se sentir découragés par tout ce qu'on attend d'eux. Toutefois, en donnant le meilleur d'eux-mêmes, ils parviendront à s'en tirer avec honneur. Chaque fois qu'ils feront face à des difficultés, qu'ils n'hésitent pas à les partager avec leur entourage, en se rappelant qu'en cas de besoin, d'autres les épauleront volontiers. Côté finances maintenant, l'année commandera un redoublement de prudence étant donné les frais qui pourraient s'ajouter aux sorties d'argent habituelles : voyages, rénovations, déménagement éventuel, etc. Afin de s'éviter les tracas inutiles, le Cheval de Métal aura intérêt à dépenser avec mesure. En agissant de manière irréfléchie, il pourrait se rendre compte, trop tard, qu'il a dépassé son budget, ce qui l'obligerait à se serrer la ceinture par la suite. L'avertissement mérite d'être pris en note ! À bien des égards, cependant, l'an 2000 se présente sous le signe du succès. En s'attelant à concrétiser ses idées, et au moyen d'une gestion intelligente de son temps, le Cheval de Métal récoltera de beaux résultats. Cet amateur d'action trouvera en l'année du Dragon l'élan nécessaire pour accomplir une foule de choses ! Et il peut s'attendre à ce que ses initiatives soient richement récompensées.

L'an 2000 ne sera pas toujours facile pour le **Cheval d'Eau**, car même si plusieurs aspects de sa vie se révèlent positifs, les tracas auront aussi leur place. Ainsi, certains de ses projets risquent d'achopper, l'amenant à repenser les objectifs qu'il s'était fixés. Cependant, malgré les quelques déceptions en vue, le natif du signe, tenace et ingénieux qu'il est, saura dans la plupart des cas tirer profit des situations délicates. Au travail, il devra garder l'œil ouvert et, plus précisément, rester à l'affût de tout changement imminent. Il se pourrait en effet que certains développements le touchent personnellement : c'est donc en demeurant bien informé qu'il sera en mesure de poser les gestes adéquats et de repérer les occasions prometteuses. En somme, bien que l'année ne s'annonce pas exempte de pressions et de remous au plan professionnel, la tournure des événements pourrait avantager le Cheval d'Eau à moyen terme. En plus de tirer le meilleur parti possible des circonstances, certains natifs engageront un effort délibéré pour réorienter leur carrière, estimant que de nouveaux défis seraient les bienvenus; d'autres trouveront que le moment est idéal pour prendre leur retraite, en vue de se consacrer à de nouveaux champs d'intérêt. Cependant, avant d'agir, le Cheval d'Eau fera bien de songer aux conséquences des mesures qu'il entend prendre ainsi que de discuter de ses projets avec d'autres. En se montrant ouvert aux échanges, il bénéficiera de judicieux conseils et se fera une meilleure idée de la voie qu'il désire suivre. Reconnaissons d'emblée que toute décision importante générera certaines tensions sur le coup, mais l'année du Dragon constituera pour le Cheval d'Eau le commencement d'une nouvelle étape, qui s'annonce à la fois excitante et prometteuse. De plus, parmi ses passe-temps ou centres d'intérêt, certains mériteraient peut-être d'être exploités davantage. Vu ses talents de communicateur, pourquoi ne pas envisager d'écrire ou de transmettre les connaissances qu'il a acquises tout au long de sa vie? Encore une fois, en faisant preuve d'initiative, le Cheval d'Eau pourrait voir se dessiner d'intéressantes possibilités. Sur le plan financier, l'an 2000 exigera une certaine prudence. Durant l'année, plusieurs Chevaux d'Eau recevront une somme d'argent imprévue, sous la forme d'un cadeau, d'un montant d'assurance ou encore d'une rémunération pour un travail effectué antérieurement. Afin de ne pas laisser ce surplus s'envoler trop rapidement, le Cheval d'Eau examinera attentivement ses options. Il pourrait, par exemple, en mettre une partie de côté tandis qu'il destinera l'autre à son domicile et à d'éventuels voyages. En planifiant ses finances au lieu d'improviser au jour le jour, sa situation ne s'en portera que mieux. Sur le plan personnel, le Cheval d'Eau connaîtra une année bien remplie. Il sera très pris par sa vie familiale et, en plus de se consacrer aux habituelles activités domestiques, il donnera généreusement de son temps à ceux qu'il aime. Néanmoins, si d'agréables moments en famille figurent au programme, quelques problèmes et tensions risquent également de faire surface. Afin de les dissiper, le Cheval d'Eau devra faire appel à ses remarquables talents de diplomate : il pourra ainsi clarifier les différends qui opposent les membres de sa famille et trouver une solution qui convienne à chacun. Son intervention concourra assurément à rétablir l'harmonie. Dans le même ordre d'idées, fatigue et stress étant souvent à l'origine des tensions, le fait de proposer à son entourage des activités susceptibles de plaire à tous, telles une sortie ou un petit plaisir, se révélera également bienfaisant. En dépit de son caractère mouvementé et de ses moments de contrariété occasionnels, la vie familiale du Cheval d'Eau saura faire son bonheur et il éprouvera une grande fierté en voyant s'épanouir les siens. Sa vie sociale lui réserve également de belles surprises : tout au long de l'année, il prendra part à une foule d'activités mondaines, ce qui lui donnera la chance d'élargir son cercle d'amis et de connaissances. Dans l'ensemble, donc, l'année du Dragon sera parsemée de moments difficiles, mais également riche d'occasions heureuses pour le Cheval d'Eau. De plus, la tournure des événements ainsi que les décisions auxquelles il en arrivera serviront ses intérêts à plus long terme.

Une année stimulante attend le **Cheval de Bois** et, même si tout ne se déroule pas sans accroc ou exactement comme il l'espérait, les résultats obtenus justifieront amplement ses efforts. Sur le plan professionnel, il devra prendre d'importantes décisions qui auront un impact considérable sur les années à venir. Certains natifs décideront qu'il est grand temps pour eux de se tourner vers de nouveaux défis, grâce auxquels ils exploiteront plus à fond leur potentiel. Aussi passeront-ils au peigne fin toutes les avenues intéressantes en quête de l'occasion rêvée, quitte à tout mettre en œuvre pour la créer eux-mêmes. Il est possible que leurs progrès s'avèrent plus lents qu'escomptés, et les ouvertures moins nombreuses que prévu, mais leur détermination et leur esprit d'initiative porteront fruits. En effet, le chemin parcouru leur permettra d'établir de solides bases pour l'avenir. Comme plusieurs le découvriront, l'année du Dragon occasionne souvent des développements dont les effets positifs se font sentir plutôt à long terme qu'à court terme. Pour leur part, les natifs qui décident de conserver leur poste actuel auront avantage à suivre tout cours de perfectionnement qui s'offre à eux, à accepter de nouvelles tâches, ou à approfondir leurs connaissances relativement aux différents aspects de leur travail. Ils se doteront ainsi de solides atouts pour l'avenir. Les Chevaux de Bois à la recherche de travail devraient également rester à l'affût des possibilités de formation dont ils pourraient bénéficier ainsi que donner suite aux ouvertures qui leur semblent prometteuses. Encore une fois, en réfléchissant à la manière dont ils pourraient mettre à profit ou adapter leur savoir-faire, ils verront se profiler d'intéressantes possibilités, leur ouvrant la voie à de belles réalisations. En ce qui concerne ses finances, le Cheval de Bois devra cependant rester vigilant. Les risques indus étant à proscrire en l'an 2000, les modalités de tout engagement qu'il songe à contracter mériteront une attention particulière, d'autant plus si des obligations à long terme en découlent. De la même façon, formulaires à remplir et correspondance officielle exigeront cette année le plus grand soin; en règle générale, mieux vaudra là encore qu'il éclaircisse toute situation nébuleuse en prenant conseil, plutôt que foncer tête baissée. De plus, afin de prévenir tout problème, le Cheval de Bois devrait se fixer comme objectif de mettre de l'ordre dans ses papiers et registres financiers. Non seulement cette mesure lui épargnera-t-elle du temps au bout du compte, mais lui-même retirera une telle satisfaction personnelle de cet effort d'organisation qu'il pourrait même décider de mener une campagne de rangement de la cave au grenier! Sa vie familiale, quant à elle, s'annonce à la fois active et agréable cette année. Comme à l'habitude, il jouera un rôle important dans la maisonnée, suivant avec bonheur le cheminement de ceux qui l'entourent. Cependant, sollicité comme il le sera de part et d'autre, le natif devra voir à ne pas s'impliquer dans trop de projets à la fois. Dans cette optique, il trouvera salutaire de planifier ses tâches en leur attribuant un ordre de priorité. Malgré l'intense activité qui caractérisera la vie au foyer, le Cheval de Bois passera de beaux et riches moments avec ceux qu'il aime, appréciant tout particulièrement les loisirs et passe-temps communs. Sa vie sociale se portera tout aussi bien, lui promettant de belles heures en compagnie de ses amis ainsi qu'une foule d'événements mondains auxquels assister. Les voyages étant également très bien aspectés, les Chevaux de Bois devraient saisir toute occasion s'offrant à eux de voir du pays ou, à tout le moins, veiller à s'accorder une escapade cette année. Non seulement retireront-ils le plus grand bien de leurs vacances, mais les attraits de la destination choisie pourraient dépasser leurs espérances. Dans l'ensemble, même si l'année engendre certaines tensions et incertitudes, les accomplissements du Cheval de Bois contribueront grandement à améliorer ses perspectives d'avenir. Sans compter que sa vie personnelle, ses loisirs et ses voyages jouissent d'excellents auspices, lui assurant une année plaisante.

Le **Cheval de Feu** partira du bon pied cette année. Dynamisé par l'amorce du nouveau millénaire, il prendra la résolution de se dépasser et d'exploiter plus à fond son potentiel. Son esprit d'entreprise allié à sa détermination le mèneront effectivement à d'impressionnants résultats, dont certains auront d'heureuses retombées sur son avenir. Cependant, afin de tirer le meilleur parti de l'année, le Cheval de Feu devra à tout prix délimiter ce qu'il souhaite réellement accomplir. À défaut de tendre vers des buts précis, ses tentatives d'améliorer son sort manqueront sans doute d'efficacité. De plus, en dépit de son ardeur, il lui faudra rester réaliste quant à ses objectifs et se fixer des échéances raisonnables. Mener à bien certains de ses projets lui demandera de consentir des efforts prolongés : qu'il mette donc un frein à sa nature exubérante ! Bien que les progrès du Cheval de Feu ne répondent pas toujours à ses attentes, l'acharnement qu'il mettra à atteindre ses buts l'assurera néanmoins d'aller de l'avant, ce dont il retirera pleinement les bénéfices à plus long terme. Au travail, la meilleure approche consistera à explorer les diverses manières dont il peut mettre à profit ses habiletés ainsi qu'à guetter les ouvertures de poste susceptibles de l'orienter dans la direction voulue. Parfois, de telles occasions se présenteront de manière soudaine et inattendue. En sachant les saisir au passage, le Cheval de Feu continuera sur sa lancée, avec d'excellentes perspectives d'avenir. Les natifs à la recherche d'un emploi auront également avantage à donner suite à toutes les offres qui se présentent ; sitôt qu'on leur donnera la chance de mettre leurs talents en valeur, ils ne tarderont pas à faire bonne impression, préparant ainsi la voie de leurs progrès futurs. Le Cheval de Feu retirera cette année une profonde satisfaction des moments qu'il consacre à ses champs d'intérêt et passe-temps, qui mériteront sans aucun doute d'être développés davantage. En plus de lui permettre de s'épanouir sur le plan personnel, l'un d'eux pourrait également lui procurer une source de revenu supplémentaire. La remarque s'applique plus particulièrement aux natifs pratiquant des activités telles que l'écriture, la photographie, la peinture ou une forme d'artisanat, ou encore à ceux qui possèdent quelque compétence technique. La vie familiale du Cheval de Feu, quant à elle, s'annonce bien remplie et heureuse. Le rôle de toute première importance qu'il jouera auprès des siens, les encouragements qu'il leur prodiguera, s'avéreront fort appréciés. Loisirs et projets communs aussi bien que vacances ou voyages en famille le verront pleinement s'impliquer. Le Cheval de Feu souhaitera également apporter des rénovations à son domicile ; entreprendre de tels travaux demandera cependant qu'il planifie son temps de façon réaliste et, si possible, qu'il concentre ses énergies sur un projet à la fois. Par ailleurs, sa vie sociale lui promet bien du plaisir, ponctuée qu'elle sera d'événements mondains aussi variés qu'intéressants, et d'agréables réunions entre amis. Curieux de tout et extraverti de nature, le Cheval de Feu, aime profiter au maximum de la vie : qu'il se réjouisse donc, car l'an 2000 laisse présager pour lui du bonheur en abondance sur le plan personnel. Toutefois, comme il n'y a aucun plaisir sans peine, deux domaines exigeront une attention particulière. Étant donné les défis dont sera porteuse l'année du Dragon, ainsi que son caractère mouvementé, le Cheval de Feu devra rester à l'écoute de son propre bien-être. Il veillera donc à garder la forme, en faisant de l'exercice et en s'alimentant correctement, de même qu'à s'accorder de salutaires moments de détente et de repos. Sinon, fatigue et petits ennuis de santé pourraient le guetter, l'empêchant inopinément de donner sa pleine mesure. Le second domaine méritant surveillance en l'an 2000 est celui des finances. La sagesse ordonnera que le Cheval de Feu évite de courir des risques inutiles ou de dépenser sans compter. S'il a matière à s'interroger quant à certaines transactions, il sera bien avisé de chercher réponses à ses questions. Dans l'ensemble toutefois, l'année se traduira par un bilan positif. En réfléchissant mûrement à ses buts et en faisant bon usage de ses compétences, le Cheval de Feu se façonnera un avenir meilleur. Dans la sphère personnelle, l'année promet d'être active, enrichissante et joyeuse, notamment au plan des loisirs et des rapports aux autres.

L'an 2000 revêtira une importance capitale dans la vie du **Cheval de Terre**. Toutefois, s'il peut s'attendre à obtenir des résultats intéressants dans plusieurs domaines, il lui faudra souvent pour les atteindre déployer de grands efforts. Pour sa part, la sphère personnelle compte parmi les plus favorablement aspectées : tout au long de l'année, les rapports que le Cheval de Terre entretiendra avec autrui le mettront au comble du bonheur. En effet, pour plusieurs natifs, il y aura matière à célébration : nouvelles amitiés, fiançailles, mariage, naissance dans la famille, bref, nombre d'événements heureux jouissent d'excellents auspices. En ce sens, le printemps et l'été constitueront des périodes singulièrement fastes. Pour le natif du signe qui aborderait l'année le cœur en peine ou qui souhaiterait faire de nouvelles connaissances, l'année du Dragon marquera un point tournant, à telle enseigne qu'il estimera sans doute essentiel de tirer un trait sur les malchances du passé et de voir l'an 2000 comme le début d'un nouveau chapitre dans sa vie. Le Cheval de Terre bénéficiera également cette année du soutien de son entourage, aussi ne devra-t-il pas hésiter à y faire appel advenant des moments de doute ou des difficultés. L'aide apportée par une personne plus âgée lui sera fort précieuse et il mettra toutes les chances de son côté en écoutant les conseils offerts. Qu'il n'oublie surtout pas que ses proches ont ses intérêts à cœur et qu'ils comptent dans bien des cas des années d'expérience derrière eux. En ce qui concerne les voyages et les activités extérieures, de superbes aspects prévalent. Les natifs aimant partir à la découverte de lieux nouveaux ou appréciant les loisirs de plein air verront surgir plusieurs occasions de se consacrer à leurs intérêts, tout particulièrement durant l'été, saison qui promet d'être active et remplie de bons moments. Cependant, vu la foule d'activités au programme, l'année risque de se révéler onéreuse. Le Cheval de Terre devra donc surveiller ses dépenses et s'assurer de toujours disposer des fonds nécessaires pour respecter ses divers engagements. Dans le but d'améliorer leur situation, certains pourraient être tentés par quelque formule promettant de faire fortune en un rien de temps ou par des opérations spéculatives : si tel est le cas, qu'ils usent de prudence ; les risques inconsidérés seront malvenus cette année et, à défaut de prendre garde, l'argent investi risque de disparaître au lieu de fructifier. D'ailleurs, plutôt que de s'aventurer dans une entreprise hasardeuse dans l'espoir de grossir ses revenus, le Cheval de Terre devrait songer aux diverses manières dont il pourrait tirer profit de ses habiletés et de ses connaissances. Avec un peu d'imagination, des idées prometteuses pourraient voir le jour, dont certaines mériteront d'être poussées plus loin. Au plan du travail, l'année laisse présager un parcours inégal, semé de défis. Plusieurs natifs du signe se verront confier un surcroît de responsabilités, tout en devant s'adapter à des changements n'ayant rien pour leur plaire. Face à ces exigences nouvelles, ils pourraient parfois céder au découragement, éprouvant quelques inquiétudes en ce qui concerne leur avenir immédiat. Dans une telle éventualité, que le Cheval de Terre ne baisse pas les bras, mais qu'il reprenne courage au contraire! En donnant le meilleur de lui-même, en s'attelant à relever les défis qui surviennent, il saura impressionner ses collègues et supérieurs, en plus d'acquérir une expérience dont il mesurera la véritable valeur ultérieurement. De surcroît, certaines de ses aspirations exigeraient pour se concrétiser qu'il développe ses compétences, ce que favorisera justement l'année du Dragon. Le Cheval de Terre est encore jeune et a amplement le temps de réaliser ses rêves les plus fous; pour le moment, il doit s'appliquer à parfaire ses connaissances, à gagner de l'expérience et à jeter les fondements à partir desquels il pourra plus tard construire. Dès la fin de l'an 2000, ses efforts commenceront à porter fruit, et il progressera alors plus facilement. Aux Chevaux de Terre qui décident de changer d'orientation professionnelle ou qui se cherchent du travail, il est conseillé de se montrer persévérants. En effet, même si certaines de leurs démarches n'aboutissent pas aussi rapidement qu'ils l'espéraient, ils en retireront d'utiles conseils et suggestions, qui leur permettront notamment de perfectionner leurs techniques d'entrevue et la présentation de leur dossier. Lorsqu'ils accéderont à un nouveau poste, ils montreront sans tarder de quoi ils sont capables et seront encouragés à développer leurs talents. En somme, en ce qui concerne le travail, les avancées du Cheval de Terre ne correspondront pas toujours à ses attentes, mais ses réalisations contribueront à préparer ses succès futurs. Et il y a fort à parier qu'un bel avenir l'attend, à en juger par ses nombreuses aptitudes! Dans l'ensemble, donc, si tout n'est pas rose dans les secteurs professionnel et financier, la vie personnelle du Cheval de Terre s'annonce magnifique, et il peut s'attendre à vivre des moments de bonheur qu'il n'oubliera pas de sitôt.

Chevaux célèbres

Neil Armstrong, Rowan Atkinson, Samuel Beckett, Ingmar Bergman, Leonard Bernstein, Georges Braque, Ray Charles, Frédéric Chopin, Sean Connery, Kevin Costner, Cindy Crawford, James Dean, Edgar Degas, Clint Eastwood, Harrison Ford, César Franck, Aretha Franklin, Jean-Luc Godard, Gene Hackman, Rita Hayworth, Jimi Hendrix, Janet Jackson, Calvin Klein, Helmut Kohl, Lénine, Annie Lennox, Sir Paul McCartney, Nelson Mandela, la Princesse Margaret, Sir Isaac Newton, Louis Pasteur, Ross Perot, Harold Pinter, Puccini, Rembrandt, Jean Renoir, Theodore Roosevelt, Alexandre Soljenitsyne, Barbra Streisand, Kiefer Sutherland, John Travolta, Mike Tyson, Vivaldi, Denzil Washington, le Duc de Windsor, Boris Yeltsin.

La Chèvre

13 février 1907 au 1er février 1908	Chèvre de Feu
1er février 1919 au 19 février 1920	Chèvre de Terre
17 février 1931 au 5 février 1932	Chèvre de Métal
5 février 1943 au 24 janvier 1944	Chèvre d'Eau
24 janvier 1955 au 11 février 1956	Chèvre de Bois
9 février 1967 au 29 janvier 1968	Chèvre de Feu
28 janvier 1979 au 15 février 1980	Chèvre de Terre
15 février 1991 au 3 février 1992	Chèvre de Métal

LA PERSONNALITÉ DE LA CHÈVRE

Le meilleur moyen de ne pas échouer,
c'est d'être déterminé à réussir.

RICHARD BRINSLEY SHERIDAN, une Chèvre.

Née sous le signe de l'art, la Chèvre est dotée d'une imagination fertile et d'une grande créativité. Tout en sachant apprécier les plaisirs raffinés de la vie, c'est une personne accommodante, qui préfère évoluer dans un milieu détendu et libre de contraintes. En effet, routine et horaires rigides conviennent fort peu à son tempérament, non plus qu'un climat de discorde. Inutile de la presser d'agir contre son gré, la Chèvre ira à son rythme. Malgré son attitude plutôt décontractée face à la vie, son côté perfectionniste la pousse invariablement à donner sa pleine mesure lorsqu'elle entreprend un projet.

Moins portée à travailler seule qu'en équipe, la Chèvre attache un grand prix au soutien et à l'encouragement de son entourage. Laissée à elle-même, en effet, elle a tendance à s'inquiéter et à jeter un regard pessimiste sur les choses. Dans la mesure du possible, elle délègue la prise de décisions à d'autres, se contentant de mener ses petites affaires de son côté. Mais si elle croit profondément en une cause ou doit défendre sa position, elle agira courageusement et avec à-propos.

Usant souvent de son charme pour arriver à ses fins, la Chèvre sait se montrer persuasive. Elle peut toutefois hésiter à partager ses véritables sentiments. Pourtant, une attitude plus directe l'avantagerait.

Malgré sa nature calme et réservée, la Chèvre devient souvent le boute-en-train de l'assemblée pour peu qu'elle soit entourée de gens qu'elle aime. C'est une hôtesse hors pair dont les talents d'animatrice ne se démentent jamais. On peut compter sur elle pour offrir une prestation étincelante lorsqu'elle se trouve sous les feux de la rampe, d'autant plus si elle a l'occasion de mettre à profit ses talents créateurs.

Car de tous les signes du zodiaque chinois, la Chèvre est assurément le signe le plus doué sur le plan artistique. Que ce soit dans le domaine du théâtre, de la littérature, de la musique ou des arts visuels, elle laissera sa marque. Créatrice-née, elle est au comble du bonheur lorsqu'elle se consacre à un projet faisant appel à ses talents. Mais là encore, la Chèvre travaille mieux en équipe que seule. Elle a besoin d'une source d'inspiration et d'une influence qui la guidera. Une fois trouvée sa vocation néanmoins, il n'est pas rare qu'elle atteigne la renommée.

En plus d'être attirée par les arts, la Chèvre a généralement un fort penchant religieux ainsi qu'un intérêt marqué pour la nature, les animaux et la campagne. Elle affectionne également les sports. D'ailleurs, les natifs de ce signe se révèlent souvent des adeptes accomplis en ce domaine, ou à tout le moins de passionnés spectateurs !

N'étant pas particulièrement matérialiste, la Chèvre ne s'inquiète pas outre mesure de ses finances. En fait, la chance lui sourit sur ce plan, aussi aura-t-elle rarement peine à boucler son budget. Disons même que son insouciance l'incitera à dépenser bien vite l'argent gagné, plutôt que le mettre de côté pour l'avenir.

En règle générale, la Chèvre quitte la maison assez tôt, mais elle maintiendra toujours des liens solides avec ses parents et les autres membres de sa famille. Sa propension à la nostalgie est d'ailleurs bien connue, comme en témoigne son habitude de garder des souvenirs de sa jeunesse et des endroits qu'elle a visités. Sans que sa maison soit particulièrement bien rangée, elle sait où les choses se trouvent, et les lieux sont d'une propreté impeccable.

Pour la Chèvre, les affaires de cœur revêtent une grande importance, aussi vivra-t-elle souvent moult aventures amoureuses avant de se ranger. Bien qu'elle s'adapte assez facilement, un environnement stable lui sied davantage. Elle s'entend à merveille avec le Tigre, le Cheval, le Singe, le Cochon et le Lièvre. De bons rapports sont également possibles avec le Dragon, le Serpent, le Coq et une autre Chèvre, mais elle jugera sans doute le Bœuf et le Chien trop sérieux à son goût. Les habitudes économes du Rat, quant à elles, ne lui diront rien qui vaille.

La femme Chèvre fait montre d'un dévouement exemplaire envers sa famille. Elle a un goût exquis en matière d'ameublement, et c'est avec des doigts de fée qu'elle confectionne ses vêtements et ceux de ses enfants. Prenant un soin jaloux de son apparence, elle sait plaire au sexe opposé. Bien qu'elle ne brille pas par son sens de l'organisation, sa personnalité attachante et son délicieux sens de l'humour font bonne impression partout. L'art culinaire, le jardinage et les activités de plein air comptent parmi ses loisirs de prédilection.

Gentille et compréhensive, la Chèvre se gagne facilement l'amitié de ses pairs, qui se sentent généralement très bien en sa compagnie et ont vite fait de lui pardonner ses entêtements occasionnels. Moyennant le soutien et les encouragements nécessaires, la Chèvre mènera une vie heureuse et très satisfaisante. Plus elle laissera libre cours à sa créativité, mieux elle se portera.

Les cinq types de Chèvres

Le Métal, l'Eau, le Bois, le Feu et la Terre sont les cinq éléments qui viennent renforcer ou tempérer les douze signes du zodiaque chinois. Leurs effets, accompagnés des années au cours desquelles ils prédominent, sont décrits ci-après. Ainsi, les Chèvres nées en 1931 et en 1991 sont des Chèvres de Métal, celles nées en 1943 sont des Chèvres d'Eau, et ainsi de suite.

La Chèvre de Métal (1931, 1991)

Consciencieuse dans tout ce qu'elle entreprend, la Chèvre de Métal est apte à très bien réussir dans la profession qu'elle choisit. Toutefois, sa confiance cède facilement le pas à l'inquiétude, aussi gagnerait-elle à partager ses préoccupations avec d'autres au lieu de tout garder pour elle. D'une loyauté indéfectible envers sa famille et ses employeurs, la Chèvre de Métal compte un petit cercle d'amis fidèles. Il n'est pas rare qu'elle excelle dans une discipline artistique, car ses talents sont remarquables. Elle aime collectionner les objets anciens, et son foyer sera d'ordinaire meublé avec goût.

La Chèvre d'Eau (1943)

S'attirant tout naturellement l'amitié d'autrui, la Chèvre d'Eau jouit d'une cote de popularité enviable. Si elle repère sans difficultés les bonnes occasions, son manque de confiance en elle entrave quelquefois l'atteinte de ses objectifs. Le changement n'a rien pour plaire à la

Chèvre d'Eau, qui préfère de loin la stabilité tant à la maison qu'au travail. Elle s'exprime aisément, a un bon sens de l'humour et se débrouille très bien avec les enfants.

La Chèvre de Bois (1895, 1955)

Cette Chèvre au grand cœur est toujours prête à faire plaisir. Elle participe à une foule d'activités et compte de nombreux amis. D'un naturel confiant, la Chèvre de Bois a toutefois tendance à acquiescer aux demandes d'autrui un peu trop facilement et il serait à son avantage de se montrer plus ferme. Les questions financières lui sont en général favorables et, comme la Chèvre d'Eau, les enfants l'adorent.

La Chèvre de Feu (1907, 1967)

Sachant ce qu'elle veut dans la vie, cette Chèvre se sert souvent de ses charmes et de ses talents persuasifs pour arriver à ses fins. Elle a tendance à ne pas se préoccuper des questions qui l'importunent et peut parfois se perdre dans ses pensées et son imaginaire. Comme elle gère de façon plutôt fantaisiste et cède facilement à l'extravagance, elle aurait tout avantage à traiter ses finances avec un plus grand soin. Sa personnalité joyeuse et vivante assure à la Chèvre de Feu, qui adore fréquenter les fêtes et les réceptions, un grand nombre d'amis.

La Chèvre de Terre (1919, 1979)

Bienveillante et attentionnée de nature, la Chèvre de Terre fait preuve d'une fidélité exemplaire envers famille et amis; partout où elle va, elle crée une atmosphère agréable. Bien que fiable et méticuleuse dans son travail, la Chèvre de Terre a peine à épargner, n'aimant pas se priver du moindre petit luxe qui la tente. Ses intérêts sont variés et elle possède une excellente culture générale. Elle éprouve toujours un vif plaisir à suivre de près les activités de ses proches.

Perspectives de la Chèvre pour l'an 2000

Le nouvel an chinois commence le 5 février 2000. Avant cette date, l'année du Lièvre exerce toujours son influence.

L'année du Lièvre (du 16 février 1999 au 4 février 2000) aura été productive pour la Chèvre, et le dernier trimestre s'annonce aussi intéressant qu'agréable.

Au cours des derniers mois de l'année, la Chèvre se verra très sollicitée tant dans sa vie familiale que sociale. Entre autres, les festivités de Noël et du jour de l'an l'accapareront considérablement, l'amenant à participer à tout ce que cette période compte de célébrations, de mondanités et de réunions de famille. On sait que les natifs de ce signe apprécient à leur juste valeur les raffinements de la vie et, à vrai dire, ils peuvent compter être en pleine forme en cette fin d'année qui s'annonce riche de plaisir.

En ce qui concerne la Chèvre célibataire, de superbes aspects prévalent, laissant augurer d'excellentes perspectives amoureuses. Les natifs qui cherchent à se faire de nouveaux amis auront également de magnifiques occasions de rencontres, notamment lors du dernier trimestre. D'ailleurs, une amitié formée au cours de l'année du Lièvre est susceptible de jouer un rôle central dans la vie future de la Chèvre.

Toutefois, ce programme d'activités chargé occasionnera des frais considérables. Par conséquent, la Chèvre devra autant que possible se faire un budget au préalable et étaler ses achats saisonniers sur plusieurs semaines. La prudence commandera également qu'elle limite ses dépenses, celles-ci risquant de monter en flèche et de représenter, en début d'année, des comptes élevés à payer.

Au cours de l'année du Lièvre, des changements positifs surviendront au travail. Plusieurs natifs du signe auront l'occasion d'assumer des responsabilités nouvelles et de mettre à profit certaines de leurs idées. Toutefois, afin de bénéficier pleinement des aspects favorables, la Chèvre devra passer à l'action. Son indécision lui nuisant quelquefois, il serait dans son intérêt d'y remédier. Audacieuse et résolue, elle peut faire des progrès significatifs pendant cette période, le mois de novembre constituant un mois particulièrement propice.

L'année du Lièvre compte parmi les meilleures qui soient pour la Chèvre, et les derniers mois se présentent sous d'excellents auspices, promettant récompense à ses efforts et plaisir en abondance.

L'année du Dragon, qui commence le 5 février, s'annonce inégale pour la Chèvre. Bien que certaines périodes de l'année se révéleront plaisantes et constructives, d'autres ne seront pas exemptes de tracas.

Cette année, la circonspection s'imposera au plan professionnel. En effet, malgré les belles réussites qu'elle compte à son actif, la Chèvre devra rester à l'affût des changements susceptibles de survenir dans son milieu de travail. Quoiqu'elle préférerait sans doute vaquer tranquillement à ses occupations, il lui faudra s'intéresser de près à ce qui se passe autour d'elle. La tournure des événements risque de lui faire perdre du terrain si elle n'use pas de vigilance.

La Chèvre aura également l'impression que ses projets mettent du temps à se réaliser. En fait, il faudra souvent attendre à l'année suivante pour voir ses plans déboucher sur du concret. Pourtant, malgré quelques moments difficiles, l'année dans son ensemble offrira à la Chèvre une excellente occasion de faire le point sur sa situation actuelle et de se tourner vers l'avenir, afin de déterminer la direction qu'elle souhaite donner à sa carrière. Si elle estime qu'il lui serait avantageux d'acquérir de nouvelles compétences ou une formation supplémentaire, le moment s'y prêtera à merveille. Comme elle le constatera, le fait d'approfondir ses connaissances et de développer ses idées aura des retombées positives à moyen terme.

Ce conseil vaut également pour les Chèvres qui sont à la recherche d'un emploi. Stages, cours, possibilités d'ajouter à leur expérience, bref, toutes les voies qu'elles peuvent emprunter pour améliorer leur profil se révéleront profitables. De plus, il leur faudra sans faute donner suite aux ouvertures qui se présentent. Qu'elles persévèrent au lieu de se laisser décourager! Les efforts déployés entraîneront éventuellement des résultats tangibles. Et parfois, ces résultats surviendront peu de temps après un échec ou une déception. En effet, l'année du Dragon recèle bien des surprises pour la Chèvre, notamment en ce qui concerne la nature des postes auxquels elle pourrait accéder. Une fois un emploi obtenu, elle sera en mesure de réunir les conditions nécessaires à ses progrès futurs, dont certains se concrétiseront dès l'année suivante. En ce qui touche le travail, les mois d'avril, mai, septembre et novembre laissent entrevoir d'intéressants développements.

Les questions d'argent constituent un autre problème délicat. Étant donné les dépenses occasionnées par les activités de la fin de l'année précédente, il est fort possible que la Chèvre commence l'année du Dragon avec des ressources réduites et un nombre élevé de comptes à payer. Afin de pouvoir joindre les deux bouts, elle aura tout intérêt à prendre ses finances en main, en effectuant un suivi attentif de ses débours et mensualités. Comme elle le constatera, diverses mesures s'offrent à elle pour rééquilibrer son budget. Il sera souhaitable, également, qu'elle évite les risques inutiles et ne contracte aucun engagement sans s'assurer de bien comprendre les obligations qui en découlent. En somme, prudence sera mère de sûreté en l'année du Dragon, et la Chèvre verra la circonspection dont elle fait montre largement récompensée.

En ce qui concerne les passe-temps, en revanche, de superbes auspices prévalent. Si d'aventure la Chèvre souhaite faire ses premières armes ou parfaire ses connaissances dans un domaine d'intérêt, la conjoncture s'y révélera propice. Lui sera également profitable d'entrer en contact avec d'autres aficionados, en se joignant à une association ou en participant à un groupe de discussion sur le réseau Internet, par exemple. De plus, certains projets entamés cette année présentent d'excellentes chances de trouver un aboutissement fructueux en 2001.

On le sait, la Chèvre attache une grande valeur à la qualité des relations qu'elle entretient avec autrui. Or, bien que celles-ci constitueront une source de contentement au cours de l'année, tact et considération n'en resteront pas moins les mots d'ordre à suivre. En effet, il est inévitable que certains événements engendrent des tensions dont pourrait se ressentir l'atmosphère familiale : tout comme les autres membres de son entourage, la Chèvre risque par moments de se montrer irritable ou préoccupée. Afin de préserver l'harmonie, elle devra s'efforcer d'exprimer ses sentiments ouvertement et encourager ses proches à faire de même. Elle s'apercevra qu'une telle attitude permet de dissiper rapidement les inquiétudes et les malentendus. En outre, ce n'est qu'au prix de se confier que la Chèvre bénéficiera de l'aide et des conseils de ceux qui l'entourent.

Malgré les moments difficiles dont sera porteuse l'année du Dragon, bonheur et plaisir seront également au rendez-vous. La Chèvre se réjouira des succès remportés par les siens, et les projets domestiques entrepris lui apporteront une grande satisfaction, du moins si elle est prête à accepter le désordre temporaire qu'ils créent inévitablement! Les loisirs et passe-temps familiaux mériteront également d'être privilégiés, au même titre que les sorties et petits luxes sachant plaire à tous : en encourageant les activités communes, la Chèvre contribuera à chasser les tensions ayant pu s'accumuler.

Au chapitre de sa vie sociale, l'année s'annonce faste. La Chèvre verra s'épanouir des amitiés nouées au cours de l'année du Lièvre ou encore au début de l'année du Dragon, ce qui la comblera de joie. Étant donné les obstacles susceptibles de se dresser sur son chemin, elle devra sans hésiter recourir aux conseils et à l'aide de ses amis. Ces derniers lui prêteront assistance de bon cœur, s'estimant même honorés d'avoir été consultés. La Chèvre aura également intérêt à s'offrir des vacances pendant l'année, car le repos et le changement d'air lui seront aussi agréables que bénéfiques.

Quoique l'année du Dragon ne soit pas l'année la plus aisée pour la Chèvre, en la considérant comme une suite de défis à relever, elle se préparera au tournant significatif qui l'attend. Malgré ses difficultés, l'an 2000 comportera aussi des moments heureux et extrêmement gratifiants. En effet, la Chèvre s'épanouira sur le plan personnel et pourra compter sur le soutien de sa famille et de ses amis, si chers à son cœur.

Abordons maintenant les différents types de Chèvres et, en premier lieu, la **Chèvre de Métal**, qui connaîtra un sort honorable cette année. Admettons d'entrée de jeu que des achoppements sont à prévoir dans certaines sphères de sa vie, avec pour résultat que ses plans ne se dérouleront pas exactement comme elle l'espérait.

Toutefois, d'autres secteurs abonderont en satisfactions, faisant ainsi contrepoids. C'est plus souvent dans le cadre des projets de grande envergure, notamment ceux touchant à son logement, que les ennuis seront susceptibles de surgir. Les Chèvres de Métal qui choisissent de déménager cette année, par exemple, pourraient être en butte à des difficultés lorsqu'il s'agira de vendre leur maison ou d'en trouver une qui leur convienne; il est à craindre en effet que les démarches en ce sens s'avèrent plus longues et plus complexes que prévu. La Chèvre de Métal ira même jusqu'à se demander s'il n'aurait pas mieux valu s'épargner tout cet effort, mais, une fois au bout de ses peines, elle pourra soupirer d'aise en admirant ce qu'elle a accompli. Peut-être lui sera-t-il réconfortant, par ailleurs, de savoir qu'aux remous de l'année du Dragon succédera la tranquillité de l'année du Serpent! Bon nombre des Chèvres de Métal qui décident de ne pas changer de domicile se lanceront toutefois dans des travaux de rénovation. Là encore, tout ne se passera pas sans anicroche, mais le résultat final aura de quoi plaire. Étant donné le caractère ambitieux de certains des projets envisagés, il est conseillé à la Chèvre de Métal de se pencher sur l'état de ses finances, de soigneusement évaluer les coûts qu'engendreront les travaux et d'examiner les modalités de tout nouvel engagement. De plus, les pièces et formulaires administratifs se rapportant aux impôts et aux allocations, entre autres, mériteront son attention, sans quoi la Chèvre de Métal pourrait devoir se soumettre à d'interminables échanges de courrier. Mieux vaut prévenir que guérir! Malgré les moments plus malaisés qu'elle traversera, la Chèvre de Métal se trouvera réconfortée par la présence et le soutien des autres, et plutôt que se replier sur elle-même lorsqu'elle est soucieuse, elle fera bien de se confier. Sa famille ou les personnes ressources qu'elle pourra consulter sauront la rassurer et la décharger de ce qui lui pèse. C'est au chapitre de ses loisirs et intérêts personnels qu'elle sera le plus favorisée cette année; quels que soient les événements qui auront lieu en l'an 2000, elle ne devra pas laisser de côté ces activités qui sont pour elle une source de joie, mais au contraire leur accorder une place privilégiée, et ce, sur une base régulière. De même, si jamais certaines disciplines ont piqué sa curiosité ou si elle souhaite faire l'apprentissage de quelque technique, l'année sera propice aux initiatives en ce sens. En fait, la Chèvre de Métal pourrait voir la simple découverte de quelque chose de neuf se transformer en un captivant défi. La remarque s'applique tout aussi bien aux natifs de 1991, qui s'amuseront énormément de leurs nouveaux passe-temps. Les jeunes Chèvres de Métal feront par ailleurs d'excellents progrès au plan scolaire cette année, quoique certaines matières puissent leur paraître d'un accès difficile de prime abord. Cependant, en s'appliquant de leur mieux et en sachant demander de l'aide lorsqu'il le faut, elles apprendront beaucoup et verront leurs réussites applaudies par l'entourage. Fidèle à sa nature, la Chèvre de Métal attache un grand prix à ses relations personnelles; celles-ci seront florissantes en l'an 2000. En plus du soutien inébranlable qu'elle recevra, elle peut compter passer de superbes moments avec famille et amis, et participer à divers événements mondains fort intéressants. La fin de l'été ainsi que les derniers mois de l'année du Dragon seront particulièrement riches d'occasions sociales. Pour sa part, la Chèvre de Métal ayant subi un revirement de fortune ou souffrant de solitude devrait tout mettre en œuvre pour côtoyer ses semblables, au lieu de garder secrètes ses pensées, et parfois sa tristesse. Si elle peut se ressaisir et aller vers les autres, cela contribuera à ramener la joie

dans sa vie; étant donné sa nature attachante et ses intérêts variés, elle aura vite fait de rencontrer des âmes
sœurs dont elle appréciera la compagnie. Dans l'ensemble, la Chèvre de Métal verra sa situation changer
pour le mieux dans la seconde moitié de l'année, lorsque
seront surmontés les problèmes et contretemps. En dépit
des frustrations passagères, elle estimera que ses réussites
valaient bien les efforts consentis, et au cours de l'année
du Serpent elle sera à même d'apprécier davantage
encore ce qu'elle a pu récolter.

L'année s'annonce assez bonne pour la **Chèvre
d'Eau**, quoiqu'il lui faudra faire preuve de prudence
dans la conduite de ses affaires. Au cours des dernières
années, elle aura marqué des points dans le secteur du
travail, ce qui lui aura gagné l'admiration de plusieurs.
Cependant, les changements qui surviendront sur ce
plan durant l'année du Dragon pourraient la mettre à
rude épreuve. À titre d'exemples, elle pourrait devoir
faire face à l'établissement de nouvelles politiques, à des
responsabilités qui lui sont inhabituelles, ou à un changement de personnel. Étant donné son amour de la stabilité, ces développements ne lui diront sans doute rien
qui vaille. Toutefois, il sera dans son intérêt de les suivre
attentivement et de se montrer prête à s'adapter. À défaut
de cela, elle se rendra vulnérable et risquerait de mettre
en péril les avancées qu'elle a récemment obtenues. De
surcroît, ses appréhensions pourraient bien se révéler
injustifiées; qui sait de quels bénéfices sera porteur le
vent de renouveau? Quoi qu'il en soit, la tournure des
événements cette année aura l'avantage d'amener la
Chèvre d'Eau à songer à son avenir et à clarifier ce qu'elle
souhaite voir se produire au cours des prochaines années.
Ce faisant, se dessineront d'intéressantes perspectives et
de nouveaux objectifs qui, à leur tour, la stimuleront à

cibler ses énergies et à accomplir ses tâches avec une détermination renouvelée. Pour leur part, les Chèvres d'Eau qui sont en recherche d'emploi ou qui estiment le temps venu de changer de cap trouveront profitable d'examiner les options envisageables en fonction de leur bagage et de leur savoir-faire. En jetant un regard neuf sur la situation, elles s'apercevront que la gamme des postes qui leur sont accessibles est plus importante qu'elles ne le pensaient. Et une fois leur place acquise, les chances d'avancement seront tangibles. Il est vrai que dans le domaine du travail, l'année comportera son lot de difficultés; néanmoins, tout ce qui sera accompli ou mis en branle leur fera récolter de beaux résultats ultérieurement, notamment durant l'année du Serpent, qui sera des plus favorables. Côté finances, bien des Chèvres d'Eau auront la surprise de voir s'ajouter à leur revenu une somme supplémentaire. En dépit de ce fait heureux, une gestion rigoureuse restera de mise. Si la Chèvre d'Eau ne l'a pas déjà fait, elle serait bien avisée d'établir un budget détaillé qui lui permettrait d'employer judicieusement ses ressources; elle songera également à se ménager une marge de manœuvre pour les achats importants et les dépenses reliées aux projets dont elle contemple l'exécution. Son sort matériel pourrait se révéler positif cette année, mais il lui faudra éviter les risques inutiles et se montrer circonspecte à l'égard des propositions hasardeuses ou spéculatives qui lui seront soumises. Si jamais elle éprouve le moindre doute quant à leur potentiel de succès, qu'elle sollicite donc l'avis d'un expert. En ce qui a trait à sa vie personnelle, en revanche, la Chèvre d'Eau sera comblée; c'est avec une profonde satisfaction qu'elle suivra l'évolution de ses proches, et notamment celle d'un plus jeune. Les encouragements et conseils qu'elle sera en mesure d'offrir seront à coup sûr favorablement accueillis. À son tour, elle pourra compter sur l'appui indéfectible de son entourage, qui sera volontiers à l'écoute de ses préoccupations advenant des moments d'incertitude ou de difficulté. En effet, l'aide bienveillante que lui prodigueront les siens, l'intérêt qu'ils manifesteront à l'égard de ses activités, contribueront à sécuriser la Chèvre d'Eau et à lui redonner courage. Elle retirera également un vif plaisir des activités partagées avec sa famille et ses amis : tels des loisirs, projets, événements culturels et mondains, sorties. Ses intérêts personnels constitueront eux aussi une source de joie et mériteraient donc de se voir réserver une place permanente dans son emploi du temps. Il sera extrêmement bienfaisant pour la Chèvre d'Eau de mettre de côté ses soucis, même temporairement, et de se plonger tout entière dans ce qu'elle aime faire. À ce titre, les passe-temps qui stimulent sa créativité se révéleront des plus gratifiants. Dans l'ensemble, l'année du Dragon ne sera certes pas exempte d'ennuis, mais en avançant à pas prudents, la Chèvre d'Eau se ménagera des résultats satisfaisants et pourra dans les moments critiques faire appel aux ressources de son entourage, qui lui prêtera volontiers main-forte.

La **Chèvre de Bois** possède d'admirables qualités ; elle est toujours prête à faire plaisir, décèle aisément les sentiments et les besoins d'autrui. Mais elle est également d'un naturel sensible ; lorsqu'une situation tourne mal, lorsqu'elle fait face à des critiques ou à un défi de taille, elle risque de céder à l'inquiétude, au découragement, voire à la déprime. Pendant l'année du Dragon, il lui faudra accepter que certaines sphères de sa vie seront moins roses qu'espéré : des difficultés seront bel et bien présentes. Toutefois, en s'interdisant toute forme de désespoir ou d'abattement, et en passant vigoureusement à l'action en vue de relever les défis, la Chèvre de Bois sortira grandie de ses épreuves. Non seulement pourra-t-elle ainsi ajouter à ses connaissances, mais elle verra également se dessiner de nouvelles et prometteuses avenues là où auparavant tout lui semblait sombre. En vérité, l'année du Dragon l'incitera à puiser dans ses ressources, à prendre l'initiative pour se façonner l'avenir qu'elle souhaite. Bon nombre de Chèvres de Bois verront une série de changements affecter leur environnement de travail. Qu'elles s'attendent notamment à ce que leur soient confiées des responsabilités d'une autre nature. Les nouvelles tâches dont elles devront s'acquitter auront peut-être de quoi les alarmer de prime abord, mais en s'y attaquant avec leur ardeur coutumière, elles récolteront des résultats encourageants, sans compter que leur expérience ainsi que leur réputation s'en trouveront accrues. De surcroît, dans les périodes de bouleversement, il est conseillé à la Chèvre de Bois de ne pas se montrer inflexible, sous peine que lui échappent des occasions potentiellement fructueuses. En somme, il lui faudra dans le secteur professionnel suivre la tournure des événements avec attention et ouverture d'esprit. Aux Chèvres de Bois qui sont en quête de travail, l'année réserve d'importants développements et de bonnes perspectives de succès. S'il arrive que l'emploi décroché ne corresponde pas exactement à ce qu'elles envisageaient au départ, elles constateront toutefois qu'en donnant le meilleur d'elles-mêmes et en se montrant prêtes à combler leurs lacunes, collègues et supérieurs se formeront une excellente opinion à leur sujet, ce qui favorisera les progrès subséquents. Au demeurant, toutes gagneraient à ajouter des cordes à leur arc, par le biais d'une formation additionnelle par exemple, et ce, en prévision des superbes aspects qui prédomineront l'année suivante.

Sur le plan financier, la Chèvre de Bois peut s'attendre à ce que sa situation soit satisfaisante quoiqu'elle devra garder un œil vigilant sur son budget, d'autant plus que de coûteuses rénovations domiciliaires pourraient figurer au programme de l'année. Il serait donc prudent d'évaluer les frais qui découleront de ces travaux ainsi que de se laisser une marge pour d'autres engagements. La Chèvre de Bois pourrait également cette année avoir tendance à se laisser aller à des dépenses quelque peu extravagantes. Si elle succombe trop souvent à la tentation, elle risque de voir fondre ses économies comme neige au soleil. En bref, il sera dans son intérêt d'accorder aux questions d'argent toute l'attention qu'elles méritent.

Sur le plan domestique, la Chèvre de Bois aura fort à faire en l'an 2000. Fidèle à ses habitudes, elle ne ménagera pas ses efforts lorsqu'il s'agira de soutenir ses proches, et aidera notamment l'un d'eux à voir plus clair et à se tirer d'une situation difficile. Ses attentions et sa gentillesse lui vaudront la gratitude de tous. Néanmoins, elle devra apprendre à mettre un frein à sa disponibilité — autrement dit, ne pas essayer d'être partout à la fois — sinon fatigue et découragement l'attendront au tournant, bien qu'elle tente de n'en rien laisser paraître. Dans de tels moments, la Chèvre de Bois sera sage de veiller à sa santé, en se reposant lorsqu'elle en éprouve le besoin, en s'alimentant correctement et en s'accordant des périodes de loisirs. De même, en dépit de ses mille et une occupations, elle ne devra pas non plus négliger sa vie sociale, celle-ci s'annonçant riche de moments agréables, plus particulièrement dans la deuxième partie de l'année. La Chèvre de Bois retirera également de grands bienfaits de toute période de vacances qu'elle sera en mesure de s'offrir ; pourquoi ne pas envisager la visite d'une contrée qui l'attire depuis toujours ? Dans l'ensemble, malgré les remous et difficultés qui pourraient survenir cette année, la Chèvre de Bois qui choisit de relever les défis sera fière de ses accomplissements, et ceux-ci contribueront aux succès de l'avenir plus serein qui l'attend.

Malgré les défis qu'elle lui posera, l'année du Dragon revêtira une importance capitale pour la **Chèvre de Feu**. Il faut admettre d'emblée que l'an 2000 ne sera pas exempt d'accidents de parcours, certains de ses projets et activités ne trouvant pas l'aboutissement qu'elle espérait. Malgré les déceptions et frustrations occasionnelles que cela engendrera, la Chèvre de Feu retirera des avantages considérables de cette période. En cherchant à surmonter les difficultés qui surviendront, en clarifiant ses objectifs, elle apprendra à mieux se connaître et concevra des plans plus solides que jamais. En fait, l'année du Dragon l'invitera à faire le point sur sa situation et à déterminer la trajectoire qui lui sied le mieux. Ce temps de réflexion sera déterminant, au point de constituer pour plusieurs Chèvres de Feu un point tournant dans leur vie. L'un des secteurs qui connaîtra une évolution marquée est celui du travail. En effet, la Chèvre de Feu pourrait voir ses fonctions se transformer considérablement cette année et, passé les premières appréhensions, découvrir que de nouvelles possibilités sont en voie d'émerger. Si elle s'attache à faire preuve de souplesse, non seulement jouira-t-elle d'une expérience et d'une réputation accrues, mais elle se trouvera en excellente posture pour aller plus loin. Pour les Chèvres de Feu qui recherchent un emploi ou souhaitent en changer, la tournure des événements promet également d'être intéressante. Plusieurs auront la chance de s'essayer à un type de travail ne ressemblant en rien à ce qu'elles ont connu jusqu'à présent; malgré les doutes qu'elles éprouveront, elles seront stimulées par les défis qui se présentent, se découvrant du même coup des aptitudes insoupçonnées. En somme, l'année du Dragon laisse augurer pour bon nombre de Chèvres de Feu une évolution plus ou moins prononcée touchant à leur profession, mais qui leur ouvrira à coup sûr de palpitantes perspectives d'avenir. En ce qui a trait à l'aspect matériel de sa vie, la Chèvre de Feu s'estimera satisfaite, mais veillera à user de prudence malgré tout. À plusieurs reprises durant les premiers mois de l'année, elle pourrait devoir régler de grosses factures. Il lui sera donc salutaire d'examiner l'état de ses finances et de se doter des moyens pour en assurer un bon suivi. De plus, mieux vaudra éviter les risques inutiles tout comme les caprices qui coûtent cher. Qu'elle ne délie donc pas sans réfléchir les cordons de la bourse cette année! Dans son univers familial, en revanche, elle connaîtra d'heureux moments et une grande activité. Elle se réjouira plus particulièrement des progrès accomplis par un jeune membre de la famille et prêtera également son aide à un parent plus âgé. Tous lui seront reconnaissants de ses attentions. Il arrivera cependant que la Chèvre de Feu ne sache plus où donner de la tête tant les sollicitations seront nombreuses. Pourquoi alors ne pas déléguer certaines tâches et se fixer des priorités, au lieu de porter seule le poids des responsabilités? De plus, bien qu'elle puisse être impatiente de voir aboutir les projets domestiques entrepris — elle pourrait, par exemple, décider de réaménager une pièce ou d'en modifier le décor —, elle gagnerait à s'accorder des délais généreux et à faire les choses une à la fois. Il est vrai que la Chèvre de Feu aura peu de répit en l'an 2000, mais elle ne devra pas pour autant délaisser ses intérêts personnels ou négliger sa vie sociale, qui lui réservent de grandes joies; voilà sans doute la meilleure façon pour elle de se changer les idées et de se ressourcer.

215

Au plan de sa vie sociale, la Chèvre de Feu peut s'attendre à passer d'agréables moments en compagnie de ses amis, avec au programme une foule de soirées, d'activités et de rencontres. Si elle en a l'occasion, elle devrait également s'offrir un voyage ou une période de repos dans le courant de l'année, car elle en tirera profit à plusieurs titres. Dans l'ensemble, l'an 2000 sera sous le signe du dynamisme et du défi pour la Chèvre de Feu, qui pourra grandir en sagesse et se munir d'une précieuse expérience, tout en cernant de plus près ses objectifs d'avenir. Dès lors, ses projets reposeront sur de solides assises et auront toutes les chances de lui permettre de belles réussites l'année suivante.

En dépit des quelques difficultés qui surgiront, une année intéressante et fort agréable attend la **Chèvre de Terre**. La période sera singulièrement faste sur le plan personnel. Pour les Chèvres de Terre ayant déjà rencontré l'âme sœur ou s'étant récemment liées d'amitié, l'année laisse entrevoir une belle occasion de réjouissance. Celles qui vivent seules et qui désirent agrandir leur cercle d'amis auront toutes les chances d'être exaucées, le climat s'annonçant nettement propice aux rencontres. À ce titre, une amitié naissante — formée, par exemple, à la suite d'un déménagement ou dans des circonstances plutôt inhabituelles — pourrait s'épanouir d'une manière significative. Comme à son habitude, la Chèvre de Terre attachera une grande valeur aux liens familiaux. L'appui qui lui sera offert aura sur elle un effet tonifiant, et elle gagnera à écouter les conseils provenant de personnes plus âgées, qui l'estiment et ne lui souhaitent que du bien. En ce qui concerne sa vie professionnelle, d'intéressants développements sont à prévoir. Toutefois, si la Chèvre de Terre nourrit des idées arrêtées quant à ce qu'elle veut accomplir cette année, qu'elle prenne garde, car ses désirs ne deviendront pas toujours réalité! Pour se concrétiser, certaines de ses ambitions nécessiteront une expérience et un savoir-faire qu'elle ne possède pas encore, aussi sera-t-il préférable qu'elle s'occupe de les acquérir et que, d'ici là, elle ne fixe pas trop haut ses objectifs. Certes, opter pour une telle stratégie pourrait la contraindre à réexaminer ses plans, notamment dans un contexte de recherche d'emploi ou de transition professionnelle; mais en faisant preuve de souplesse et en saisissant les occasions qui surviennent, même si elles ne correspondent pas exactement à ce qu'elle envisageait, la Chèvre de Terre récoltera d'heureux résultats. De surcroît, une fois qu'elle aura pris pied dans une entreprise, elle pourrait ultérieurement obtenir une affectation qui répondra davantage à ses intérêts, ou encore, se servir du poste obtenu pour ajouter à son expérience. Il sera également à son avantage d'accroître sa formation, en suivant un stage ou en retournant aux études par exemple, si elle en a la possibilité. La Chèvre de Terre étant promise à un grand avenir, elle gagnera cette année à rassembler les atouts qui favoriseront son ascension future. En revanche, à la lumière de l'intense activité que lui réserve sa vie sociale et des engagements divers qu'elle contractera, sa situation financière méritera sa vigilance. Ainsi, il lui faudra garder un œil sur ses dépenses et veiller à ménager ses ressources. De même, bien qu'elle serait ravie de voir ses affaires prendre du mieux, il serait sage d'user de circonspection à l'égard des combinaisons financières douteuses ou risquées qui lui seront proposées; celles-ci, en effet, pourraient se révéler nettement moins lucratives que prévu, et peut-être moins honnêtes qu'il n'y paraissait. Tout au long de l'année du Dragon, la prudence sera donc une précieuse alliée pour la Chèvre de Terre. Celle-ci pourrait toutefois

avoir l'heureuse surprise de voir ses passe-temps ou intérêts se transformer en une source de revenus additionnelle. En fait, peut-être serait-il même opportun qu'elle
envisage de mettre à profit ses talents artistiques ou ses
aptitudes manuelles en travaillant à son compte. L'esprit
d'initiative dont elle fera preuve lui réussira sans aucun
doute, et ses projets pourraient prendre de l'ampleur
dans les années à venir. Étant donné le vent d'activité
qui soufflera, notamment dans sa vie sociale et familiale,
il est possible que la Chèvre de Terre ait tendance à
brûler la chandelle par les deux bouts et qu'elle ne se
préoccupe pas suffisamment de son état de santé. Pour
être au sommet de sa forme en l'an 2000, il lui est recommandé de prendre soin d'elle-même, moyennant une
alimentation saine et équilibrée, des activités physiques,
et du repos lorsqu'elle se ressent d'une suite de nuits
trop courtes ou d'une période de fébrilité. Cela ne pourra
lui faire que du bien! Dans l'ensemble, l'année apportera
de grandes satisfactions à la Chèvre de Terre, notamment
sur le plan personnel. Il lui faudra exercer sa prudence à
l'égard des questions financières et savoir profiter pleinement des occasions qui verront le jour dans sa vie professionnelle. Mais ses accomplissements, tout comme les
leçons qu'elle tirera de l'année, lui seront des plus profitables à plus longue échéance.

Chèvres célèbres

Isabelle Adjani, Isaac Asimov, Jane Austen,
Honoré de Balzac, Simone de Beauvoir, John le Carré,
Coco Chanel, Mary Higgins Clark, Catherine Deneuve,
Charles Dickens, Umberto Eco, Bill Gates, Mel Gibson,

Annie Girardot, Whoopi Goldberg, John Grisham, Johnny Halliday, George Harrison, Julio Iglesias, Mick Jagger, Franz Kafka, Ben Kingsley, Serge Lama, Doris Lessing, Franz Liszt, John Major, Michel-Ange, Joni Mitchell, Rupert Murdoch, Mussolini, Robert de Niro, Sinead O'Connor, Marcel Pagnol, Marcel Proust, William Shatner, Desmond Tutu, Mark Twain, Lech Walesa, Barbara Walters, John Wayne, Bruce Willis, Debra Winger, Paul Young.

Le Singe

2 février 1908 au 21 janvier 1909	Singe de Terre
20 février 1920 au 7 février 1921	Singe de Métal
6 février 1932 au 25 janvier 1933	Singe d'Eau
25 janvier 1944 au 12 février 1945	Singe de Bois
12 février 1956 au 30 janvier 1957	Singe de Feu
30 janvier 1968 au 16 février 1969	Singe de Terre
16 février 1980 au 4 février 1981	Singe de Métal
4 février 1992 au 22 janvier 1993	Singe d'Eau

LA PERSONNALITÉ DU SINGE

L'avenir appartient à qui croit
en la beauté de ses rêves.

Eleanor Roosevelt, un Singe

C'est sous le signe de la fantaisie qu'est né le Singe. Curieux et débordant d'imagination, il se plaît à garder l'œil ouvert sur tout ce qui se passe autour de lui. Nul besoin de le prier, d'ailleurs, pour qu'il donne des conseils ou qu'il règle des problèmes. À vrai dire, il aime à secourir autrui, et on peut se fier à ses recommandations toujours pleines de bon sens.

Le singe se fait remarquer par son intelligence, sa culture générale et son esprit de découverte. Il jouit également d'une excellente mémoire, ce qui pourrait expliquer que bon nombre des natifs de ce signe ont le don des langues. Tout à la fois sûr de lui et amical, le Singe est maître dans l'art de la persuasion : cet amateur de discussions n'éprouve aucune difficulté à rallier les autres à son point de vue. Comme on peut s'y attendre, il excelle dans les domaines de la politique, des relations publiques, de l'enseignement, et dans tout emploi exigeant des talents de vendeur ou d'orateur.

Cependant, il peut recourir à la ruse pour arriver à ses fins (qui ne sont pas toujours honnêtes !) et ne manque pas une occasion de s'en tirer à bon compte ou de se montrer plus malin que ses adversaires. Son charme et sa subtilité sont tels qu'on ne comprend où il voulait en venir... que trop tard. Malgré toute son ingéniosité, pourtant, le Singe court le risque d'être victime de sa propre

222

astuce. La confiance qu'il a dans ses capacités, en effet, ne le prédispose ni à tenir compte des conseils, ni à se laisser aider. S'il prête toujours volontiers son concours à d'autres, c'est néanmoins à son propre jugement qu'il s'en remet pour mener ses affaires.

Le Singe se distingue également par l'art consommé avec lequel il règle les problèmes et se tire des situations les plus désespérées; et naturellement, il s'empressera de mettre son talent au service de ses amis. En vérité, l'instinct de conservation atteint chez lui un summum.

Vu ses nombreuses aptitudes, le Singe est susceptible de jouir de revenus considérables; mais cet amoureux des plaisirs de la vie n'hésitera pas une seconde à s'offrir un voyage exotique ou un objet de luxe ayant attiré son regard. Constater qu'un autre possède ce que lui-même désire peut parfois exciter son envie.

Malgré son caractère sociable, le Singe est un penseur qui attache un grand prix à son indépendance. Il lui faut avoir les coudées franches pour agir comme bon lui semble; aussi est-il fort malheureux si l'on entrave ses initiatives ou si on lui impose des contraintes excessives. De même, la monotonie ne lui sied pas, et au premier signe d'ennui il tournera son attention d'un autre côté. Son manque de persévérance, malheureusement, ralentit souvent ses progrès. Ne le sert pas davantage sa tendance à l'éparpillement, tendance que tous les Singes gagneraient à maîtriser. Mieux vaudrait en effet que le natif de ce signe se concentre sur un objet d'intérêt à la fois, ce qui à plus long terme lui permettrait d'accomplir davantage.

Le Singe est un as de l'organisation et, bien que son comportement ait parfois de quoi déconcerter, il a toujours une idée derrière la tête. Les rares fois où ses plans ne produisent pas exactement les résultats escomptés, il se contentera avec un haussement d'épaules d'en tirer une leçon. En règle générale, il ne répétera pas deux fois la même erreur et, au cours de sa vie, il touchera à tout.

Aimant faire impression, le Singe compte de nombreux admirateurs et partisans. Il faut reconnaître que sa beauté, son humour et la confiance qu'il dégage ne passent pas inaperçus.

Le Singe se marie généralement tôt. Pour que l'union soit réussie, son partenaire doit lui laisser le champ libre pour explorer ses intérêts et satisfaire ses envies de voyage. Le Singe ayant besoin de variété et d'action, il s'accorde à merveille avec les natifs du Rat, du Dragon, du Cochon et de la Chèvre, tous sociables et extravertis. Sa débrouillardise et sa nature entreprenante enchantent également le Bœuf, le Lièvre, le Serpent et le Chien, tandis qu'elles exaspèrent le Coq et le Cheval. Le Tigre, pour sa part, ne supporte pas ses combines et stratagèmes. Enfin, l'alliance entre deux Singes est le plus souvent harmonieuse, fondée sur la compréhension et l'entraide.

La femme Singe, quant à elle, est dotée d'une intelligence et d'un esprit d'observation remarquables, en plus de se révéler très psychologue. On tient d'ailleurs ses opinions en haute estime ; très persuasive, elle parvient invariablement à ses fins. Bien des choses sont susceptibles de piquer sa curiosité, aussi accumule-t-elle les occupations. La femme Singe est soucieuse de son apparence ; elle s'habille avec élégance et soigne sa coiffure. Affectueuse et attentionnée envers ses enfants, elle compte également de loyaux amis.

Lorsque le Singe peut réfréner sa propension à se mêler de tout et qu'il parvient à cibler ses efforts, alors sa vie a toutes les chances d'être couronnée de succès. Il se remet vite des déceptions, rien ne peut l'arrêter. Une vie fort pittoresque et mouvementée l'attend.

Les cinq types de Singes

S'ajoute aux caractéristiques qui marquent les douze signes du zodiaque chinois, l'influence de cinq éléments qui viennent les renforcer ou les tempérer. On retrouve ci-après les effets qu'ils exercent sur le Singe et les années au cours desquelles chaque élément prédomine. Ainsi, les Singes nés en 1920 et 1980 sont des Singes de Métal, ceux qui sont nés en 1932 et 1992, des Singes d'Eau, etc.

Le Singe de Métal (1920, 1980)

Le Singe de Métal a une volonté à toute épreuve. C'est avec une détermination exemplaire qu'il se jette dans l'action, de préférence seul plutôt qu'en équipe. Ambitieux, sûr de lui, il est également sage, et le travail ne lui fait pas peur. Doué d'une remarquable habileté en matière de finances, il fait de judicieux investissements. Malgré sa nature quelque peu indépendante, le Singe de Métal apprécie les soirées et événements mondains. Il se montre chaleureux et attentionné envers ceux qu'il aime.

Le Singe d'Eau (1932, 1992)

Chez le Singe d'Eau, polyvalence, détermination et perspicacité s'allient à merveille. Plus discipliné que les autres Singes, il est prêt à poursuivre ses buts d'une manière soutenue, sans se laisser distraire. Il est parfois réticent à révéler ses véritables intentions, aussi peut-il rester particulièrement évasif lorsqu'on le questionne. Le

Singe d'Eau ne réagit pas favorablement à la critique, mais, comme il sait convaincre, il se gagne aisément la collaboration des autres. Étant donné sa fine compréhension de la nature humaine, il s'accorde bien avec ses semblables.

Le Singe de Bois (1944)

Chez le Singe de Bois prédominent l'efficacité, la méthode et l'application. Pourvu d'une imagination débordante, il cherche toujours à tirer profit de ses idées ou à acquérir de nouvelles compétences. À l'occasion, son enthousiasme le mène un peu trop loin, et si ses plans ne se déroulent pas comme prévu, il peut devenir très agité. Toutefois, son esprit d'aventure est tel que les risques ne l'effraient pas. Les voyages le passionnent. Amis et collègues lui vouent une grande estime.

Le Singe de Feu (1956)

Intelligent et plein de vitalité, le Singe de Feu impose invariablement le respect. Son imagination fertile et son insatiable curiosité, quoique très positives, le détournent quelquefois d'occupations qui se révéleraient plus utiles ou fructueuses. Il aime se faire voir et participera volontiers à tout ce qui se passe autour de lui. Si l'on ne se plie pas à sa volonté, le Singe de Feu peut se montrer têtu, et il essaie parfois d'endoctriner les esprits moins résolus. C'est un personnage qui déborde d'entrain et qui a l'heur de plaire au sexe opposé. Mais il reste loyal à son partenaire !

Le Singe de Terre (1908, 1968)

Le Singe de Terre est studieux et cultivé ; il a tout pour se distinguer dans sa profession. Moins extraverti que les autres Singes, il préfère les activités paisibles et sérieuses. Ses principes élevés vont de pair avec sa nature aimante, et il peut se montrer très généreux envers les moins fortunés. Il gère fort habilement ses finances, aussi est-il souvent prospère à la fin de sa vie. Sa présence a un effet calmant sur son entourage, et il s'attire aussi bien le respect que l'affection de ceux qu'il rencontre. Toutefois, c'est avec discernement qu'il choisit ses confidents.

Perspectives du Singe pour l'an 2000

La nouvelle année chinoise débute le 5 février 2000. Jusque-là, c'est donc toujours l'année du Lièvre qui exerce son influence.

L'année du Lièvre (du 16 février 1999 au 4 février 2000) aura dans l'ensemble été positive pour le Singe, qui peut s'attendre à ce que les derniers mois soient sous le signe de l'animation et du plaisir. Cependant, pour réellement en tirer parti, le Singe aura intérêt à établir le programme de ses activités, en les classant par ordre d'importance. Autrement, s'il tente d'être partout à la fois en cette fin d'année, il risque de se sentir bousculé.

C'est avant tout au chapitre de sa vie personnelle que le Singe sentira souffler un grand vent d'activité. En plus de ses occupations domestiques habituelles, il s'affairera à l'organisation de réunions et d'événements divers à l'approche des festivités de Noël et du nouveau millénaire. Il sera lui-même convié à une foule de soirées et, pour tout dire, cette période de réjouissances s'annonce des plus agréables. Les moments passés avec famille et amis lui laisseront de vivants souvenirs, et c'est avec joie qu'il retrouvera d'anciennes connaissances ; l'une de ces occasions de retrouvailles le touchera particulièrement. En somme, une vie familiale et sociale trépidante lui est promise, de la fin du mois de novembre 1999 jusqu'au début de janvier 2000. C'est pourquoi il lui serait utile de déterminer d'avance ce qui lui tient le plus à cœur. De même, il gagnerait à tout mettre en œuvre pour régler les affaires en suspens ainsi qu'à s'atteler le plus tôt possible aux préparatifs (lettres, invitations, cartes de vœux, etc.) et aux achats. S'il peut s'acquitter d'une partie de ses tâches quelque temps avant le début des festivités, le Singe s'évitera les sprints de dernière minute et pourra profiter pleinement du moment présent.

Dans le secteur du travail, le Singe aura fait bonne impression durant l'année du Lièvre. Ayant acquis expérience et réputation, il fera bien maintenant de songer à la direction qu'il veut donner à sa carrière, d'autant plus que les idées qu'il formulera vers la fin de l'année du Lièvre pourraient prendre un essor significatif en l'an 2000. Les Singes qui cherchent présentement un emploi verront d'intéressantes occasions surgir et, pour bon nombre d'entre eux, les démarches aboutiront, quoique le poste puisse dans certains cas être offert sur une base temporaire. Quoi qu'il en soit, l'offre constituera un stimulant défi personnel ainsi qu'une bonne source d'expérience.

Bien que l'année du Lièvre soit plutôt favorable sur le plan financier, les derniers mois de l'année se révéleront coûteux et le Singe sera bien avisé de planifier son budget en conséquence. Il n'en reste pas moins que, sous tous égards, la conclusion de l'année laisse augurer pour lui beaucoup d'agréments.

L'année du Dragon débute le 5 février et s'annonce gratifiante pour le Singe. Stimulé par l'amorce du nouveau millénaire, sentant qu'il est prêt à exploiter plus à fond ses capacités, il décidera que le temps est venu d'aller de l'avant, et sa détermination sera le gage d'excellents résultats.

Au plan professionnel, les récents acquis du Singe pourraient lui servir de tremplin, aussi devra-t-il au cours de l'année guetter les occasions et les avenues attrayantes. S'il n'en surgit aucune, pourquoi ne pas prendre l'initiative de les créer lui-même ? Il pourrait, par exemple, se mettre en contact avec les entreprises qui l'intéressent, dans le but de faire valoir son expérience et la contribution qu'il serait en mesure d'apporter; ou encore, recourir à des agences de personnel ou s'adresser à des personnes occupant présentement le type de poste qu'il convoite. Il retirera de ces démarches un précieux feed-back qui, pris en considération, mènera à des développements positifs.

Le Singe est doté d'une nature ingénieuse; alliée à sa volonté de se dépasser, elle impressionnera favorablement ses collègues et supérieurs, avec d'heureuses conséquences ultérieurement. De plus, les aspects concourront à favoriser les actions du natif de ce signe. Les événements pourraient tourner à son avantage à tout moment de l'année, mais les mois de janvier (le dernier mois de l'année du Lièvre) et d'avril seront les plus propices à cet égard.

Dans le cadre de l'exécution de ses fonctions, le Singe fera bien de rester à l'affût de tout changement imminent, en se montrant disposé à assumer un rôle différent ou des responsabilités additionnelles. Dans certains cas, la nouvelle donne pourrait lui permettre de briguer un poste plus avantageux, ou d'acquérir un bagage dont il tirera éventuellement profit. Au demeurant, il lui est conseillé de voir loin : s'il estime qu'il serait opportun et profitable d'ajouter à ses habiletés, il ne devra pas hésiter à entreprendre les démarches nécessaires à cette fin. Encore une fois, tous les atouts dont il pourra se munir joueront en sa faveur, en plus de lui apporter une grande satisfaction personnelle.

Pour les Singes qui cherchent une situation ou qui envisagent un changement de carrière, l'année du Dragon laisse entrevoir de prometteuses perspectives. À nouveau, l'esprit d'initiative sera récompensé : en ne négligeant de poursuivre aucune avenue, le Singe pourrait dénicher un emploi qui lui conviendra à merveille.

De ce point de vue, d'ailleurs, le premier trimestre est sous de fort bons auspices. Le natif de ce signe gagnera également à promouvoir ses idées, car elles pourraient susciter un vif intérêt et prendre une tournure encourageante. Dans l'ensemble donc, l'année du Dragon s'annonce pleine de promesses pour le Singe, mais afin de bénéficier au maximum de ses aspects positifs, il lui faudra passer à l'action, en tirant parti de ses considérables habiletés.

La situation matérielle du Singe, pour sa part, connaîtra une modeste amélioration dans le courant de l'année. Toutefois, mieux vaudra faire preuve de modération. S'il ne veille pas au grain, il constatera que l'argent gagné est vite dépensé. De plus, pour tout achat important, touchant à son logement par exemple, le Singe aura intérêt à enquêter sur le rapport qualité-prix des produits disponibles sur le marché au lieu de faire une acquisition trop hâtive. Avec un peu de patience, en guettant les soldes ou d'autres occasions avantageuses, il pourrait épargner beaucoup, en plus de voir ses exigences pleinement satisfaites. Bien que le Singe ait confiance en sa bonne étoile cette année, les risques superflus sont tout de même à proscrire. Prévoyance et rigueur seront les outils de choix pour éviter les difficultés dans le domaine financier.

Sur le plan personnel, en revanche, le Singe aura tout pour être heureux. Celui qui n'a pas encore rencontré l'âme sœur ou qui cherche l'amitié pourrait se voir exaucé à la suite d'une rencontre fortuite ou en reprenant contact avec une ancienne connaissance. Cette année, les tendances seront remarquablement favorables à la naissance d'une relation significative et promise à un bel avenir. Advenant que le Singe ait récemment traversé une période de tristesse ou de solitude, il trouvera fortifiant de voir en l'arrivée de l'an 2000 le début d'un nouveau cycle de vie ; il lui est conseillé de se mêler davantage et de saisir les occasions de rencontres, car en prenant les devants il contribuera à améliorer son sort d'une manière appréciable.

Dans l'ensemble, ses relations personnelles seront harmonieuses en l'an 2000. L'apport de son entourage lui sera une source de réconfort et, à son tour, il se réjouira de prêter son aide ainsi que de participer pleinement aux activités et projets communs. Sa vie familiale, quoique bien remplie, lui procurera un sentiment de contentement, tandis que sa vie sociale lui réserve d'agréables moments en compagnie de ses amis, de nouvelles rencontres ainsi qu'une variété d'événements mondains fort intéressants.

Le Singe tirera également une vive satisfaction du temps consacré à ses passe-temps et sujets d'intérêt. Il pourrait d'ailleurs trouver enrichissant d'échanger avec d'autres amateurs, moyennant son adhésion à un club ou même par le biais du réseau Internet. Il aura ainsi l'occasion d'approfondir ses connaissances, mais aussi d'établir des contacts à la fois utiles et stimulants. À nouveau, l'année du Dragon favorisera ses activités et les efforts qu'il engagera pour se dépasser.

Les voyages, par contre, ne sont pas aspectés de manière prépondérante pour l'an 2000. Le Singe a donc davantage de chances d'inscrire à son programme des sorties et visites de lieux d'intérêt locaux. Certaines excursions décidées à la dernière minute pourraient se révéler particulièrement plaisantes. Les amateurs de jardinage, de sport ou de marche ont également de beaux moments en perspective.

Sous plusieurs rapports, donc, l'année s'annonce positive pour le Singe. En poursuivant diligemment ses objectifs, en se mettant en valeur, il avancera à grands pas. Mais, comme on l'a dit, c'est à lui d'ouvrir le bal. Parions toutefois que son ingéniosité, ses compétences et son charme formeront une alliance à toute épreuve, contribuant ainsi à faire de l'année une période splendide et constructive.

Abordant les différents types de Singes, considérons en premier lieu le **Singe de Métal,** pour qui l'année s'annonce agréable. Sa vie personnelle est particulièrement bien aspectée ; l'amour, le bonheur, la joie, l'amitié : tout semble possible. Le printemps et l'été augurent particulièrement bien pour les affaires de cœur ; d'ailleurs, cette période verra plusieurs Singes de Métal se fiancer, ou se marier. Ceux à qui pèse une certaine solitude, en raison d'un déménagement qui les a vus quitter leur ville ou leur région, par exemple, gagneront à faire l'effort de participer à des activités de groupe pour rompre leur isolement. Car, comme l'année est très propice aux relations interpersonnelles, à n'en pas douter ils noueront de nouvelles amitiés, dont certaines prometteuses, et trouveront beaucoup de plaisir à leurs loisirs. Le Singe de Métal peut également s'attendre à recevoir l'appui précieux de sa famille au cours de l'année, surtout lorsqu'il aura des décisions à prendre. Même si les choix à faire et l'orientation de sa vie lui paraissent clairs, il devrait néanmoins prêter une oreille attentive aux opinions de personnes plus âgées qui ont ses intérêts à cœur, car leurs conseils lui seront fort utiles. Et pourquoi ne pas retourner la faveur en donnant un coup de main à un de ces aînés qui a besoin d'aide ? À n'en pas douter, le don de son temps et sa bienveillance seraient largement appréciés. Avec ce qui promet d'être une vie sociale trépidante, le Singe de Métal devra se montrer financièrement conservateur ; les occasions de dépenser seront nombreuses et les ressources limitées, c'est bien connu. Non seulement aura-t-il à faire preuve de prudence mais de prévoyance également, en mettant de côté une somme suffisante pour les obligations à rencontrer et les achats d'importance qu'il sait inévitables. Que le Singe de Métal considère le temps consacré à la planification budgétaire comme un investissement lui garantissant des lendemains sans soucis ! Au chapitre du travail, des développements intéressants sont à prévoir. Les Singes de Métal sont habituellement très résolus mais, bien que cet esprit de décision leur sera fort précieux au fil des ans, ils auront avantage cette année à adopter une attitude flexible. Ainsi, lorsqu'ils entendront parler de postes disponibles, surtout de postes qui permettraient d'ajouter à leurs connaissances et à leur bagage d'expérience, devront-ils les considérer sérieusement, même si le travail ne correspond pas en tous points à leurs objectifs. Notons en outre que le Singe de Métal qui accepte un emploi différant de ses attentes pourrait se découvrir des habiletés et des forces insoupçonnées qui, s'il prend la peine de les exploiter, contribueront à ses succès futurs. Pour les Singes de Métal toujours aux études, l'année marquera une étape importante. Grâce à leur application et à la constance de leurs efforts, les résultats seront certainement conformes à leurs espérances. De plus, comme l'année augure particulièrement bien au niveau de la formation personnelle, il sera conseillé au Singe de Métal de s'informer quant aux matières ou spécialités susceptibles de lui être utiles, et de les intégrer à son programme. Car, il le constatera lui-même, ce qu'il accomplit, apprend ou ébauche en l'an 2000 aura un impact majeur plus tard. À presque tous égards donc, le Singe de Métal connaîtra une année on ne peut plus positive et très mouvementée. Toutefois, vu l'abondance des sollicitations dont il sera l'objet, il pourrait facilement négliger de voir à son bien-être. C'est pourquoi une saine hygiène de vie exigera qu'il s'alimente convenablement et qu'il évite le surmenage, quitte à refuser ou différer certaines activités. Pour rester en pleine forme, il devra à tout prix rester à l'écoute de ses besoins. Fort de cette mise en garde, le Singe de Métal sera en mesure de profiter au maximum de sa situation avantageuse. Il sait qu'il peut aller loin, et l'année du Dragon le verra s'engager résolument sur la voie qui mène au succès.

Au **Singe d'Eau**, l'année apportera de grandes satisfactions dans la plupart des domaines de sa vie. Étant donné ses intérêts diversifiés et son large cercle d'amis, on sait qu'il n'est jamais en peine d'activités ; mais il serait bon qu'il prenne un moment de réflexion au seuil de cette année pour se demander ce qu'il veut vraiment faire au cours des mois à venir, de façon à planifier ses tâches et ses loisirs. Ces derniers comprendront notamment les vacances qu'il souhaite prendre ou les visites à rendre à la famille et aux amis, dont certains l'invitent depuis longtemps et qu'il aimerait revoir. De plus, s'il caresse quelque projet depuis un bon moment, pourquoi ne verrait-il pas avec son entourage s'il est réalisable ? Il aura le plaisir de constater que ses proches, qui lui sont très attachés, sont plus que prêts à collaborer s'il leur fait part ouvertement de ses idées. Certaines concerneront ses intérêts personnels, et d'autres, la maison. Plusieurs Singes d'Eau décideront, par exemple, de mener une campagne pour mettre de l'ordre dans les papiers accumulés, dans les effets inutiles qui se sont entassés de la cave au grenier ; ils voudront par-dessus tout « voir clair » dans leurs affaires. Il y a fort à parier que ces tâches prendront au Singe d'Eau plus de temps qu'il n'avait pensé y consacrer, mais quelle satisfaction une fois que tout sera bien organisé ! D'autres natifs du signe, pour leur part, entreprendront de rafraîchir ou de réaménager certaines pièces. Là encore, le processus sera probablement plus long que prévu, mais le fouillis sera temporaire, et les résultats auront de quoi réjouir le Singe d'Eau et tous les siens. Il voudra peut-être apporter la touche finale à ces travaux en se procurant des meubles ou des équipements dont il a envie. Il aura tout intérêt alors à voir ce qui est offert sur le marché, à comparer les prix, s'assurant aussi que tout équipement qu'on lui propose répond à ses besoins et ne risque pas d'être désuet à court terme. Les achats importants ne devront vraiment pas être faits à la hâte. Bien qu'il soit généralement prudent pour ce genre de questions, le Singe d'Eau étudiera avec une attention particulière les modalités qui se rattachent aux transactions qu'il effectue : l'année ne sera pas propice à la négligence. Outre le sentiment d'accomplissement que lui procureront les projets réalisés chez lui, la vie avec les siens le gratifiera de nombreux moments heureux. Il se félicitera des progrès ou promotions de certains membres de la famille, qui offriront plusieurs raisons de célébrer au cours de l'année. La vie sociale des Singes d'Eau promet également d'être plaisante, ponctuée de sorties intéressantes, de loisirs partagés et de réunions entre amis. Il est à souhaiter que tout Singe d'Eau affligé par une peine récente, ou qui se sent seul, puisse faire l'effort de sortir davantage. Il se placerait ainsi dans l'occasion de faire des rencontres et de nouer de nouvelles amitiés. L'an 2000 aura de quoi stimuler les Singes d'Eau nés en 1992 ; ils prendront un plaisir tout particulier à poursuivre un intérêt qui aura capté leur imagination. Cependant, alors que le jeune natif du signe fera de bons progrès à l'école, il se pourrait que certaines matières lui donnent du fil à retordre et lui causent de l'inquiétude. En présence de difficultés, il ne devra pas hésiter à solliciter l'aide de ses proches, dont les conseils et les encouragements sauront le rassurer, le guider et lui redonner confiance. Dans l'ensemble donc, le Singe d'Eau sera satisfait de ce que lui réserve l'année du Dragon. Pour autant qu'il planifie bien ses activités, il parviendra à réaliser ses projets, et le contentement qu'il en retirera se verra doublé de la joie procurée par l'affection des siens. Somme toute, Singes d'Eau, une année positive vous attend!

Et vous, **Singes de Bois**, vivrez en l'an 2000 une année importante. En effet, tant les décisions qui seront prises au cours de l'année que la mise à exécution de certains projets auront une portée majeure sur l'avenir du Singe de Bois. Ces projets, il les mijote probablement depuis un moment, mais il jugera que le temps est venu de passer à l'action. Plusieurs natifs du signe qui envisageaient de déménager se mettront à la recherche de leur prochain lieu d'habitation. À l'issue de démarches qui sembleront parfois longues et peu fructueuses, ils dénicheront, fréquemment par hasard, un logement qui répondra à leurs besoins et à leurs attentes. À partir de là, tout ira bon train, et le déménagement comme tel devrait se dérouler sans anicroche. Parmi ceux qui ne songent pas à quitter leur domicile actuel, bon nombre entreprendront chez eux des aménagements majeurs. Là encore, le temps nécessaire à la planification et à l'organisation des travaux semblera sans doute interminable, mais bientôt le chantier sera en marche. Avec l'inévitable dérangement qui l'accompagne, bien sûr, mais que le Singe de Bois acceptera de bonne grâce, vu le plaisir considérable que lui procureront les résultats. Il faut toutefois adresser une mise en garde à ceux qui décideront de procéder eux-mêmes aux rénovations : le maniement d'outils potentiellement dangereux commandera la plus grande prudence, tout comme le déplacement d'objets lourds et l'exécution de tâches complexes ; n'hésitez pas à demander de l'aide, si nécessaire, et observez toujours les règles de sécurité. Bref, au plan du domicile, presque tous les Singes de Bois verront s'effectuer des changements importants qui les combleront d'aise, en dépit des bouleversements occasionnés. Leurs intérêts personnels occuperont également une place importante dans leur vie au cours de l'année. Certains sujets auront piqué leur curiosité, et cette curiosité, ils devraient prendre le temps de la satisfaire. Ainsi, pourraient-ils s'initier à quelque chose qui les emballera et leur offrira des défis stimulants. En effet, le Singe de Bois, avec son esprit constamment à l'affût, adore apprendre et expérimenter, et il sera heureux que l'année du Dragon lui fournisse la chance d'étendre ses connaissances. Considérant que la santé est un bien précieux, il choisira d'accorder une attention particulière à son bien-être physique, surtout s'il vit en sédentaire. C'est ce qui le poussera à augmenter le temps qu'il consacre à l'exercice, et à se mettre à la marche, au vélo ou autre. Une meilleure hygiène de vie et la pratique régulière d'un sport feront merveille pour le remettre en forme. Mais précisons que les Singes de Bois ayant négligé de voir à leur état physique depuis quelques années seront bien avisés de subir un examen médical avant d'apporter tout changement à leur niveau d'activité. Au chapitre du travail, des développements intéressants sont à l'horizon pour le Singe de Bois. Tant pour celui qui cherche du travail que pour celui qui désire changer d'emploi, les ouvertures ne manqueront pas. Elles pourraient concerner des fonctions souvent fort différentes de celles qu'il a l'habitude d'assumer, mais qu'il trouvera stimulantes et dont il saura bien s'acquitter. Quant aux Singes de Bois qui décideront de rester en poste, ils peuvent s'attendre eux aussi à vivre des changements en cette année du Dragon. Pourraient survenir, par exemple, des mouvements de personnel ou l'implantation de nouvelles procédures de travail. Toutefois, en faisant preuve de souplesse, ils trouveront presque invariablement à bénéficier des situations ainsi créées, et plusieurs se verront confier des responsabilités plus importantes ou seront récompensés de leurs efforts passés. Ajoutons que ceux qui ont des idées à proposer ne devront pas hésiter à en faire la promotion. L'année s'avérant favorable aux initiatives, nombreuses sont les propositions des Singes de Bois qui recevront un accueil des plus prometteurs. Au cours de l'an 2000 également, le soutien et les encouragements de ses proches seront pour lui d'un grand réconfort. Cependant, particulièrement en ce qui a trait à ses projets les plus ambitieux, le Singe de Bois fera bien de prêter l'oreille aux conseils qu'il reçoit, et surtout de demander de l'aide en période de surcharge. Car il sera important qu'il sache résister à la tentation de laisser ses propres préoccupations empiéter sur sa vie familiale et sociale. Famille et amis lui permettront en effet de connaître de réels moments de plaisir, mais encore faudra-t-il que le Singe de Bois puisse se libérer pour en profiter. Dans l'ensemble donc, l'année promet des changements positifs. Certaines périodes ne seront pas exemptes d'activité fébrile et de bouleversements passagers mais, somme toute, le Singe de Bois trouvera beaucoup de gratification à réaliser ses projets, aidé en cela par la chance et les aspects qui prévalent.

Le **Singe de Feu** a toutes les raisons de se réjouir avec l'arrivée de cette nouvelle année, car elle lui fournira la chance d'expérimenter, de réaliser ses ambitions et de faire la preuve de son potentiel considérable. Les tendances positives se feront jour dès l'amorce de l'année du Dragon, et le Singe de Feu la considérera à juste titre comme une étape constructive et gratifiante. Au travail, les Singes de Feu, forts de leur expérience, seront en mesure de faire des gains importants. Il y aura du changement dans l'air, et plusieurs se trouveront idéalement placés pour bénéficier des occasions qui se présentent. On le sait, le Singe de Feu est prompt à détecter les possibilités qu'offrent les situations nouvelles et, au cours de l'année, ce flair particulier le servira à merveille. C'est ainsi que lors des réaménagements survenant dans son milieu de travail, et qu'entraîneront par exemple des départs, l'adoption de nouvelles politiques ou l'expansion des opérations, le Singe de Feu sera à l'affût des moyens lui permettant de tourner la situation à son avantage. Notamment en acquiesçant à des responsabilités accrues et en apportant des suggestions constructives, il démontrera la résolution et l'initiative qui le feront remarquer par ses supérieurs. En conséquence, plusieurs Singes de Feu se verront offrir de l'avancement et des fonctions plus intéressantes. Quant aux natifs du signe en quête d'emploi, ils devront faire preuve de détermination et de persistance; grâce à ces qualités, nombreux seront-ils à décrocher des postes qui promettent. À l'égard du travail, c'est le premier trimestre qui jouira des meilleurs auspices, mais toute l'année sera favorable au Singe de Feu pour promouvoir les scénarios auxquels ont pu le mener ses réflexions; certains feront long feu, mais d'autres trouveront des oreilles intéressées. Qu'il se rappelle seulement que c'est sa volonté d'agir et son initiative qui seront à la source d'une bonne part des résultats positifs de l'an 2000. Cependant, ni les circonstances avantageuses dont il profitera, ni l'augmentation de ses revenus qui pourrait en découler, ne devront l'inciter à se lancer dans des entreprises hasardeuses. En effet, il regretterait amèrement les conséquences rattachées à des gestes inconsidérés. C'est pourquoi, avant de contracter une obligation ou d'effectuer quelque placement que ce soit, il veillera à obtenir tous les renseignements pertinents. En matière de finances donc, le Singe de Feu devra faire preuve de prudence et aussi d'une certaine réserve dans ses dépenses. Pour sa part, sa vie familiale sera très animée et lui offrira de riches compensations. Au cours de l'année en effet, c'est avec affection et intérêt qu'il suivra l'évolution et les progrès d'un plus jeune. Quant au reste de la maisonnée, tous apprécieront l'aide et les conseils qu'il leur prodiguera, et lui seront reconnaissants de sa disponibilité et de la part active qu'il prend au foyer. C'est avec plaisir qu'ils s'intéresseront à leur tour aux activités du Singe de Feu. Il est à prévoir que certaines périodes de l'an 2000 le verront très sollicité, surtout aux environs de mai et septembre ; il fera bien alors de limiter ses activités en se concentrant sur celles qui sont prioritaires. Cela pourra exiger qu'il remette à plus tard le début des travaux qu'il voulait effectuer chez lui. De toutes façons, ce ne serait pas dans son intérêt qu'il accepte un surcroît d'engagements, lui déjà si occupé. Le peu de temps libre qu'il a risquerait d'en faire les frais. Donc, Singes de Feu, apprenez à vous méfier de certains enthousiasmes, et modérez vos transports ! La vie sociale s'annonce tout aussi bien aspectée que la vie familiale pour les Singes de Feu. Ils auront maintes occasions d'élargir leur cercle d'amis, et les moments de réjouissance seront nombreux. Quant aux célibataires à la recherche de l'âme sœur, au cours de l'année ils pourraient voir de nouvelles amitiés se développer de façon prometteuse. Somme toute, l'année du Dragon s'avérera propice au progrès du Singe de Feu qui, grâce à sa détermination proverbiale, obtiendra des résultats tangibles qui le combleront.

L'année qui commence aura tout pour satisfaire le **Singe de Terre**. Elle lui fournira l'occasion d'utiliser à son avantage l'expérience qu'il a déjà acquise et de développer quelques-unes de ses idées. L'amorce du troisième millénaire suggérant un nouveau départ, c'est avec une vigueur renouvelée que les Singes de Terre viseront à donner le meilleur d'eux-mêmes et à tirer pleinement profit des circonstances de l'an 2000. En ce sens, le plan du travail leur offrira des perspectives intéressantes. Même s'ils peuvent être fiers de ce qu'ils ont accompli jusqu'à maintenant, plusieurs estimeront qu'ils n'utilisent pas tout leur potentiel; aussi, tenteront-ils par tous les moyens au cours de l'année d'améliorer leur position actuelle. Certains chercheront à obtenir de l'avancement dans leur présent milieu de travail; d'autres opteront plutôt pour le changement, souhaitant trouver dans un autre type d'emploi les défis qui les stimuleront. Pour les uns comme pour les autres, il y aura des occasions à saisir, plus particulièrement au cours du premier trimestre, puis de nouveau en septembre et octobre. En plus de surveiller les postes qui se libèrent, le Singe de Terre devra se montrer ouvert, prêt à accepter de nouvelles responsabilités ou à parfaire sa formation. Il aura également intérêt à entrer en contact avec des personnes aptes à le guider dans sa carrière. Non seulement ces démarches rapporteront-elles de précieux conseils, mais elles auront probablement le mérite de lui faire entrevoir des possibilités auxquelles il n'avait pas songé jusque-là. Enfin, il se peut bien que, parmi les personnes rencontrées, certaines glissent un mot en sa faveur, ce qui à n'en pas douter servira ses intérêts. Pour leur part, les Singes de Terre sans emploi devront apporter la même ardeur à leurs recherches. Toutes les avenues le moindrement prometteuses seront explorées, bien entendu. Mais par ailleurs, ils devront considérer les diverses façons dont leurs compétences pourraient être mises à profit, et ce, dans le but d'élargir l'éventail des postes accessibles. À terme, leur persistance sera certainement récompensée et, une fois en poste, leur bon rendement saura impressionner l'employeur. En conséquence, plusieurs connaîtront des progrès étonnamment rapides. Soulignons que le Singe de Terre prendra une part plus active encore dans son milieu s'il y contribue par ses suggestions; en effet, son esprit imaginatif lui inspire souvent des idées novatrices qui, s'il se montre habile à les promouvoir, pourraient donner lieu à des développements inattendus. Au plan personnel, l'année sera tout aussi favorable pour le Singe de Terre, et l'appui indéfectible de son entourage contribuera au bien-être qu'il ressent. Quant à sa vie familiale, elle sera très mouvementée; des sollicitations multiples venant s'ajouter aux mille et une tâches incontournables. Pour éviter de se sentir débordé, le Singe de Terre veillera à ne pas s'impliquer dans une foule de choses à la fois; mieux vaudra pour lui se restreindre à un seul projet, ou quelques-uns à la rigueur, et les mener à terme, plutôt que disperser ses énergies. Et compte tenu du nombre de ses obligations régulières, un surcroît d'engagements pourrait signifier le deuil des heures qu'il réservait au sport ou à ses hobbies. Bref, en l'an 2000, le Singe de Terre devra viser à maintenir un équilibre entre ses divers champs d'activité. Bien que ses chances de voyager au cours de l'année paraissent relativement minces, il s'assurera tout de même de prendre des vacances pour faire une pause; un rythme de vie moins effréné et un changement de décor feront merveille pour le ressourcer. Il se trouvera inévitablement quelques singes de Terre qui auront essuyé des revers ou vécu des peines récemment. À ceux-là il est conseillé de profiter du début du millénaire pour se dire qu'une nouvelle étape commence pour eux, qui exige que leurs regards soient fixés sur l'avenir. Leurs efforts pour prendre en main leur destinée, tels la recherche de nouveaux amis, un déménagement ou l'ébauche d'un projet stimulant, auront un impact positif pour les remettre dans le courant. Globalement donc, les perspectives pour l'année du Dragon sont avantageuses pour le Singe de Terre. Avec sa personnalité avenante et ses multiples talents, il sera bien placé pour tirer un excellent profit des circonstances.

Singes célèbres

Anouk Aimée, Corazon Aquino, Marie-Christine Barrault, Jacqueline Bisset, Bjorn Borg, Jules César, Johnny Cash, Robert Charlebois, Jacques Chirac, Chelsea Clinton, Colette, John Constable, Léonard de Vinci, Bette Davis, Céline Dion, Michael Douglas, Diane Dufresne, Alexandre Dumas, Mia Farrow, F. Scott Fitzgerald, Paul Gauguin, Mika Häkkinnen, Jerry Hall, Tom Hanks, Françoise Hardy, Martina Hingis, P. D. James, Jean-Paul II, Nigel Kennedy, Modigliani, Caroline de Monaco, Martina Navratilova, Jana Novotna, Anthony Perkins, Gerhard Schröder, Michaël Schumacher, Anton Tchekhov, Kiri te Kanawa, David Trimble, Boris Vian.

Le Coq

22 janvier 1909 au 9 février 1910	Coq de Terre
8 février 1921 au 27 janvier 1922	Coq de Métal
26 janvier 1933 au 13 février 1934	Coq d'Eau
13 février 1945 au 1er février 1946	Coq de Bois
31 janvier 1957 au 17 février 1958	Coq de Feu
17 février 1969 au 5 février 1970	Coq de Terre
5 février 1981 au 24 janvier 1982	Coq de Métal
23 janvier 1993 au 9 février 1994	Coq d'Eau

LA PERSONNALITÉ DU COQ

Le sage crée sa chance plus souvent
qu'il ne la trouve.

Francis Bacon, un Coq

Le Coq naît sous le signe de la candeur. Personnalité flamboyante et colorée, c'est un organisateur-né. Il aime pouvoir planifier ses activités à l'avance, et se montre méticuleux dans tout ce qu'il fait.

Doté d'une belle intelligence, c'est un être habituellement très cultivé et réputé pour son sens de l'humour. Très persuasif, il raffole des discussion et des débats. Il s'exprime toujours avec une grande franchise et n'hésite pas à partager ses opinions, qu'on souhaiterait parfois plus nuancées. Force est de reconnaître qu'il manque de tact et peut souvent blesser son entourage ou nuire à sa réputation à cause de remarques ou de gestes inconsidérés. Très changeant de nature, il aurait intérêt à maîtriser une impulsivité susceptible de lui jouer de vilains tours.

Le Coq est habituellement très digne ; il respire la confiance et l'autorité. Doué pour les affaires, il organise ses finances comme il organise tout le reste, c'est-à-dire avec un talent consommé. C'est un investisseur astucieux qui, au cours de sa vie, peut accumuler une fortune enviable. La plupart des Coqs sont économes et judicieux dans leurs dépenses, mais les exceptions qui confirment la règle sont des paniers percés notoires. Heureusement, le Coq gagne en général très bien sa vie, aussi le voit-on rarement démuni.

Si vous fréquentez le Coq, vous l'apercevrez toujours armé d'un calepin, ou les poches bourrées de bouts de papier. En effet, il s'écrit constamment des notes ou des rappels de crainte d'oublier. Car, voyez-vous, il ne peut supporter l'inefficacité. Ordre, méthode et précision sont pour lui des valeurs essentielles.

Le Coq est habituellement très ambitieux, mais il manque parfois de réalisme quant à ses objectifs, ce qu'on pourrait attribuer à une imagination particulièrement fertile. En voulant lui ramener les pieds sur terre, on peut facilement l'indisposer. En fait, il n'aime pas la critique, et lorsqu'il sent qu'on met son jugement en doute, ou qu'on veut se mêler de ses affaires, il ne se gène pas pour le dire. Pourtant, il aurait intérêt à tenir compte plus souvent des remarques qui lui sont faites. Mais égocentrisme et entêtement passagers sont amplement compensés par le fait qu'il est fiable, honnête et loyal, qualités qu'apprécient tous ceux qui le connaissent. Les Coqs nés tant à l'aube qu'au crépuscule (entre 5 h et 7 h, et entre 17 h et 19 h) sont en général les plus extravertis du signe, mais tous ont en commun une grande sociabilité. Ils adorent les fêtes et les réceptions de toutes sortes, et on n'imagine pas le Coq sans un large cercle d'amis. Bien servi par son entregent, il se distingue d'ailleurs par sa remarquable facilité à établir le contact avec des personnes d'influence. Il se joint souvent à des clubs ou associations, et les activités organisées trouvent en lui un participant enthousiaste. Ses intérêts de prédilection concernent le plus souvent l'environnement et les causes humanitaires ou sociales. Sa nature bienveillante le porte spontanément à aider les moins favorisés que lui.

Le jardinage est un passe-temps qui a beaucoup d'attrait pour lui, et malgré le temps limité qu'il peut y consacrer, son jardin fait invariablement l'envie de ses voisins.

Soigneux de son apparence, le Coq a généralement une mise distinguée et, si son emploi exige l'uniforme, c'est avec fierté et dignité qu'il le portera. Il ne déteste pas qu'on parle de lui ; pour tout dire, être le point de mire lui est particulièrement agréable. Côté travail, les relations publiques et les médias sont des domaines où il réussit bien ; il fait aussi un excellent professeur.

À n'en pas douter, la femme Coq mène une vie qui n'a rien de monotone. Si active dans plusieurs domaines, on se demande comment elle arrive à jongler avec tout ce qui l'accapare. Ses opinions sont en général très tranchées et, comme le natif masculin, elle n'hésite pas à les exprimer. Ni à dire aux autres quoi faire et comment faire ! Elle est remarquablement efficace et bien organisée, qualités dont témoigne son intérieur : chez elle, tout est impeccable. S'habillant avec goût, elle choisit de préférence des tenues pratiques mais toujours élégantes.

Le Coq a souvent plusieurs enfants, et il aime prendre une part active à leur éducation. Il fait un partenaire très fidèle, et se trouvera beaucoup d'affinités avec les natifs du Serpent, du Cheval, du Bœuf et du Dragon. S'ils ne mettent pas trop de contraintes aux activités du Coq, les Rats, Tigres, Chèvres et Cochons entretiendront aussi de bons rapports avec lui. L'association de deux Coqs, toutefois, risque de faire des flammèches. Pour sa part, le Lièvre sensible sera décontenancé par la brusquerie du Coq, tandis que ce dernier ne tardera pas à être exaspéré par le Singe rusé et trop curieux à son goût. Enfin, l'entente s'avérera difficile entre le Coq et le Chien au naturel anxieux.

Si le Coq apprend à être moins versatile et plus diplomate, il ira loin. Talentueux et fort capable, il fait communément bonne impression partout où il va.

Les cinq types de Coqs

Le Métal, l'Eau, le Bois, le Feu et la Terre sont les cinq éléments qui viennent renforcer ou tempérer les douze signes du zodiaque chinois. Leurs effets, accompagnés des années au cours desquelles ils prédominent, sont décrits ci-après. Ainsi, tous les Coqs nés en 1921 et 1981 sont des Coqs de Métal, les natifs de 1933 et 1993, des Coqs d'Eau, etc.

Le Coq de Métal (1921, 1981)

Travailleur acharné et consciencieux, le Coq de Métal sait ce qu'il veut et, quand il passe à l'action, c'est avec optimisme et détermination. Son esprit parfois caustique et ses positions inflexibles le desservent à l'occasion : il arriverait sûrement plus facilement à ses fins s'il apprenait à développer l'art du compromis. Son aisance à traiter des questions d'argent tout comme sa perspicacité en font un gestionnaire efficace. Il est d'une grande loyauté envers ses amis, et on le voit souvent se dévouer pour le bien commun.

Le Coq d'Eau (1933, 1993)

Le Coq d'Eau est doté d'une grande force de persuasion ; il se gagne ainsi facilement la collaboration d'autrui. Être intelligent et cultivé, il n'est jamais à court d'idées lors des discussions et des débats. Il semble posséder d'inépuisables ressources d'énergie et, pour obtenir ce qu'il veut, fait preuve d'une capacité de travail remarquable. Cependant, il gaspille parfois un temps précieux à s'occuper de détails mineurs ou sans importance. Toujours affable, il a un bon sens de l'humour et jouit de l'estime de tous.

Le Coq de Bois (1945)

Le Coq de Bois, fiable, honnête, se fixe souvent des critères élevés. Animé d'une grande ambition, il réussit généralement bien, mais doit se méfier de sa tendance à s'empêtrer de détails. Il est également porté à courir trop de lièvres à la fois! Ses intérêts sont nombreux et variés, et il aime tout particulièrement les voyages. Sa bienveillance à l'égard de sa famille et de ses amis ne se dément jamais.

Le Coq de Feu (1957)

Le Coq de Feu fait preuve d'une prodigieuse détermination. On apprécie chez lui ses qualités de meneur, son sens de l'organisation et sa grande efficacité au travail. Une force de caractère peu commune lui permet généralement d'atteindre ses objectifs, mais il est porté à être très direct et à ne pas tenir compte des sentiments d'autrui. Toutefois, s'il acquiert un peu plus de tact, il pourra souvent réussir au-delà de ses espérances.

Le Coq de Terre (1909, 1969)

Ce Coq est doué d'un esprit pénétrant et d'une grande intuition. C'est un travailleur efficace et d'une singulière persévérance ; lorsqu'il se fixe un but, rarement se laisse-t-il dévier de sa trajectoire : il est prêt à tous les efforts. Il jouit de l'estime générale, et possède un grand sens de la famille. Habituellement, ces Coqs ont un goût marqué pour les arts.

Perspectives du Coq pour l'an 2000

L'année chinoise commence le 5 février 2000; jusque-là, c'est toujours l'année du Lièvre qui influence le cours des événements.

Le Coq aura connu un ciel variable pendant l'année du Lièvre (du 16 février 1999 au 4 février 2000). Tout n'aura pas été tel qu'il l'aurait souhaité, mais certains domaines lui auront néanmoins apporté de belles satisfactions. Toutefois, il peut compter voir ses perspectives s'améliorer sensiblement au cours du dernier trimestre de l'année du Lièvre. Cette heureuse tendance se poursuivra en l'an 2000.

D'ici là, la vie du Coq débordera d'activités, et il se trouvera fort sollicité. Non seulement les sorties seront-elles nombreuses, mais, en prévision de Noël et des célébrations du millénaire, il participera avec joie à l'organisation d'événements spéciaux. Dans ce contexte, ses talents pour la planification, son souci du détail et son aménité seront appréciés à leur juste valeur. La saison s'annonce donc particulièrement agréable.

Le Coq aura toutefois à faire face à une foule de dépenses au cours de ce dernier trimestre; la vie coûte cher pendant le temps des fêtes! La sagesse commandera donc qu'il se mette à épargner le plus tôt possible, afin de se constituer des réserves. Bien que la plupart des Coqs font preuve d'une louable discipline quand il s'agit de leur budget, certains n'ont pas l'économie dans les gènes et peuvent être d'une prodigalité ruineuse. Et comme dans la fable, à défaut de retenue, ils pourraient se trouver fort dépourvus quand l'an 2000 sera venu. Comme les questions d'argent ont tendance à être problématiques lorsqu'elles subissent l'influence du Lièvre, tous les Coqs sont donc invités à user de prudence dans ce domaine.

Au travail, pour la majorité des Coqs, la situation aura été satisfaisante et les progrès réguliers. On peut sans doute attribuer leurs bons résultats au fait qu'ils ont su concentrer leurs efforts dans les secteurs qui faisaient appel à leur expérience et à leur expertise. Ce qui sera encore vrai pour l'année qui vient. En effet, c'est en misant sur des compétences solides que les Coqs réussiront le mieux ; très peu pour eux donc l'improvisation ou les tentatives trop ambitieuses ! L'année du Lièvre étant propice à ce qu'il acquière des connaissances, le Coq devra saisir toute occasion de suivre une formation pratique ou théorique en rapport avec sa spécialité au cours des mois restants ; ce qu'il apprendra alors constituera un atout en sa faveur dans l'année qui vient.

Cette année du Dragon, qui débute le 5 février, verra le Coq récolter des succès considérables. Bien qu'animé d'une fierté légitime pour ce qu'il a accompli au cours des dernières années, il aura néanmoins l'impression qu'il est encore en deçà de ce qu'il espérait. Car il a un beau potentiel, il le sait. Mais, en y réfléchissant, peut-être ne l'a-t-il pas toujours bien exploité, de sorte que ses progrès piétinent. C'est pourquoi le début du millénaire sera synonyme pour lui de nouveau départ. Plus résolu que jamais, il établira clairement ses priorités, et ses efforts seront largement récompensés car l'année se révélera prospère.

Pour tirer le meilleur parti possible des mois à venir, et s'il ne l'a pas fait déjà, le Coq devra se forger un plan d'action, en identifiant les étapes à franchir pour parvenir là où il veut. Quels que soient ses objectifs, qu'ils concernent sa vie professionnelle, personnelle ou sociale, nul doute qu'une préparation adéquate lui permettra de les atteindre plus facilement.

La sphère du travail étant spécialement bien aspectée, le Coq devrait, fort de son savoir-faire, traquer toutes les occasions qui pourraient l'aider à progresser. Ses démarches en ce sens lui permettront d'accomplir des pas de géant.

En effet, l'année offrira au Coq la possibilité soit d'assumer des responsabilités plus importantes, et plus gratifiantes, soit d'obtenir de l'avancement ou d'être muté à un poste présentant des défis inédits. Toutefois, rappelons que pour voir se réaliser ces heureux présages, le Coq devra se tenir à l'affût des ouvertures et être disposé à prendre des initiatives. Mais en l'an 2000, tout indique que cet homme d'action ira de l'avant avec panache!

L'année s'annonce également propice pour les Coqs en quête de travail. Ils répondront bien sûr à toute offre d'emploi qui les intéresse, mais ils ne devraient pas négliger de songer aux différentes façons de tirer parti de leur expérience. En effet, s'ils osent penser en dehors des cadres conventionnels, ils pourront imaginer des avenues nouvelles méritant d'être explorées, et trouver des débouchés insoupçonnés à leurs talents, et pourquoi pas une nouvelle carrière?

Pendant cette période, le Coq s'attachera également à promouvoir ses idées : certaines d'entre elles pourraient mener à des développements plus qu'intéressants. Les augures voulant que l'année du Dragon récompense l'esprit d'entreprise, les natifs qui seront prêts à avancer des suggestions constructives les verront à coup sûr favorablement accueillies.

Le Coq a de quoi être optimiste quant à sa situation financière cette année. Elle connaîtra en effet une amélioration sensible à la suite de bonnes nouvelles comme une augmentation de salaire, un don ou d'autres circonstances avantageuses. Toutefois, cette amélioration attendra la deuxième moitié de l'année pour se manifester. Avant l'arrivée de cette manne providentielle, le Coq se gardera bien de dépenser avec abandon, sans souci du lendemain. À plus forte raison s'il doit encore verser des traites pour les petites folies de la fin de l'année du Lièvre ! Une fois plus à l'aise, le Coq réussira, en maintenant une gestion conservatrice, à mettre suffisamment de côté pour contribuer à son plan d'épargne sans pour autant que soient oubliés des projets qui lui tiennent à cœur. Ainsi, les conditions permettront-elles peut-être qu'il effectue enfin les rénovations qu'il remettait depuis un certain temps déjà, ou qu'il change de voiture ou entreprenne un voyage. Quoi qu'il en soit, il mettra son argent à meilleur usage s'il prend le temps de planifier, et d'aiguiser son crayon !

Au plan personnel, les auspices favoriseront également le Coq en cette nouvelle année, et d'heureux moments sont en perspective pour lui. Toutefois, la vie familiale sera passablement trépidante, tous les membres de la maisonnée vaquant chacun à une foule d'activités. Mais fidèle à sa nature généreuse, le Coq s'intéressera de près à ce que font ses proches, en leur portant une attention individuelle. Par ailleurs, ceux-ci ne se priveront pas de solliciter ses conseils, qu'ils apprécieront à leur juste valeur. Tel que mentionné précédemment, certains travaux ou rénovations, longtemps souhaités, seront entrepris. Même si ces projets s'avèrent plus complexes que prévu, leurs résultats auront de quoi remplir d'aise ; le Coq se félicitera des améliorations apportées tant à son confort qu'à son décor. Plusieurs Coqs étant passionnés de jardinage, ils profiteront de l'année pour agrandir ou transformer leur jardin ; ou se procurer des accessoires qu'ils diront indispensables ! Rappelons-le, les efforts que mettra le Coq pour donner corps à ses idées s'avéreront des plus féconds.

Toujours bien entouré d'amis, c'est avec enthousiasme que le Coq participera à une foule d'événements sociaux intéressants. À cet égard, la fin de l'été sera particulièrement occupée. L'an 2000 fournira aux Coqs sans attaches d'excellentes occasions de faire des rencontres, et plusieurs d'entre eux développeront des liens solides avec les nouveaux amis qu'ils se seront faits alors. L'angle amoureux étant magnifiquement aspecté, de nombreuses unions se concluront par des fiançailles et des mariages.

Les intérêts personnels et les hobbies du Coq lui vaudront d'immenses satisfactions. Sans négliger bien sûr ses obligations régulières, il verra tout de même à réserver des plages de temps afin de pouvoir les cultiver. L'an 2000 sera peut-être pour lui l'occasion de s'engager plus avant dans une de ses activités d'élection ; on pourrait aussi le voir adopter un nouveau passe-temps qui le fascine. Mais qu'il n'en doute pas, tous les moments passés à son enrichissement personnel seront un excellent moyen d'échapper temporairement à ses préoccupations.

Les voyages devraient également représenter pour le Coq une excellente source d'agrément cette année. Mais il sera tout à son avantage de consacrer le temps qu'il faut, bien avant le départ, pour préparer son itinéraire et faire les réservations nécessaires. Certains natifs du signe privilégieront les voyages à caractère culturel ou sportif tandis que d'autres choisiront des destinations exotiques qui les dépayseront.

Parmi les années chinoises, l'année du Dragon est l'une des meilleures pour le Coq, et en l'an 2000, celui-ci se verra gratifié d'heureux développements dans la plupart des secteurs de sa vie. Cependant, les aspects favorables auront peu d'effet si, d'entrée de jeu, il n'a pas une idée claire des buts vers lesquels doit tendre son action. Avec les talents et le goût de la méthode qu'on lui connaît, toutefois, cela ne devrait pas être un problème. Par contre, ce dont il doit se garder à tout prix, c'est de porter une attention par trop exclusive à une seule tâche ou une seule activité, au point de faire abstraction de celles qui sont tout aussi importantes. Enfin, il se retiendra d'être trop impatient d'obtenir des résultats. Des résultats, il en obtiendra, mais pas toujours aussi rapidement qu'il le souhaiterait! En somme, les Coqs ont des atouts majeurs dans leur jeu; en cette année du Dragon, il n'en tient qu'à eux de jouer les cartes qui leur mériteront plaisir, progrès et prospérité.

Passons maintenant aux prévisions qui se rapportent aux différents types de Coqs et, en premier lieu, au **Coq de Métal**, pour qui l'année sera significative. Fourmillant d'idées et cherchant toujours à donner le meilleur de lui-même, le natif de ce signe verra en l'année du Dragon l'amorce d'une période propice au dépassement de soi et aux progrès concrets. Avec raison, car il peut s'attendre à récolter de beaux succès! Toutefois, il veillera à demeurer réaliste dans ce qu'il entreprend; certaines de ses ambitions exigeraient pour devenir réalité qu'il possède un bagage accru et, comme il en a conscience, rien ne presse, ses aspirations ayant tout le temps de se concrétiser. Le Coq de Métal aura plutôt intérêt cette année à se doter de bases solides et à acquérir l'expérience dont il a besoin. D'ailleurs, d'excellents développements sont en vue sur le plan professionnel, qu'il occupe déjà un emploi ou qu'il soit présentement en quête d'une situation. En effet, il suffira souvent d'une occasion intelligemment exploitée pour que d'autres surgissent à leur tour. Pour bon nombre de Coqs de Métal, un changement temporaire dans la nature de leur travail sera à l'ordre du jour et cela aura d'heureuses conséquences : ils se trouveront en meilleure posture pour l'avenir, et assumeront des fonctions plus stimulantes et dans certains cas mieux rémunérées. Au demeurant, si le Coq de Métal estime qu'il serait avantagé à moyen terme en ajoutant à ses habiletés ou en approfondissant ses connaissances, l'année sera idéale pour envisager des démarches en ce sens. Les Coqs de Métal qui sont aux études, pour leur part, connaîtront également une année déterminante. Grâce à l'énergie qu'ils investiront dans leurs travaux et l'application avec laquelle ils repasseront la matière en vue des examens, ils récolteront d'impressionnants résultats. Bien sûr, une certaine discipline sera de mise, mais leurs efforts et sacrifices porteront fruits. Sur le plan personnel, l'année s'annonce tout aussi prometteuse, et le Coq de Métal retirera de grandes joies de ses rapports avec autrui. Plusieurs de ces natifs noueront des relations qui tiendront une place de choix dans leur vie ; il faut dire qu'à cet égard les aspects sont superbes, à telle enseigne que fiançailles et mariages sont à prévoir au cours de l'année. L'été se révélera particulièrement animé et, pour les célibataires, une rencontre née du hasard pourrait avoir d'heureux lendemains. À nouveau, l'année du Dragon laisse augurer des occasions exceptionnelles pour le Coq de Métal, dont certaines concourront à façonner son avenir. Cependant, étant donné ce climat de renouveau, il sera essentiel qu'il recherche l'opinion de ceux qui l'entourent, et de sa famille au premier titre, si jamais des questions personnelles, professionnelles ou financières viennent à le tracasser. Bien souvent, ils seront aptes à lui prêter secours, et le Coq de Métal pourra compter sur leur loyauté. Au plan matériel, l'année laisse présager des débuts difficiles, aussi faudra-t-il surveiller les dépenses dans les premiers temps. La situation changera graduellement pour le mieux, mais la vigilance restera de rigueur : emprunts et achats à crédit doivent tôt ou tard être remboursés, avec en sus des intérêts parfois considérables. Heureusement, bon nombre de Coqs de Métal sont d'habiles gestionnaires. Néanmoins, il serait sage que le natif de ce signe se montre prévoyant, d'autant plus que sa vie personnelle s'annonce fort active et que pourraient survenir des dépenses relatives à son logement. De surcroît, il lui faudra accorder une grande attention aux formulaires et aux lettres de nature officielle qui lui seront adressés. Advenant qu'il éprouve le moindre doute en ce qui les concerne, il fera bien d'obtenir des éclaircissements. En effet, il risque d'aller au-devant de problèmes s'il est mal renseigné ou s'il tarde à répondre. Mis à part ces avertissements, toutefois, l'année se présente sous de splendides auspices pour le Coq de Métal. Les occasions qui s'offriront à lui dans le domaine du travail contribueront à ouvrir la voie à ses projets d'avenir, tandis que sur le plan personnel, le bonheur sera au rendez-vous, avec d'excellentes perspectives amoureuses. Le Coq de Métal n'oubliera donc pas de sitôt la première année du nouveau millénaire, qui sera riche en faits positifs d'une portée considérable.

Le **Coq d'Eau** aime profiter au maximum de la vie, aussi inclut-il généralement dans son emploi du temps une foule d'activités agréables. En ce sens, l'année du Dragon l'enchantera au plus haut point. Ce natif se consacrera avec un vif plaisir à ses champs d'intérêt et loisirs, et verra aboutir certains projets entrepris l'année précédente. Pourquoi ne pas songer maintenant à réaliser quelques autres de ses plans ? Il pourrait, par exemple, visiter des lieux qui l'attirent depuis toujours, démarrer des travaux dans la maison ou dans le jardin, s'initier à un domaine qui l'intrigue, ou encore, s'atteler à une entreprise de plus longue haleine. Le cas échéant, il lui serait utile d'exposer ses projets à d'autres, car ils seront certainement en mesure d'apporter leur contribution. Mais pour cela, le Coq d'Eau doit avant tout les y inviter ! Dans l'ensemble, si l'année lui réserve nombre de possibilités attrayantes, c'est à lui que reviendra la tâche de cerner ses objectifs et de les poursuivre activement. Un avertissement, cette année, mérite d'être bien pris en note toutefois : lorsqu'il fait face à un travail physiquement exigeant, le Coq d'Eau devra user de prudence afin de minimiser les risques de blessure ; qu'il demande de l'aide et qu'il veille à faire tous les préparatifs qui s'imposent. Déployer de grands efforts s'il n'est pas au sommet de sa forme ou soulever seul des objets lourds n'est nullement recommandé. Malgré son enthousiasme débordant, il devra écouter son corps et respecter ses limites. L'un des domaines favorablement aspecté, en revanche, est celui des voyages, aussi le Coq d'Eau peut-il s'attendre à profiter pleinement de ses excursions et visites touristiques. Certains de ces natifs s'attacheront à l'exploration d'un thème particulier (recherches généalogiques, histoire locale, musées régionaux, etc.) qui rendra leurs sorties plus enrichissantes encore. De même, le Coq d'Eau trouvera gratifiant de transmettre son expérience et ses connaissances, en rencontrant des personnes qui partagent ses intérêts ou même en prenant la plume. D'une manière ou d'une autre, l'habile communicateur qu'il est s'attirera le respect. Sur les plans familial et social, l'année lui promet de superbes moments avec amis et famille. Les activités auxquelles il pourra prendre part avec d'autres le réjouiront particulièrement. À vrai dire, le Coq d'Eau attachera tout au long de l'année un grand prix au soutien et à la compagnie de son entourage. C'est avec fierté qu'il assistera aux progrès d'un plus jeune membre de la famille et, bien qu'il ne veuille pas sembler mettre son grain de sel, il ne devrait pas hésiter à prodiguer des conseils et à offrir son aide. L'intérêt qu'il témoigne, ses prévenances et sa sincérité seront chaleureusement accueillis et fort appréciés. Pour sa part, le Coq d'Eau qui souhaiterait intensifier sa vie sociale et établir de nouvelles amitiés, à la suite d'un déménagement par exemple, devra se montrer entreprenant. En se joignant à un club de loisirs ou à une autre association, il se mettra à l'abri de la solitude; les rencontres stimulantes qui l'attendent mettront à coup sûr du piquant dans sa vie. Les affaires d'argent se présentent également sous d'heureux auspices cette année. Certains Coqs d'Eau pourraient même disposer d'un supplément à leur revenu, qu'il s'agisse d'un montant d'assurance, des fruits d'un investissement ou d'un don. Bien que la nouvelle ait de quoi réjouir, une période de réflexion quant à l'emploi de cette somme serait tout indiquée. Autrement, ils risqueraient de succomber aux tentations immédiates, au lieu de l'utiliser à bon escient et de réellement en profiter. Dans l'ensemble, toutefois, les aspects de l'année s'annoncent excellents pour le Coq d'Eau, enthousiasme et satisfaction figurant au programme de sa vie personnelle, de ses intérêts et de ses voyages.

Une année heureuse attend le **Coq de Bois**, qui peut espérer une évolution positive dans plusieurs secteurs de sa vie. Dans les domaines du travail et des intérêts personnels, notamment, les aspects sont des plus favorables et laissent entrevoir pour lui de bonnes occasions de développer ses idées et de mettre ses talents à profit. L'amorce de l'année du Dragon lui apportera en effet un immense regain d'enthousiasme, l'incitant à poursuivre résolument ses buts et aspirations. Et à n'en pas douter, il fera beaucoup de chemin! Au plan professionnel, comme on l'a dit, d'intéressantes possibilités verront le jour. Qu'il soit déjà à l'emploi d'une entreprise ou qu'il cherche du travail, le Coq de Bois puisera dans sa riche expérience pour relever les défis qui lui seront présentés, ceci avec un net sentiment d'accomplissement. Certains des développements favorables pourraient surgir d'une manière inopinée (à la suite d'un bon tuyau, d'une recommandation chaleureuse ou d'une subite inspiration) mais quoi qu'il en soit, leur potentiel sera fort appréciable. Le Coq de Bois se fera un point d'honneur d'en tirer des succès ; son dynamisme tout comme son ingéniosité lui vaudront le respect des autres, qui lui offriront sans hésiter tout l'appui nécessaire. En somme, l'année du Dragon l'invitera à se surpasser, et les occasions de faire ses preuves ne manqueront pas. La remarque vaut tout autant pour les Coqs de Bois ayant opté pour une retraite anticipée : en donnant suite à certaines de leurs idées, les défis qui en découleront seront riches de gratifications. L'année s'annonce également positive sur le plan matériel, laissant même entrevoir dans certains cas une nette amélioration. Toutefois, bien qu'il jouisse d'une bonne étoile à cet égard, le Coq de Bois veillera à dépenser avec mesure. Lorsqu'il envisage quelque achat (l'acquisition d'objets mobiliers ou d'appareils ménagers par exemple) son intérêt sera de faire patiemment le tour des offres plutôt que d'agir avec précipitation. En procédant ainsi, il sera pleinement satisfait de son choix, en plus d'y trouver son compte. De surcroît, les sommes dont il n'a pas un besoin immédiat mériteraient d'être mises de côté, afin qu'elles ne se volatilisent pas comme par magie ! À l'aide d'une bonne gestion de ses affaires, le Coq de Bois jouira assurément d'une situation enviable d'ici la fin de l'année. Dans un autre ordre d'idées, les voyages en perspective lui réservent beaucoup d'agrément. Tous les natifs du signe gagneraient d'ailleurs à s'accorder des vacances cette année, soit pour retrouver un lieu de prédilection ou pour découvrir une contrée qui les attire depuis toujours. Pourquoi ne pas également saisir les occasions de revoir les amis et parents qu'il a perdus de vue ? En acceptant les invitations, le Coq de Bois aura droit à d'heureuses retrouvailles. Au chapitre de sa vie domestique et sociale, une grande activité l'attend. En réalité, il se sentira souvent indispensable tant ses conseils seront recherchés ! Sans oublier que des projets touchant à son intérieur ainsi qu'au jardin meubleront son temps. Forcément, il lui arrivera de se sentir quelque peu débordé, mais s'il établit ses priorités et fait appel aux autres dans les moments critiques, il sera fier de ce qu'il a réalisé. Enfin, l'année laissant augurer de belles réjouissances sur le plan familial, le Coq de Bois aura à cœur de contribuer aux préparatifs des célébrations. Dans sa vie sociale, l'animation prévaudra, sous la forme de nombreuses activités entre amis et d'un carnet mondain bien rempli : en bref, il y aura pour lui moult occasions de fraterniser. L'année du Dragon compte sans doute parmi les plus prometteuses pour le Coq de Bois. Moyennant des efforts clairement ciblés, le succès lui sera acquis. La chance lui sourira dans tout ce qu'il entreprend.

Voilà qu'arrive pour le **Coq de Feu** l'année tant attendue ! Une année où abonderont les possibilités nouvelles ! L'expérience accumulée, les efforts consentis, recevront enfin la reconnaissance et les récompenses qu'ils méritent. Depuis quelque temps déjà, le Coq de Feu avance lentement mais sûrement, se gagnant l'estime de son entourage, mais sans être encore pleinement satisfait ; car il sait quel est son potentiel et nourrit d'ambitieux projets. Or, à l'amorce de l'année du Dragon, le vent tournera. Divers événements raviveront son ardeur et le pousseront à l'action : il sera plus que jamais déterminé à se dépasser. Et, en effet, la fermeté, l'assurance et l'entrain qu'il manifestera le propulseront vers de nouvelles réussites. Vu ces auspices, il serait souhaitable que le Coq de Feu songe à ce qu'il désire accomplir, et ce, en tout début d'année ; de même, qu'il recherche les échanges avec d'autres, et notamment ceux qui sont bien placés pour l'aviser, avant d'entreprendre les démarches qui s'imposent. En prenant les devants, en tenant compte des pistes qui lui sont suggérées et en explorant toutes les avenues possibles — bref, en ne craignant nullement de remuer ciel et terre pour avancer — il atteindra de nouveaux sommets. La période allant du mois de janvier (le dernier mois de l'année du Lièvre) jusqu'à la mi-avril pourrait s'avérer particulièrement riche en faits positifs sur le plan professionnel. Le Coq de Feu aura toutes les chances de se mettre en valeur et retirera de son travail d'énormes satisfactions. Les conditions seront également favorables à une promotion énergique de ses idées, notamment celles qu'il mûrit depuis quelque temps déjà. Bien souvent, ses collègues et supérieurs y réagiront avec enthousiasme, et ses plans pourraient prendre un essor significatif au fil des mois. Par ailleurs, les progrès réalisés l'avantageront sur le plan matériel, quoique les effets bénéfiques se feront sentir davantage vers la fin de l'année. Ce changement de fortune décidera bon nombre de Coqs de Feu à se permettre des rénovations ou même à déménager. Un conseil toutefois : avant d'engager une somme substantielle, mieux vaudra connaître à fond les tenants et les aboutissants de l'affaire. Gare aux décisions prises à la légère ! Pour leur part, ceux des natifs qui forment le projet d'un changement de résidence devront être prêts à y mettre le temps, car leurs recherches pourraient se révéler plus longues qu'ils ne l'espéraient ; mais, une fois déniché le logement de leur rêve, ils se féliciteront de leur patience. De surcroît, étant donné les rentrées d'argent supplémentaires dont jouira le Coq de Feu, il serait sage d'en investir ou d'en épargner la portion dont il n'a pas un besoin immédiat. Un placement judicieux de son capital constituera un atout de taille pour l'avenir. Si l'on considère toute l'activité qui régnera dans plusieurs sphères de la vie du Coq de Feu, force est de constater qu'il lui restera peu de temps pour ses loisirs. Il ne devra pourtant pas les négliger. En plus d'être pour lui une source de réel plaisir, ils lui offriront de précieux moments de détente qui dissiperont momentanément ses soucis quotidiens. Le cas échéant, il pourrait trouver opportun de se consacrer plus à fond à l'un de ses passe-temps, quitte à en faire une activité semi-professionnelle ; dans cette optique, pourquoi ne pas envisager de parfaire ses habiletés et d'en promouvoir les fruits ? À noter que l'année du Dragon s'annonce prometteuse pour les natifs ayant des aptitudes artistiques et manuelles. Les tendances favorables de l'année s'étendront aussi au chapitre des relations humaines. Le Coq de Feu pourra compter sur le soutien de ses proches, et les beaux moments passés en leur compagnie lui seront des plus bienfaisants. Il y aura également matière à célébration cette année (fiançailles ou mariage dans la famille, naissance d'un petit-enfant) et, quel que soit l'événement, il marquera d'un sceau heureux le nouveau millénaire. Cependant, malgré le bonheur que lui procurera sa vie intime, le Coq de Feu se verra à l'occasion un peu trop accaparé, entre autres par les nombreuses questions domestiques dont il a la responsabilité. S'il fait face à une montagne d'obligations et se demande par où commencer, cela signifiera que le moment est venu d'appeler au secours ! Et assurément, pour peu qu'il en fasse la demande, le secours viendra. Au plan de sa vie sociale, le Coq de Feu peut s'attendre à retrouver avec un vif plaisir de vieux amis, ainsi qu'à établir de nouvelles relations. Pour les célibataires, pourrait figurer à l'ordre du jour une rencontre fortuite susceptible de transformer leur vie! L'année du Dragon comporte des aspects puissants et décisifs, qui donneront au Coq de Feu les chances qu'il attend depuis longtemps. Avec tout ce qui l'avantage — talent, personnalité, ambition, détermination — le Coq de Feu pourrait cette année récolter des succès spectaculaires.

Une année palpitante et féconde attend le **Coq de Terre**. Dans sa vie intime, il aura tout pour être heureux; les liens privilégiés qu'il a tissés avec son entourage continueront de lui procurer de grandes joies, et c'est avec enthousiasme qu'il secondera ses proches dans leurs projets. Il ne sera pas peu fier, d'ailleurs, des succès qu'ils remporteront. De plus, il constatera que les activités en famille font le bonheur de tous, aussi devrait-il mettre l'accent cette année sur les projets domestiques communs et les passe-temps partagés. Ses initiatives contribueront à entretenir l'atmosphère de complicité à laquelle il tient tant, sans compter que la rencontre des talents et habiletés bonifiera les résultats. Le Coq de Terre se montrera également fort généreux de son aide à l'endroit d'un parent plus âgé, qui lui sera très reconnaissant de ses attentions. S'il ne mesure pas toujours à quel point sa présence importe aux yeux des siens, non plus que l'étendue de leur affection, cela lui sera clairement révélé cette année. Par ailleurs, le Coq de Terre mènera une vie sociale agréable. Il faut convenir que celle-ci ne revêtira pas le rythme trépidant de certaines années passées, étant donné les nombreux autres engagements qui requerront son attention et son temps. Il ne négligera pas pour autant ses amis, avec qui il passera de beaux moments, et sera convié à d'intéressantes activités mondaines. Des perspectives de rencontres se feront également jour, et une amitié nouvelle pourrait se révéler profitable dans un avenir prochain. Au plan du travail, des tendances positives se dessinent nettement. Avec la nouvelle année, beaucoup raffermiront leur volonté de déployer tous les efforts possibles pour grimper les échelons et mettre à profit leur expérience. Et sous cet angle, la route du succès leur sera ouverte. Tout au long de l'année, le Coq de Terre cherchera à détecter les occasions qui concordent avec ses aspirations ; de plus, il lui est conseillé de faire le tour des entreprises et organismes susceptibles d'offrir des débouchés à ses compétences. Le bagage qu'il a acquis s'avérera payant, de même que l'esprit d'initiative et la persévérance dont il fera preuve : pour bien des natifs, une situation meilleure est en vue, qui concourra à préparer de superbes lendemains. La remarque s'applique aussi bien à ceux qui envisagent une nouvelle orientation professionnelle ou qui sont actuellement sur le marché de l'emploi. En réalité, l'année du Dragon regorge de promesses ; pour en profiter, le Coq de Terre devra poursuivre ses objectifs armé d'un programme d'action stratégique. Dans le même ordre d'idées, il gagnera à saisir les occasions de formation qui surgissent, afin d'avoir de meilleures cartes dans son jeu. À titre d'exemples, il pourrait trouver à la fois avantageux et stimulant de parfaire ses connaissances en informatique, d'apprendre une langue étrangère ou de développer ses habiletés administratives ; bref, de consacrer du temps à tout aspect de son travail pour lequel il se reconnaît des lacunes. Sur le plan des finances, en revanche, les auspices s'annoncent mitigés. La nouvelle année apportera souvent son lot de factures, dont certaines élevées ; par conséquent, saine gestion et esprit d'économie seront de rigueur. La situation ira en s'améliorant, mais l'éventualité d'autres dépenses importantes restera bien réelle ; celles-ci pourraient toucher aux appareils ménagers, aux biens mobiliers, au transport et aux frais généraux. Aussi afin de garder la situation en main le Coq de Terre aura-t-il intérêt à surveiller de près ses débours et à tenir une comptabilité très régulière. À l'aide d'une bonne planification financière, il s'évitera des difficultés et profitera des rentrées d'argent supplémentaires : assurément, sa vigilance sera récompensée. Dans l'ensemble, donc, le Coq de Terre peut s'attendre à une année constructive. Les occasions dont il saura tirer parti sur le plan professionnel lui permettront d'avancer à grands pas, tandis que sa vie personnelle sera sous le signe du bonheur.

Coqs célèbres

Francis Bacon, Dame Janet Baker, Severiano Ballesteros, Jean-Paul Belmondo, Georges Brassens, Michael Caine, Enrico Carruso, Jean Chrétien, Eric Clapton, Joan Collins, Daniel Day Lewis, Sacha Distel, Gloria Estefan, William Faulkner, Mohamed Al Fayed, Benjamin Franklin, Steffi Graf, Melanie Griffith, Goldie Hawn, Katherine Hepburn, Michael Heseltine, Quincy Jones, Alain Juppé, Diane Keaton, Dean Koontz, D. H. Lawrence, Steve Martin, James Mason, W. Somerset Maugham, Bette Midler, Caroline de Monaco, Yves Montand, Van Morrison, Willie Nelson, Yoko Ono, Michelle Pfeiffer, Priscilla Presley, Nancy Reagan, Joan Rivers, Sir Harry Secombe, Johann Strauss, Sir Peter Ustinov, Richard Wagner, Neil Young.

Le Chien

10 février 1910 au 29 janvier 1911	Chien de Métal
28 janvier 1922 au 15 février 1923	Chien d'Eau
14 février 1934 au 3 février 1935	Chien de Bois
2 février 1946 au 21 janvier 1947	Chien de Feu
18 février 1958 au 7 février 1959	Chien de Terre
6 février 1970 au 26 janvier 1971	Chien de Métal
25 janvier 1982 au 12 février 1983	Chien d'Eau
10 février 1994 au 30 janvier 1995	Chien de Bois

LA PERSONNALITÉ DU CHIEN

Et surtout, ne croyez jamais que vous êtes moins bon
que les autres. Personne ne doit se dire cela.
Parce que selon moi, la perception qu'on a de soi-même
détermine en général celle que les autres ont de nous.

ANTHONY TROLLOPE, un Chien

Le Chien naît sous les signes de la loyauté et de l'inquiétude. Il est ferme dans ses principes et c'est un être aux opinions arrêtées. Défenseur de toutes les bonnes causes, il abhorre toute forme d'injustice et ne ménage rien pour venir en aide aux moins choyés que lui. Son sens du fair-play et sa probité ne se démentent jamais.

Le Chien est direct et s'exprime sans détour. Comptez sur lui pour aller droit au but car il déteste l'équivoque. Entêté à l'occasion, il donne cependant aux autres la chance d'exposer leurs vues ; il se veut aussi équitable que possible dans ses décisions. Libéral de ses conseils, il sera le premier à offrir ses services en cas de besoin.

Le Chien inspire confiance en toutes circonstances, et nombreux sont ceux qui admirent son intégrité et son approche résolue. C'est un excellent juge de caractère : en un clin d'œil, il arrive à se former une impression très juste des personnes qu'il rencontre. Grâce à son intuition, il prévoit souvent longtemps à l'avance la tournure des événements.

Alors que son abord amical et chaleureux pourrait laisser croire que le Chien est très sociable, en fait il déteste les réceptions mondaines et les grands groupes ;

il leur préfère les repas entre amis et les entretiens au coin du feu. Avec lui, la conversation ne languit jamais, et souvent il la pimente d'anecdotes ou d'histoires amusantes livrées avec l'art du raconteur. Il a la répartie vive et l'esprit toujours en éveil.

Le Chien sait rester calme dans les moments critiques, et bien qu'il soit tout sauf tiède, ses colères sont généralement de courte durée. Constant dans ses affections, c'est un être auquel on peut se fier. Toutefois, si jamais il se sent trahi ou rejeté, attention : il a la mémoire longue et le pardon difficile !

En ce qui concerne ses intérêts, ils ont tendance à être très ciblés. Ainsi préfère-t-il se spécialiser pour devenir expert dans un domaine particulier car il n'a rien du touche-à-tout. Étant donné son grand souci des autres, les professions où prime l'élément humain, tels le service social, la médecine, le droit ou l'enseignement, lui conviennent en général très bien. Il a toujours besoin d'un but précis vers lequel faire tendre ses efforts, sans quoi il risque de végéter sans accomplir rien qui vaille. Cependant, une fois qu'il sait où canaliser son ardeur, peu d'obstacles lui résistent.

Le Chien est facilement inquiet et porte sur les choses un regard plutôt pessimiste. Bien souvent ses craintes sont sans fondement. En fait, il est lui-même son propre bourreau ; mieux vaudrait qu'il essaie de se défaire de cette tendance qui lui nuit.

Il n'est ni matérialiste ni particulièrement motivé à amasser une grande fortune. Du moment qu'il réussit à bien faire vivre sa famille, et qu'il peut s'offrir un peu de superflu à l'occasion, il est satisfait. Si d'aventure il se retrouve avec un surplus d'argent, il a tendance à dépenser sans compter et quelquefois sans discernement. Peu doué pour les opérations financières, il serait préférable qu'il consulte des experts avant de s'engager dans un investissement à long terme.

En dépit de ses grandes qualités, le Chien n'est pas toujours facile à vivre. D'humeur changeante, il se montre exigeant, envers lui-même comme envers les autres, mais le bien-être des siens passe toujours en premier et il ne ménage rien pour le leur assurer. Il s'entend particulièrement bien avec les natifs du Cheval, du Cochon, du Tigre et du Singe, et peut également connaître une relation harmonieuse avec le Rat, le Bœuf, le Lièvre, le Serpent ou un autre Chien. Par contre, le Dragon se révèle souvent trop flamboyant à son goût, tandis que la Chèvre imaginative le déconcerte, et le Coq naïf l'irrite au plus haut point.

La femme Chien est reconnue pour sa beauté. Chaleureuse et bienveillante de nature, elle se montre toutefois secrète et réservée avec ceux qu'elle connaît peu. Son intelligence est remarquable, et elle cache facilement sous des dehors calmes et tranquilles une ambition considérable. C'est une sportive qui aime la vie au grand air. On la qualifie fréquemment de dénicheuse d'aubaines : son flair pour les bonnes affaires est étonnant. Elle s'impatiente facilement lorsque les événements ne se déroulent pas à sa guise.

En général, le Chien sait s'y prendre avec les enfants, et son dévouement et sa nature affectueuse en font un bon parent. Rarement est-il plus heureux que lorsqu'il se sent utile, que ce soit à l'égard d'une personne ou de la société. Si seulement il parvient à moins s'inquiéter, il trouvera que la vie lui réserve de grandes satisfactions, entre autres celles d'être entouré de bons amis et de semer le bien autour de lui.

Les cinq types de Chiens

Aux douze signes du zodiaque chinois viennent s'ajouter cinq éléments qui les renforcent ou les tempèrent. Les effets de ces cinq éléments sont décrits ci-après, accompagnés des années au cours desquelles ils exercent leur influence. Ainsi, les Chiens nés en 1910 et 1970 sont des Chiens de Métal, ceux qui sont nés en 1922 et 1982, des Chiens d'Eau, etc.

Le Chien de Métal (1910, 1970)

Le Chien de Métal est audacieux, direct et sûr de lui. C'est avec une grande détermination qu'il entreprend tout ce qu'il fait. Confiant quant à ses capacités, il n'hésite pas à se prononcer ou à défendre une cause qui lui tient à cœur. Il semble parfois austère, et les contretemps qui surviennent sont prompts à l'irriter. Ses intérêts ont tendance à être très circonscrits : en diversifier l'éventail et s'impliquer davantage dans des activités de groupe serait tout à son profit. En amitié, il est d'une loyauté qui ne se dément pas.

Le Chien d'Eau (1922, 1982)

Le Chien d'Eau a une personnalité franche et extravertie. Il possède un réel talent de communicateur et persuade aisément les autres de se rallier à ses plans. Toutefois, on ne peut nier sa nature quelque peu insouciante ; il lui arrive en effet de manquer de discipline ou de rigueur en certains domaines. D'une grande générosité à l'égard de sa famille et de ses amis, il aime s'assurer qu'ils ne manquent de rien, mais il contrôle parfois mal ses dépenses. Le Chien d'Eau a un don avec les enfants et il jouit d'un large cercle d'amis.

Le Chien de Bois (1934, 1994)

Le Chien de Bois a tout du travailleur acharné et consciencieux. Il fait bonne impression partout où il va. Moins indépendant que les autres types de Chiens, il préfère le travail en équipe au travail solitaire. Il jouit d'une grande popularité et possède un excellent sens de l'humour; il s'intéresse avidement aux activités de son entourage. Amateur de raffinement, c'est avec une âme de collectionneur qu'il s'intéresse aux tableaux, aux meubles anciens, aux timbres ou à la monnaie. S'il a le choix, il préfère généralement vivre à la campagne plutôt qu'en ville.

Le Chien de Feu (1946)

Le Chien de Feu possède une nature démonstrative et il se lie d'amitié avec une étonnante facilité. C'est un travailleur honnête et consciencieux, qui aime prendre une part active à tout ce qui se passe autour de lui. Les idées nouvelles aiguisent son intérêt et, bien épaulé par l'appui et les conseils de son entourage, il trouvera souvent le succès là où d'autres ont échoué. Notons toutefois chez lui une certaine tendance à l'entêtement; s'il arrive à la maîtriser par ailleurs, rien ne devrait empêcher le Chien de Feu de connaître fortune et renommée.

Le Chien de Terre (1958)

Le Chien de Terre est talentueux et plein d'astuce. L'esprit de méthode et l'efficacité qu'il déploie au travail font qu'il peut aller loin dans la profession qu'il choisit. Plutôt calme et réservé, d'apparence habituellement très soignée, il est très persuasif et sait arriver à ses fins sans trop susciter d'opposition. C'est un être bon et généreux, toujours prêt à aider ses semblables et qui jouit de l'estime de ses collègues et amis.

Perspectives du Chien pour l'an 2000

La nouvelle année chinoise commence le 5 février 2000. Jusque-là donc, c'est l'année précédente, celle du Lièvre, qui fait sentir sa présence.

L'année du Lièvre (du 16 février 1999 au 4 février 2000) aura été une année favorable pour le Chien. Pour profiter au maximum de ce qu'il en reste, il aura intérêt à bien identifier ses objectifs. Sinon, il risque de gaspiller temps et énergie à sauter d'une activité à l'autre.

La vie personnelle du Chien sera particulièrement active. Très sollicité, il devra établir ses priorités et concentrer ses efforts. Cela pourrait vouloir dire refuser des engagements à l'occasion, pour éviter d'être débordé. Ou reporter quelques tâches ou projets. Mais ne serait-ce pas préférable au fait de s'imposer une pression qui empêche de jouir de la vie ? De toutes façons, si jamais la marmite bout trop fort, il ne devrait pas hésiter à demander de l'aide.

Vers la fin de l'année, la vie sociale du Chien sera fort animée, peuplée de rencontres, de réceptions et de fêtes entourant Noël et la célébration du millénaire. Il recevra également des invitations à visiter famille et amis, dont certaines exigeant qu'il se déplace parfois assez loin ; toutes celles qu'il pourra accepter s'avéreront particulièrement agréables. De même, tout voyage qu'il entreprendra alors se fera sous d'heureux auspices.

L'année du Lièvre est également positive en ce qui a trait au travail, si bien qu'au cours des mois le Chien aura eu l'occasion d'enrichir son bagage d'expérience tout en faisant beaucoup pour impressionner son entourage. Quant aux Chiens actuellement en recherche d'emploi ou pressés de prendre du galon, les derniers mois de l'année devraient leur être spécialement propices. S'ils demeurent à l'affût des occasions, ils pourraient se voir bien récompensés de leurs efforts.

Au chapitre des finances toutefois, ces derniers mois entraîneront pour le Chien un surcroît de dépenses liées en particulier à toutes les activités du temps des fêtes. C'est pourquoi il serait sage de surveiller les cordons de la bourse et, si possible, d'étaler certains frais.

Dans l'ensemble donc, la fin de l'année du Lièvre réserve au Chien de l'action et beaucoup de plaisir.

L'année du Dragon, qui commence le 5 février, ne sera pas de tout repos pour le Chien. Il devra accepter que les choses ne se déroulent pas exactement comme prévu et, par conséquent, il pourrait être amené à modifier certains de ses plans. Toutefois, même si elle n'est pas des plus faciles, cette année du Dragon peut néanmoins avoir une portée significative sur son avenir.

Sur le plan du travail, nombreux seront les Chiens qui auront pu faire de beaux progrès au cours des derniers trimestres : pour eux, le moment sera venu de consolider leurs acquis, ou de se familiariser avec leurs nouvelles tâches s'ils occupent une fonction différente. Pendant les mois à venir, si de nouvelles propositions ou des changements sont à l'étude, le Chien fera bien de s'en tenir informé et, dans un esprit d'ouverture, de faire preuve de souplesse pour s'y adapter. L'année réclamera de lui tact et prudence ; ce ne sera pas le moment de faire des vagues, quelles que soient les réserves qu'il éprouve à l'égard des développements en cours. Il pourrait de plus se voir confier des responsabilités qu'il n'a jamais assumées auparavant. Dans ce contexte exigeant, nul doute que les efforts mis à relever ces défis seront remarqués par ses supérieurs, et que les compétences qu'il acquerra s'avéreront précieuses : deux atouts de plus dans son jeu! Car pour difficile qu'elle soit, l'année promet des bénéfices considérables à long terme.

En l'an 2000, une réflexion sérieuse sur son avenir arriverait également à point nommé pour le Chien. En débattant de la question avec des personnes de bon conseil, il arrivera sans doute à déterminer quelle direction il veut imprimer à sa carrière, et quel type d'avenues devraient être empruntées. Par ailleurs, s'il juge que son expérience ou ses compétences sont insuffisantes, ce sera le temps d'y voir. En effet, il faut considérer l'année du Dragon comme une étape préparatoire aux avancées que fera le Chien en 2001 et au-delà.

Cela s'applique aussi aux Chiens qui cherchent du travail. Tout cours de formation qu'ils pourront suivre — s'il est subventionné, tant mieux — leur apporterait probablement le supplément de connaissances ainsi que les contacts aptes à faciliter l'obtention d'un poste. Cependant, que cette formation soit possible ou non, ces Chiens devraient demeurer à l'affût des ouvertures possibles; une situation qu'on leur proposera au cours de l'année aura toutes les chances d'offrir un excellent potentiel.

Inévitablement, le Chien, soit en quête d'emploi ou déjà en poste, aura envie de baisser les bras lorsque la partie lui semblera trop dure. Qu'il garde espoir cependant : les influences contraires ne sont que passagères. De plus, c'est en affrontant les défis sans se laisser distraire de ses objectifs, qu'il fera en sorte que la situation tourne à son avantage dans un proche avenir. Car enfin, n'est-ce pas généralement la norme que le progrès ou la réussite exige une période de préparation et d'ajustement préalable? Et quelquefois même, ne faut-il pas reculer pour mieux sauter? C'est donc dans ce contexte qu'aura à naviguer le Chien; mais au sortir de l'année du Dragon, qu'il soit tranquille, il aura regroupé ses forces en vue d'atteindre ses buts.

Dans les passes ardues, le Chien fera bien de se rappeler que dans son entourage, nombreux sont ceux qui peuvent l'aider et le soutenir ; c'est sans hésiter qu'il devra faire appel à eux. Leurs propos sauront le rassurer et le guider. Une chose est certaine, le Chien doit s'abstenir de broyer du noir et d'imaginer des scénarios catastrophiques : un fardeau partagé est déjà plus léger !

En matière d'argent, le Chien devra faire montre de prudence tout au cours de l'année, et surveiller ses dépenses en particulier. Il pourrait s'en repentir s'il prend des risques inutiles ou tente de vivre au-dessus de ses moyens. De même évitera-t-il de s'engager dans des transactions dont il ne comprend pas à fond tous les détails ; en cas de doute, qu'il consulte un expert. Tous les documents ou formulaires relatifs aux impôts ou à d'autres questions importantes mériteront aussi d'être traités avec minutie ; toute correspondance négligée pourrait jouer contre lui.

Toutefois, fort des mises en garde qui précèdent et bien armé de prudence, le Chien sera en mesure de prévenir bon nombre de problèmes et de minimiser les effets de ceux qu'il ne peut éviter.

Par ailleurs, sans nier que le Chien ne vivra pas dans le meilleur des mondes en l'an 2000, il connaîtra tout de même bien des moments plaisants. Ses intérêts personnels, par exemple, seront source de grand contentement ; ce sera important de réserver du temps pour les cultiver. Non seulement serviront-ils de dérivatif à ses préoccupations, mais ils fourniront également au Chien une détente salutaire. Ainsi, une forme d'artisanat quelconque qui l'amènera à dessiner ou fabriquer des objets, ou même un passe-temps tout à fait nouveau pour lui, s'avérera un excellent divertissement. Mais peu importe l'activité choisie, s'il fait quelque chose de gratifiant dans ses temps libres, le Chien en ressentira une immense satisfaction.

Dans le même ordre d'idées, il devra s'assurer de faire une pause vacances au cours de l'année. Pour le repos, bien sûr, mais aussi — le chapitre des voyages jouissant d'aspects favorables — pour le plaisir à retirer des endroits visités, surtout ceux pouvant être occasion de dépaysement.

Les relations du Chien avec ses proches auront de quoi le rendre heureux. Tout au long de l'année, leur soutien indéfectible sera très réconfortant, et les activités qu'il partagera avec eux, riches d'agrément. Peut-être ces activités seront-elles la concrétisation des projets que le Chien se promettait d'entreprendre, comme par exemple des travaux d'embellissement ou de rénovation apportés au domicile, et dont les résultats feront la joie de la maisonnée.

Avec la bienveillance qu'on lui connaît, le Chien portera un intérêt particulier aux faits et gestes de ceux qui l'entourent, et les conseils qu'il pourra leur prodiguer seront appréciés, à n'en pas douter.

Sa vie familiale s'annonce généralement harmonieuse. Toutefois, pour être sûr qu'elle le demeure, le Chien devra épargner aux siens de faire les frais des contretemps qu'il subit à l'extérieur. Un moyen d'éviter cela? Accepter de s'ouvrir de ses soucis et en discuter franchement pourrait empêcher un piston de sauter!

Quant à la vie sociale du Chien, elle laisse présager nombre de réunions sympathiques entre amis et plusieurs occasions d'en élargir le cercle. Au chapitre des affaires de cœur, il sera conseillé au Chien de laisser à toute amitié de fraîche date le temps de se développer graduellement, sans brusquer les choses. Donner à chacun le loisir de bien connaître l'autre permettra d'établir une relation sur des bases solides. Des liens prometteurs pourraient donc être à l'horizon, mais patience et prudence seront de mise dans les premiers temps.

En résumé, l'année du Dragon représentera pour le Chien une étape de croissance personnelle. Les situations épineuses le révéleront à lui-même : ses forces, ses faiblesses, ses intérêts réels, tout cela, il sera amené à l'identifier avec clarté. L'expérience ainsi acquise, tant sur le plan intime que professionnel, servira à préparer la voie aux succès qu'il connaîtra dans l'année du Serpent.

Passons maintenant en revue les prévisions qui concernent les différents types de Chiens. Cette année se révélera capitale pour le **Chien de Métal**, malgré les difficultés auxquelles il se heurtera dans certains domaines. Ses accomplissements, de même que les décisions qu'il prendra, influeront considérablement sur son avenir. L'année du Dragon marquera en effet un point tournant pour ce natif, dans la mesure où elle précipitera les changements dont dépendent ses progrès futurs. Dans le secteur du travail, le Chien de Métal devra user de circonspection. Bien que sa diligence continuera de lui valoir l'estime de son entourage, il pourrait se trouver déstabilisé par les transformations qui toucheront son environnement ; il s'agira, par exemple, du renouvellement d'une partie du personnel, ou encore, du lancement de nouveaux projets. Son intérêt sera de surveiller les choses de près, tout en faisant montre de souplesse. L'intransigeance est évidemment à proscrire ! Par ailleurs, le cours des événements incitera le Chien de Métal à faire le point sur sa situation ; dans bien des cas, il sera enclin à mettre le cap sur de nouveaux horizons, en cherchant à obtenir une promotion, en briguant un nouveau poste, ou encore en changeant de type d'emploi. Toutefois, ce ne sera pas une mince affaire, et il y faudra du temps. De plus, sous peine d'agir malencontreusement, le Chien de Métal gagnera à considérer attentivement la direction qu'il souhaite donner à sa carrière. Il trouvera salutaire à cette fin d'examiner ses options avec des personnes aptes à le conseiller, tel le titulaire d'un poste analogue à celui qu'il convoite. Bien qu'il soit désireux d'aller de l'avant, le Chien de Métal ne devra pas s'engager trop hâtivement, ni s'attendre à des résultats instantanés. Cependant, une fois qu'il aura déterminé le chemin qui lui convient, il pourra activement se mettre en quête des occasions propices, en y donnant suite avec méthode et ténacité. Pour bon nombre de ces natifs, les perspectives d'arriver à bon port sont excellentes : à noter que leur détermination sera un facteur clé. Les Chiens de Métal qui sont sans emploi au début de l'année du Dragon devront également viser à profiter des ouvertures qu'ils repèrent ; mais, à nouveau, une réflexion sur la progression souhaitée à plus long terme s'imposera. S'ils sont en mesure de se doter d'une formation qui servirait leurs fins, ils auront tout intérêt à entreprendre les démarches que cela implique. De même, ils pourraient bénéficier de pistes et conseils utiles en communiquant avec certaines entreprises ou associations professionnelles. Pour tout dire, l'année du Dragon laisse entrevoir pour eux un renouveau dans leur carrière, qui promet dans bien des cas d'être réellement excitant. Côté finances, par contre, il faudra s'en tenir à la prudence. À plusieurs reprises cette année, le Chien de Métal fera face à des dépenses substantielles, se rattachant notamment à sa résidence et à des voyages, aussi devra-t-il se constituer des réserves et garder l'œil sur son budget. Grâce au temps consacré à la gestion de ses affaires, il s'épargnera des difficultés, bien sûr, mais il emploiera également ses ressources d'une manière plus judicieuse. Sur le plan personnel, le Chien de Métal sera passablement occupé cette année, d'autant que ses proches recourront souvent à ses conseils et à son aide. Il peut s'attendre à ce que ses attentions bienveillantes tout comme son esprit de discernement soient appréciés à leur juste valeur. Mais attention, s'il cumule les activités personnelles, familiales et domestiques, il risque quelquefois de ne plus savoir où donner de la tête. Mieux vaudra alors qu'il clarifie ses priorités au lieu d'essayer de tout mener de front. Soit, cela signifiera peut-être renoncer à certains projets, mais où est le plaisir lorsqu'il faut toujours courir ? En dépit de la grande animation qui aura cours dans sa vie personnelle, l'année réserve au Chien de Métal de splendides moments en compagnie de famille et amis. L'amour, l'affection et le soutien qui lui seront manifestés seront une grande source de réconfort. S'il parvient également à réserver un peu de temps à ses loisirs favoris, il en ressentira à coup sûr les effets bienfaisants. Dans le même ordre d'idées, des vacances mériteront de figurer à son agenda, car elles lui offriront de précieuses occasions de détente et de dépaysement. Dans l'ensemble, bien que l'année laisse présager quelques heurts, elle aura l'immense avantage d'inciter le Chien de Métal à faire le bilan de sa situation. Les changements qu'il choisira d'apporter à sa vie favoriseront ses perspectives d'avenir, le mettant dans le droit fil du succès pour les prochaines années.

Le **Chien d'Eau** connaîtra une année significative. C'est souvent avec de grands espoirs, et parfois avec des idées très arrêtées quant à ses objectifs, qu'il abordera le nouveau millénaire. Certaines de ses aspirations, notamment celles qui ont trait à sa vie personnelle, se réaliseront ; mais d'autres secteurs pourraient lui réserver des déceptions, ce qui exigera qu'il réexamine ses plans. Ainsi, sa vie professionnelle ne prendra pas nécessairement la tournure qu'il envisageait. Bien que le Chien d'Eau soit impatient d'apporter sa contribution, en mettant à profit ses compétences, ses habiletés et ses idées, il s'apercevra que faire déboucher ses ambitions ne va pas toujours de soi. Dans certains cas, la conjoncture n'y sera tout simplement pas favorable, mais il arrivera également que l'obstacle (à l'obtention d'un poste, par exemple) tienne à un manque de bagage ou de formation. Aussi lui faudra-t-il se fixer des objectifs réalistes en l'an 2000 ; le Chien d'Eau est encore jeune, il a donc tout le temps d'arriver à ses fins. Pour l'instant, il lui est recommandé de prendre de l'expérience et, qu'il ait un emploi ou non, de saisir les offres qui se présentent, même si elles diffèrent de ce qu'il avait en tête. Celles-ci lui permettront de se faire la main et d'acquérir de précieuses connaissances, sans compter que plusieurs natifs pourraient par la même occasion se découvrir des aptitudes et des forces insoupçonnées, voire même une vocation ! En bref, si l'année laisse augurer quelques déconvenues, elle présentera néanmoins des avantages d'une portée considérable. Tous les Chiens d'Eau devront donc se montrer prêts à profiter au maximum des circonstances qui leur échoient. Pour leur part, les natifs qui poursuivent des études auront à passer d'importants examens cette année. Afin de mettre toutes les chances de leur côté, il leur faudra se consacrer à leurs travaux avec assiduité et méthode, ainsi que soigneusement réviser la matière. Qu'ils n'attendent surtout pas à la dernière minute ! En guise de motivation, le Chien d'Eau trouvera sans doute utile de garder ses objectifs d'avenir à l'esprit, en sachant que les efforts consentis aujourd'hui joueront en sa faveur ultérieurement. De plus, si la possibilité de suivre un stage de formation professionnelle survient, ou s'il juge que l'apprentissage de quelque technique l'avantagerait, il fera bien de se renseigner sur la marche à suivre à cet égard. Encore une fois, tous les outils dont il peut se doter dès maintenant constitueront de précieux atouts pour l'avenir. Côté finances, vigilance et modération seront de mise. En effet, les tentations ne manqueront pas! Le Chien d'Eau devra parfois y résister, budget oblige. Les achats importants tout comme les engagements qu'il envisage de contracter mériteront donc mûre réflexion cette année. Au plan des relations humaines, l'an 2000 s'annonce riche de développement intéressants. Le Chien d'Eau peut s'attendre à passer de très bons moments avec ses amis, dans le cadre de soirées ou d'autres activités. Les rencontres seront également favorisées, et pour plusieurs natifs des perspectives amoureuses se feront jour, notamment dans le deuxième semestre. Si la vie sociale du Chien d'Eau se présente sous de bons auspices, sa vie familiale, en revanche, ne sera pas exempte de frictions ni de divergences d'opinions. Il sera essentiel alors qu'il cherche un terrain d'entente, en expliquant son point de vue tout se montrant ouvert à celui des autres. Une telle attitude concourra à dissiper les tensions. Le Chien d'Eau gagnera également à se rappeler que, même s'il est parfois en désaccord avec ses proches, son bonheur et ses intérêts leur tiennent réellement à cœur. Qu'il veille donc à préserver l'harmonie! Malgré l'attention dont il lui faudra faire preuve sur ce plan, il retirera de sa vie familiale de grandes joies. Ainsi, il verra assurément ses progrès et réussites (scolaires notamment) applaudis par les siens, et certains événements heureux donneront lieu à des réjouissances fort agréables. Par ailleurs, l'appel du voyage se fera également entendre cette année, et bien des Chiens d'Eau s'émerveilleront des nouveaux lieux qu'ils auront la chance de visiter. Dans l'ensemble, l'année du Dragon se révélera donc relativement satisfaisante. Bien que certains projets risquent d'achopper, il y aura aussi beaucoup de plaisir en perspective, notamment en ce qui concerne les activités sociales. De plus, l'expérience et les qualifications qu'acquerra le Chien d'Eau joueront un rôle prépondérant dans ses succès à venir.

Le **Chien de Bois** connaîtra une assez bonne année, quoiqu'il devra user de vigilance dans certaines sphères de sa vie. Ainsi, au chapitre de ses affaires personnelles, et pensons plus particulièrement à la correspondance et aux formulaires relatifs aux impôts, les aspects laissent conjecturer quelques difficultés. Afin de s'en prémunir, le Chien de Bois traitera ces documents avec application et promptitude. Si d'aventure il éprouve des doutes sur certains points, il devra impérativement obtenir des explications supplémentaires. Il pourrait en effet lui être préjudiciable de courir des risques ou de ne pas respecter les délais. De plus, pour bon nombre de ces natifs, des achats importants sont en vue (équipement électronique, ameublement, etc.) et, là encore, les transactions mériteront un soin particulier. Il sera sage de prendre connaissance de toutes les clauses des contrats, des modalités de paiement et, dans le cas d'un achat à crédit, des conditions de remboursement. Prenez bonne note du conseil, Chiens de Bois : soyez minutieux et conservez en lieu sûr les reçus, garanties, ententes, bref toutes les pièces dont vous pourriez avoir besoin ultérieurement. En revanche, la période s'annonce propice au domaine des loisirs et intérêts personnels, qui réservent au Chien de Bois de vives satisfactions. Les natifs dont les passe-temps sont de nature artistique peuvent s'attendre à tirer une grande fierté de leurs réalisations, qui mériteraient d'ailleurs d'être présentées à un public plus large. Pourquoi ne pas participer à un concours ou à une exposition ? L'appréciation d'autrui les motivera certainement à aller plus loin. Dans le même ordre d'idées, le Chien de Bois aurait avantage à fréquenter des personnes partageant ses intérêts ; à coup sûr, les échanges avec d'autres amateurs se révéleront aussi utiles qu'agréables, en plus de favoriser les nouvelles amitiés. Les activités de plein air se présentant également sous d'heureux auspices cette année, les passionnés de jardinage, de sports et de voyages seront comblés. Il convient toutefois d'adresser une mise en garde aux jardiniers et bricoleurs : qu'ils fassent preuve d'une grande prudence lorsqu'ils entreprennent des tâches physiquement exigeantes. Ainsi, s'ils doivent déplacer des objets lourds, ils feront bien de demander de l'aide, sous peine de s'infliger une entorse ou autre ; on sait à quel point une blessure même mineure peut être une source de désagrément et d'inconfort ! Sur le plan social maintenant, la vie du Chien de Bois promet une foule de moments plaisants entre amis, ainsi que des sorties mondaines de toutes sortes. À ceux des natifs qui seraient en proie à la solitude ou à la déprime, il est conseillé de ne pas rester chez soi l'âme en peine. Moyennant quelques efforts, leur vie sociale ira grandissante, et ils ne s'en porteront que mieux. Dans son cercle intime, le Chien de Bois se préoccupera du bonheur des siens, se montrant toujours prêt à écouter le récit de leurs activités. En retour, c'est avec reconnaissance qu'il accueillera leur appui. D'ailleurs, advenant des problèmes délicats à régler, il devrait en discuter ouvertement au lieu de les ruminer tout seul. Il aurait tort de croire qu'il risque de « déranger » ; au contraire, ceux qu'il aime seront ravis de pouvoir le tranquilliser et même de l'aider à tirer au clair les questions qui le tracassent. En réalité, les membres de sa famille, tout comme ses proches amis, constituent une mine de ressources sur lesquelles le Chien de Bois pourra compter dans les moments difficiles : qu'il exprime sans hésitation ses besoins ; conseils, aide et soutien s'ensuivront ! De même, si des inquiétudes personnelles ou domestiques l'agitent, le fait de se confier s'avérera bienfaisant. Il constatera parfois que ses soucis n'étaient pas fondés, ou encore qu'une franche discussion permet d'arriver à une solution expéditive. Le Chien de Bois attache un grand prix aux relations familiales, aussi les marques de sollicitude et d'affection qui lui seront données lui feront-elles chaud au cœur. En dépit des ennuis qui pourraient surgir, l'année du Dragon s'annonce riche de moments heureux, entre autres aux plans des intérêts personnels et des relations humaines. Si le Chien de Bois s'acquitte avec diligence des questions administratives ou officielles, en s'adressant à d'autres lorsque des problèmes se posent, il pourra neutraliser, ou à tout le moins réduire, l'influence des aspects moins positifs de l'année. À partir de la fin de l'été, la chance lui sourira davantage, promettant globalement un changement pour le mieux.

Doté d'un esprit résolu, le **Chien de Feu** sait le parcours qu'il entend suivre et se montre toujours prêt à donner la pleine mesure de lui-même. Cette année cependant, en dépit de ses efforts, il aura à accepter que ses initiatives ne prendront pas toujours la tournure souhaitée. Il devra en conséquence apporter des modifications à certains projets, et parfois même les reporter. Si l'année laisse augurer des périodes de turbulence, celles-ci auront néanmoins leurs côtés positifs. «À quelque chose malheur est bon», dit le proverbe, et les événements inciteront en effet le Chien de Feu à jeter un œil critique sur ses plans et à en développer de plus solides. De surcroît, les circonstances favoriseront l'émergence d'occasions prometteuses dont il sera apte à tirer parti vu sa nature entreprenante et déterminée. Dans le cadre de son travail, il gagnera à rester vigilant, à considérer l'opinion des autres et à se montrer souple face aux situations nouvelles. Car d'importants changements sont en vue cette année, qui toucheront aux fonctions dont il s'acquitte ; malgré les appréhensions que cela pourrait susciter chez lui, le Chien de Feu visera à tirer au mieux son épingle du jeu. Pour certains natifs, d'intéressantes possibilités se feront jour ; d'autres estimeront le temps venu de se tourner vers des horizons inexplorés et partiront en quête de nouveaux défis. Tous les Chiens de Feu cherchant un poste devront activement donner suite aux offres qui se présentent, mais également faire appel à leur esprit d'aventure. En élargissant le rayon de leur prospection, ils jouiront de meilleures chances de succès ; une fois engagés, ils développeront rapidement leur savoir-faire, et leurs nouvelles tâches seront une grande source de stimulation. En somme, le Chien de Feu doit se rappeler que l'année du Dragon récompensera les audacieux : malgré les difficultés en perspective, ses efforts l'avantageront à plus long terme. Sur le plan des finances, en revanche, l'année commandera la prudence, d'autant plus que le Chien de Feu envisagera d'importants achats pour la maison. Il aura également en tête de mettre une somme de côté pour des voyages, des loisirs et divers imprévus. Il lui est donc conseillé de soigneusement planifier son budget et de mettre un frein aux dépenses superflues. En ce qui concerne sa vie familiale, le Chien de Feu sera fort occupé cette année. Comme toujours, ses proches trouveront en lui une oreille attentive et bienveillante ; d'ailleurs, les plus jeunes membres de la famille comme des parents plus âgés recourront fréquemment à son aide. Cela signifiera pour le Chien de Feu d'être généreux de son temps, mais il aura la satisfaction de voir sa contribution réellement appréciée.

Malgré quelques différends ou frictions inévitables, sa vie domestique lui apportera beaucoup de bonheur. À noter que la période estivale s'annonce particulièrement propice aux activités en famille. La vie sociale du Chien de Feu se présente également sous de bons auspices, de fort sympathiques réunions étant en vue. L'un de ses proches amis, plus âgé, lui sera d'ailleurs d'un secours inestimable, car ses conseils et l'information qu'il partagera arriveront à point nommé. Il faut reconnaître que l'année sera sous le signe de l'activité, aussi le Chien de Feu devra-t-il veiller à réserver des plages de temps à ses loisirs et intérêts personnels, qui lui offriront de bienfaisantes occasions de délassement. De même, les questions de santé mériteront son attention, aussi fera-t-il bien de combattre sa tendance à les négliger : en surveillant son alimentation et en s'adonnant régulièrement à des activités physiques, il se portera comme un charme. Dans l'ensemble donc, si tout n'est pas rose cette année, il reste que les actions et démarches du Chien de Feu le prépareront en vue de la période constructive dont il bénéficiera sous peu.

Pour le **Chien de Terre**, une année fort mouvementée est en perspective. Il faut d'emblée reconnaître que certaines périodes le mettront au défi. Cependant, s'il mène ses affaires rondement tout en veillant à ne pas accumuler les engagements, il composera très bien avec les exigences, s'en tirant même avec honneur. Parmi les secteurs les plus actifs figure sa vie domestique, où de nombreuses questions requerront son attention. En particulier, le Chien de Terre ne ménagera aucun effort pour aider son entourage ; sa disponibilité, sa gentillesse et ses prévenances lui vaudront la gratitude des siens. S'il n'a pas encore conscience de ce qu'il représente à leurs yeux, qu'il s'attende cette année à recevoir bien des témoignages d'affection et d'estime. Au nombre des activités auxquelles il participera, certaines auront trait à des motifs de réjouissance, car il y aura en effet matière à célébration. Mais quelques soucis sont également en vue. Dans les moments difficiles, la présence lénifiante du Chien de Terre facilitera les choses ; si un différend survient, il devra mettre ses talents à profit afin de parvenir à une solution ou à un terrain d'entente. Qu'il ne laisse surtout pas la situation aller de mal en pis ! De plus, lors des périodes de grande activité, il aura intérêt à déterminer ses priorités ainsi qu'à demander de l'aide additionnelle. Malgré sa bonne volonté coutumière, il ne lui est nullement recommandé de se surcharger de tâches domestiques, alors que d'autres peuvent être mis à contribution. Par ailleurs, le Chien de Terre souhaitera sans doute mener à bien plusieurs travaux chez lui cette année ; pour ce faire, il sera préférable d'étaler les projets et de se fixer un échéancier raisonnable pour chacun. À nouveau, il trouvera salutaire de procéder par ordre de priorité, quitte à reporter certains de ses plans. Étant donné l'effervescence de sa vie domestique, il risque de voir diminuer les périodes qu'il consacre en temps normal à ses intérêts personnels et à sa vie sociale. Il faudra pourtant veiller à leur faire une place, car ces activités lui permettront de se détacher de ses préoccupations quotidiennes, en plus de lui procurer énormément de plaisir. Le Chien de Terre se verra également convié à plusieurs événements mondains et, bien que parfois réticent à accepter les invitations, il se félicitera par la suite de n'avoir pas manqué d'aussi mémorables occasions. Bref, en cette année des plus actives, il lui faudra chercher à atteindre un équilibre entre ses diverses occupations, en se ménageant des occasions de détente et de divertissement. Dans le même ordre d'idées, de vraies vacances lui seraient bienfaisantes ; les voyages se présentent d'ailleurs sous d'excellents auspices. En ce qui concerne le secteur du travail maintenant, l'année s'annonce relativement positive, quoique les progrès réalisés ne se révéleront pas toujours aussi considérables que le souhaitait le Chien de Terre. Comme tous les natifs de son signe, il aura intérêt à se tenir au fait des développements susceptibles d'influer sur son environnement professionnel, et ce, afin de pouvoir s'y adapter rapidement. S'il doit s'attendre à quelques contrariétés, notamment lorsque les résultats espérés feront défaut, sa diligence et ses efforts soutenus lui permettront néanmoins de réunir les conditions propices à d'importantes avancées futures. Que le Chien de Terre détienne ou non un poste actuellement, il lui est conseillé de saisir toute occasion d'élargir son champ d'expertise. Ses perspectives d'avenir s'en trouveront accrues et, dans le cas des natifs cherchant du travail, la formation entreprise pourrait mener à d'intéressantes possibilités. Sur le plan matériel, le ciel est dégagé. Il faudra bien entendu réserver une part du budget aux dépenses importantes, afférentes à des vacances ou à un mariage dans la famille, par exemple. Mais l'esprit méthodique du Chien de Terre se révélera un atout précieux et, à l'aide d'une saine gestion, il jouira d'une situation financière enviable d'ici la fin de l'année. En dépit des quelques difficultés en vue, le Chien de Terre qui fait preuve d'efficacité et d'application saura poser les jalons de sa réussite future. Vers la fin de l'an 2000 tout comme en 2001, sa patience et ses efforts seront richement récompensés.

Chiens célèbres

André Agassi, Brigitte Bardot, David Bowie, Kate Bush, José Carreras, Paul Cézanne, Cher, Sir Winston Churchill, Bill Clinton, Leonard Cohen, Robin Cook, Jamie Lee Curtis, Dalida, Claude Debussy, Raymond Devos, Robert Frost, Judy Garland, George Gershwin, Victor Hugo, Holly Hunter, Michael Jackson, Federico García Lorca, Sophia Loren, Shirley MacLaine, Madonna, Winnie Mandela, Golda Meir, Liza Minelli, Elvis Presley, Gabriela Sabatini, Susan Sarandon, Claudia Schiffer, Sylvester Stallone, Sharon Stone, Donald Sutherland, Mère Teresa, Voltaire, le Prince William.

Le Cochon

30 janvier 1911 au 17 février 1912	Cochon de Métal
16 février 1923 au 4 février 1924	Cochon d'Eau
4 février 1935 au 23 janvier 1936	Cochon de Bois
22 janvier 1947 au 9 février 1948	Cochon de Feu
8 février 1959 au 27 janvier 1960	Cochon de Terre
27 janvier 1971 au 14 février 1972	Cochon de Métal
13 février 1983 au 1er février 1984	Cochon d'Eau
31 janvier 1995 au 18 février 1996	Cochon de Bois

LA PERSONNALITÉ DU COCHON

Sème une pensée, tu récolteras un geste.
Sème un geste, tu récolteras une habitude.
Sème une habitude, tu récolteras un caractère.
Sème un caractère, tu récolteras un destin.

RALPH WALDO EMERSON, un Cochon

Le Cochon est né sous le signe de l'honnêteté. On le reconnaît à sa gentillesse, à sa compassion, mais également à ses prodigieux talents de conciliateur. En effet, comme rien ne lui déplaît davantage que la discorde et les frictions, il s'emploiera sans relâche à dissiper les malentendus et à trouver les terrains d'entente qui rétabliront l'harmonie.

Il se fait également remarquer dans la conversation, car il est sincère et va droit au but. Mensonges et hypocrisie le hérissent ; il croit en la justice et préconise le maintien de l'ordre public. Malgré ses convictions, le Cochon est enclin à la tolérance et aura vite fait de pardonner à tout un chacun ses torts. Rancune et esprit de vengeance ne font pas partie de son vocabulaire.

En règle générale, le Cochon jouit d'une cote de popularité enviable. Le commerce de ses pairs lui étant fort agréable, il se sent parfaitement à l'aise dans les situations de groupe et aime participer aux actions communes. Il n'est pas rare qu'il se joigne à un club ou une association, et il compte alors parmi les membres les plus loyaux ; inutile de le prier pour qu'il apporte sa contribution, il en sera ! D'ailleurs, cet ardent défenseur des causes humanitaires n'a pas son pareil pour recueillir des fonds au profit d'une bonne œuvre.

Le Cochon est un travailleur infatigable et consciencieux. Sa fiabilité, son intégrité, inspirent spécialement le respect. Dans sa jeunesse, il touchera à un peu de tout, mais c'est généralement lorsqu'il a le sentiment d'être utile qu'il est le plus heureux. Ainsi, lorsqu'il en va de l'intérêt général, il donne de son temps sans compter ; on ne sera pas surpris que ses collègues et supérieurs le jugent inestimable.

Son sens de l'humour est notoire. À vrai dire, le Cochon est un amuseur-né qui a toujours en réserve un sourire, une plaisanterie ou quelque remarque fantaisiste susceptible de dérider. D'ailleurs, bon nombre des natifs de ce signe choisissent de faire carrière dans le monde du spectacle, ou suivent avec passion la vie des stars et vedettes.

Malheureusement, il s'en trouve qui profitent de sa bonne nature et de sa générosité. Car le Cochon a toutes les peines du monde à refuser de rendre service. Malgré la répugnance que cela lui inspire, il serait parfois dans son intérêt de dire « Non » quand les autres dépassent les bornes. Il lui arrive également de pécher par excès de naïveté ou de crédulité. Mais quand d'aventure il éprouve une vive déception, il sait en tirer la leçon : on ne l'y reprendra pas, il fera dorénavant preuve d'indépendance. C'est souvent à la suite d'une telle déception que le Cochon fait carrière à titre d'entrepreneur ou de travailleur autonome. Du reste, grâce à son sens aigu des affaires, il peut jouir d'un compte en banque bien pourvu malgré une certaine propension à dépenser.

Le Cochon est également reconnu pour sa capacité de surmonter assez promptement les revers. Sa confiance, sa force de caractère, l'incitent en effet à redoubler d'efforts dans l'adversité. S'il s'estime capable de s'acquitter d'une tâche ou s'il a un but en tête, il s'y attellera avec une détermination implacable. Même au point de se montrer têtu ! Peu importe qu'on l'adjure de changer d'idée, une fois sa décision prise, il en démordra rarement.

Malgré toute l'ardeur qu'il peut déployer au travail, le Cochon sait aussi s'amuser. En réalité, c'est un bon vivant qui, avec l'argent durement gagné, s'offrira volontiers un voyage somptueux, un festin (car il est fin gourmet) ou diverses activités récréatives. Il apprécie également les soirées sans prétention et, si la compagnie lui plaît, il ne tardera pas à mettre de l'ambiance. En revanche, dans le cadre d'une réception mondaine où il ne connaît personne, il est susceptible de se renfermer.

Le Cochon aimant aussi ses petits conforts, c'est généralement chez lui qu'on trouve ce qu'il y a de plus récent sur le marché, les derniers appareils ménagers haut de gamme par exemple. Dans la mesure du possible, il s'établit à la campagne plutôt qu'en ville et veille à disposer d'un bon lopin de terre, car ce natif est souvent un jardinier aussi enthousiaste qu'accompli.

Auprès du sexe opposé, le Cochon remporte beaucoup de succès. Il ne manque pas d'en profiter, d'ailleurs, jusqu'à ce qu'il fasse son nid. Par contre, une fois qu'il s'est engagé, sa loyauté envers son partenaire est absolue. C'est avec la Chèvre, le Lièvre, le Chien, le Tigre et un autre Cochon qu'il s'accorde le mieux. Mais étant donné son caractère facile, il peut nouer de bonnes relations avec tous les signes du zodiaque, hormis le Serpent. Le côté rusé, secret et circonspect de ce dernier ne fait pas bon ménage, on s'en doute, avec la franchise et l'honnêteté du Cochon.

La femme Cochon, pour sa part, est un parangon de dévouement. Elle déploie la dernière énergie pour s'assurer que son partenaire et ses enfants ne manquent de rien, car leur bonheur fait le sien. Sa maison est impeccablement tenue… ou terriblement désordonnée. Curieusement, c'est tout l'un ou tout l'autre avec les Cochons : soit ils se passionnent pour les tâches ménagères, soit ils les abhorrent. Par ailleurs, la femme Cochon a d'exceptionnels talents d'organisatrice qui, alliés à sa nature sympathique et avenante, lui permettent d'atteindre la majorité de ses objectifs. C'est également une mère de famille aimante et consciencieuse. De surcroît, elle est toujours habillée avec goût.

Dans l'ensemble, le Cochon aura certainement tout pour être heureux car la chance tend à lui sourire. Pour peu qu'il ne se laisse pas manger la laine sur le dos et qu'il ne craigne pas de s'affirmer, il aura une belle vie ; ses amis seront nombreux, il fera du bien autour de lui et se gagnera l'admiration de tous.

Les cinq types de Cochons

Aux douze signes du zodiaque chinois viennent s'ajouter cinq éléments qui les renforcent ou les tempèrent. Les effets de ces cinq éléments sont décrits ci-après, accompagnés des années au cours desquelles ils exercent leur influence. Ainsi, les Cochons nés en 1911 et 1971 sont des Cochons de Métal, ceux qui sont nés en 1923 et 1983, des Cochons d'Eau, etc.

Le Cochon de Métal (1911, 1971)

Le Cochon de Métal se démarque par ses hautes ambitions et la résolution dont il sait faire preuve. Solidement constitué, plein d'énergie, il se consacre à une

299

foule d'activités. C'est sincèrement et sans détour qu'il partage ses opinions ; à l'occasion toutefois, sa confiance lui fait prendre ce qu'on lui dit pour de l'argent comptant. Il ne manque pas d'humour, et raffole des soirées et réunions mondaines. Chaleureux et sociable de nature, il est entouré de bons amis.

Le Cochon d'Eau (1923, 1983)

Le Cochon d'Eau a un grand cœur. Généreux, loyal, il veille à rester en bons termes avec tous. Il est prêt à se mettre en quatre pour venir en aide et, malheureusement, d'aucuns en profitent. Un peu plus de discernement et de fermeté face à ce qui lui déplaît le servirait assurément. Bien qu'il ait une prédilection pour les choses paisibles de la vie, il cultive un éventail d'intérêts. Il apprécie particulièrement les activités de plein air, les soirées entre amis et les événements mondains. Sa capacité d'abattre beaucoup de travail, et ce, d'une manière consciencieuse, lui assure le succès dans sa profession. C'est également un habile communicateur.

Le Cochon de Bois (1935, 1995)

Amical et persuasif, le Cochon de Bois s'attire aisément la confiance d'autrui. Il aime s'impliquer dans tout ce qui se passe autour de lui, avec pour conséquence qu'il accepte parfois un trop grand nombre de responsabilités. D'une loyauté exemplaire envers famille et amis, il éprouve également une grande satisfaction à aider les moins fortunés que lui. Il est enclin à l'optimisme et a un bon sens de l'humour. Sa vie est agréable et bien remplie.

Le Cochon de Feu (1947)

Le Cochon de Feu a un goût marqué pour l'aventure et dispose d'inépuisables réserves d'énergie. C'est avec confiance et détermination qu'il aborde la vie. Il ne craint ni d'exprimer ses opinions, ni de courir des risques afin d'atteindre ses buts. Cependant, sa fougue l'emporte quelquefois alors qu'un peu de prudence serait salutaire pour certains de ses projets. Sur le plan matériel, il jouit d'une bonne étoile et il n'hésite pas à partager les avantages dont il est pourvu ; la générosité du Cochon de Feu est d'ailleurs légendaire. Il voue également une grande affection à ses proches.

Le Cochon de Terre (1959)

Le Cochon de Terre est doué d'une nature bienveillante. Plein de bon sens et réaliste, il ne ménagera pas ses efforts pour satisfaire ses employeurs ou pour donner corps à ses ambitions. C'est un organisateur-né ainsi qu'un habile homme d'affaires. Son sens de l'humour et son agréable compagnie lui valent de nombreux amis. Il aime que sa vie sociale soit animée, mais il a parfois tendance à se permettre des excès de table.

Perspectives du Cochon pour l'an 2000

La nouvelle année chinoise débute le 5 février 2000. Jusque-là, c'est donc l'année du Lièvre qui exerce son influence.

L'année du Lièvre (du 6 février 1999 au 4 février 2000) aura été constructive jusqu'à présent pour le Cochon, qui peut espérer poursuivre ses avancées... tout en s'offrant du bon temps ! Cet amateur des plaisirs de la vie se délectera en effet des nombreuses occasions de fraterniser qui se présenteront, plus particulièrement lors des festivités entourant le nouveau millénaire. À n'en pas douter, il organisera les réjouissances en grande pompe, rendant mémorable l'avènement de l'an 2000.

Étant donné qu'il aura fort à faire dans les derniers mois de l'année, le Cochon risque toutefois d'être à la course. Aussi trouvera-t-il profitable de planifier son programme et de s'acquitter de certaines tâches (correspondance, achats, etc.) quelque temps à l'avance. De cette manière, il se trouvera moins bousculé en décembre, mois qui promet d'être bien rempli, et sera enchanté d'être parvenu à régler tant de détails avant le début des célébrations.

Pour le Cochon célibataire ou souhaitant former de nouvelles amitiés, le dernier trimestre de l'année du Lièvre sera une période faste. Les possibilités de rencontres se multiplieront, avec d'excellentes perspectives amoureuses. Sur le plan personnel, comme beaucoup le constateront, la chance sera de leur côté.

Le secteur du travail se présente également sous de bons auspices en cette fin d'année. Les natifs en recherche d'emploi ou qui aspirent à une montée en grade pourraient voir d'intéressants développements se produire entre septembre et fin novembre 1999. Le Cochon fera bonne impression, avantagé qu'il est par sa nature déterminée et hardie, ce qui favorisera ses progrès. Côté argent, la situation s'annonce honorable, quoiqu'il faudra ménager les ressources en vue de l'intense activité qui régnera à l'occasion des fêtes. Il sera donc préférable de dépenser avec mesure, et surtout d'éviter les achats impulsifs (la tentation sera grande) qui grèveraient son budget. Par ailleurs, le Cochon devra se montrer prudent, et même recourir à l'avis d'un spécialiste, s'il a à régler des questions de nature officielle ou juridique. Sans cela, il risque d'aller au-devant de sérieuses difficultés.

Il n'en reste pas moins qu'à presque tous égards, l'année du Lièvre laisse entrevoir une conjoncture favorable et, de surcroît, beaucoup d'allégresse.

L'année du Dragon, qui débute le 5 février, s'annonce fort satisfaisante. D'importants progrès sont en vue et, sur le plan personnel, le Cochon sera comblé.

Dans le cadre de sa profession, il aura pu approfondir ses connaissances au cours de la dernière année, ce qui lui permettra en l'an 2000 de consolider ses acquis et de tirer parti de son expérience. Les natifs ayant récemment accepté de nouvelles fonctions devront se familiariser avec les diverses facettes de leur travail; sous ce rapport, il sera à leur avantage de saisir toutes les occasions de formation qui leur sont offertes. Des perspectives de promotion pourraient également se faire jour, qui exigeront de la part du Cochon une action prompte et vigoureuse. Il n'y en aura pas des quantités, certes, mais elles seront prometteuses et riches de défis. Pour ce natif toujours prêt à donner le meilleur de lui-même, ce sera un véritable coup de fouet.

Malgré les tendances positives qui influeront sur la sphère professionnelle, il arrivera au Cochon de se sentir en terrain mouvant. Ainsi, il pourrait être troublé par une proposition à l'étude, une réforme sur le point d'entrer en vigueur, ou même par les opinions qu'expriment certains collègues. Dans une telle éventualité, prudence, discrétion et tact seront les mots d'ordre à suivre. Car des paroles ou des gestes intempestifs risqueraient d'ébranler les bases qu'il a patiemment établies. Mieux vaudra donc tourner sept fois sa langue dans sa bouche, et réfléchir avant d'agir !

Pour leur part, les natifs qui se cherchent une situation ou qui voudraient en changer gagneront à surveiller les avenues qui se dessinent ainsi qu'à donner libre cours à leurs idées. Leur esprit d'initiative, loin de passer inaperçu, ouvrira certainement la porte à des offres intéressantes, qui mettront à profit leurs compétences. Sous cet angle, se révéleront singulièrement propices la deuxième quinzaine d'avril ainsi que le mois de mai, puis à nouveau les mois de septembre et octobre.

L'année laisse également présumer des faits positifs sur le plan matériel. Plusieurs natifs bénéficieront de rentrées d'argent supplémentaires, soit qu'ils obtiennent une augmentation de salaire ou qu'ils tirent des revenus d'une autre source. En fait, leur habileté et leur flair en matière de finances les serviront bien cette année. Tout de même, le Cochon veillera à profiter de ce vent favorable avec sagesse : gare aux folies qui feront des trous dans le budget ! Il sera bien avisé de mettre de côté le montant nécessaire pour les achats et dépenses envisagés, ainsi que toute somme excédentaire. Vu les aspects qui prévalent, le moment serait bien choisi pour contribuer à un régime d'investissement ou d'épargne qui, dans quelques années, constituera un atout appréciable.

Au chapitre de sa vie personnelle, comme on l'a dit, le Cochon sera favorisé par le sort. Fidèle à sa nature, il se montrera très présent, toujours disposé à prêter main-forte et à participer aux activités familiales. À vrai dire, ses proches seront pour lui une grande source de fierté. La plupart du temps, l'harmonie régnera, mais des différends pourraient occasionnellement survenir. Dans de tels cas, il est conseillé au Cochon d'exercer ses talents de pacificateur en vue d'atteindre un compromis, sans quoi les choses risqueraient de tourner au vinaigre. Pourquoi laisser gâcher l'atmosphère ? Cette année, donc, il devra s'efforcer d'entretenir le climat chaleureux auquel il tient tant, quitte à parfois intervenir dans les discussions.

Pour nombre de Cochons, figureront également à l'ordre du jour des travaux touchant à leur logement, qu'il s'agisse de transformations diverses, d'un renouvellement de décor ou du remplacement de certains équipements. Bien que la réalisation de quelques projets se révèle parfois plus longue que prévu, les résultats donneront pleine satisfaction. Un avertissement mérite d'être donné malgré tout : mieux vaudra prévoir des délais suffisants, se résigner à l'inévitable chambardement et, dans certains cas, solliciter l'avis d'experts. En effet, à vouloir précipiter les choses, on risque de bâcler les préparatifs ou l'exécution de certaines tâches, ce qui entraînerait évidemment des conséquences malheureuses. Que le Cochon contienne donc son impatience !

Parallèlement à ses projets d'ordre pratique, le Cochon s'adonnera avec bonheur à ses intérêts personnels. Au cours de l'année, il verra l'un d'eux prendre une tournure inattendue ; son talent tout comme ses connaissances lui vaudront les éloges d'autrui, ce qui ne fera qu'accroître son enthousiasme. Pour les natifs dont les passe-temps mettent à profit des habiletés artistiques ou manuelles, l'année s'avérera idéale pour aller plus loin et entreprendre de nouvelles œuvres. En consacrant du temps et des efforts à ses activités favorites, le Cochon en retirera un enrichissement précieux, en plus de vivre des moments captivants. Les natifs qui songent depuis quelque temps à s'initier à une nouvelle discipline verront également leurs démarches privilégiées cette année. Pourquoi ne pas enfin se décider à passer à l'action ? Voilà sans doute une belle résolution à prendre pour le nouveau millénaire !

Au plan de sa vie sociale maintenant, le Cochon peut s'attendre à retirer un vif plaisir de la compagnie de ses amis et des diverses réceptions mondaines auxquelles il assistera. Les nouvelles relations qu'il aura nouées durant l'année du Lièvre, ou qui naîtront en l'année du Dragon, connaîtront de palpitants développements, d'autant plus lorsque des perspectives amoureuses seront présentes. Pour leur part, les natifs ayant récemment déménagé, ou ceux qui se sentent un peu seuls et cherchent l'amitié, verront s'offrir à eux de multiples occasions de faire des rencontres et d'intensifier leurs activités sociales. Ils devront bien sûr y mettre du leur ! Mais étant donné leur don pour les relations humaines, ce ne sera pas trop leur demander ! Le mois d'avril ainsi que la période de juillet à fin septembre sont particulièrement bien aspectés de ce point de vue.

Dans l'ensemble, donc, le Cochon aura cette année de quoi se réjouir. L'année du Dragon profitera aux esprits entreprenants ; aussi, s'il est prêt à fournir un petit effort, récoltera-t-il d'excellents résultats. Qu'il ait en tête d'améliorer son sort ou qu'il en soit déjà parfaitement satisfait, le Cochon se portera comme un charme en l'an 2000 et, fidèle à son tempérament, il ne manquera pas de profiter de la vie... comme bon lui semble !

Précisons maintenant les perspectives plus particulières qui s'appliquent aux différents types de cochon. Le **Cochon de Métal** entame une année qui lui sera propice et il verra des développements intéressants toucher plusieurs secteurs de sa vie. Au cours des mois, en effet, l'occasion lui sera donnée de construire à partir de ses réalisations récentes ; il accomplira ainsi quelques pas de plus. Bien servi par un esprit lucide, une rare facilité à communiquer et des dons multiples, il est promis à un bel avenir, et il le sait : cette confiance en lui, alliée à sa grande détermination, constitue un atout additionnel. Au travail, le Cochon de Métal sera encouragé à perfectionner ses habiletés, et l'énergie qu'il y mettra ne manquera pas d'impressionner. Plusieurs natifs du signe pourraient alors se voir confier des responsabilités plus grandes ou accéder à un autre poste. Le temps est au beau : au Cochon de Métal d'en profiter et de saisir toutes les occasions qui passent. En ce sens, ce sont les mois de mars et avril ainsi que la fin de l'été qui s'annoncent les plus favorables pour lui. Les circonstances se prêteront également à des discussions avec ses supérieurs quant à ses objectifs à long terme ou à des rencontres avec des personnes occupant des fonctions qu'il aimerait exercer éventuellement. Lors de ces échanges, il recevra des conseils qui s'avéreront fort utiles au cours des prochaines années. Parmi les Cochons de Métal qui cherchent du travail, nombreux seront ceux qui verront leurs efforts couronnés de succès, souvent de façon tout à fait fortuite. Soit qu'ils entendent parler d'une ouverture imprévue, soit qu'ils décident de poursuivre un vague filon ou qu'ils soient recommandés par quelqu'un, peu importe. Ce qui compte, c'est qu'ils auront alors la chance de démontrer ce dont ils sont capables, et qu'ils feront bonne impression. Par ailleurs, tous les natifs du signe, qu'ils travaillent déjà ou non, devraient se fixer comme but de parfaire leurs connaissances. Si l'employeur offre des possibilités de perfectionnement telles qu'ateliers, cours ou stages, ce sera l'idéal. Sinon, ils pourraient utiliser à cette fin un peu de leur temps libre ; pourquoi ne par acquérir une meilleure maîtrise des outils informatiques, par exemple ? Pareil investissement leur rapportera certainement par la suite. Sur le plan des finances, l'année augure bien, tant que le Cochon de Métal se montre prévoyant et qu'il vive selon ses moyens. Comme la fin de l'année du Lièvre aura occasionné beaucoup de dépenses, plusieurs Cochons de Métal commenceront l'année avec un bilan négatif. Donc, avant d'engager de grosses dépenses, ils devraient d'abord veiller à acquitter les comptes en souffrance. Si jamais des achats importants ne peuvent être remis à plus tard, mieux vaudra à tout le moins attendre le temps des soldes et profiter ainsi de meilleurs prix. Le portefeuille du Cochon de Métal ne s'en portera que mieux ! Sa vie familiale, quant à elle, le tiendra occupé en cette année du Dragon. On le verra s'affairer autour des siens, prodiguant aide et encouragements, tant à des beaucoup plus jeunes qu'à des aînés. Tous lui témoigneront une reconnaissance largement méritée. Le Cochon de Métal aura aussi envie de faire participer ses proches aux travaux qu'il a en tête de réaliser chez lui. Le piège à éviter sera de trop entreprendre à la fois ! Il pourrait alors se trouver coincé dans le temps et ceci, par sa faute. Le secret sera de planifier les tâches avant de commencer quoi que ce soit, et d'échelonner les différentes étapes sur toute l'année. Toutes les vacances qu'il pourra prendre, courtes ou longues, lui procureront beaucoup d'agrément. Il aura la chance de visiter des endroits vraiment intéressants, certains près de chez lui, d'autres beaucoup plus loin. Et ceux qui recherchent l'aventure ou l'insolite devraient être très bien servis cette année. Vu sa vie familiale passablement accaparante et la foule de choses qu'il veut faire, le Cochon de Métal se verra peut-être obligé de restreindre ses sorties. Cependant, même s'il arrive moins facilement à se libérer, il devrait tout de même faire l'effort de rester en contact régulier avec le cercle d'amis qu'il s'est formé. Par ailleurs, au Cochon de Métal célibataire ou qui souhaite se faire de nouveaux amis, l'année offrira maintes occasions de rencontres. Pour mettre toutes les chances de son côté toutefois, se joindre à un groupe qui pratique un sport ou une activité qui l'intéresse s'avérerait sûrement avantageux : il trouverait là des gens qui partagent ses goûts et appartiennent au même groupe d'âge. Et pourquoi pas l'âme sœur ? Grâce à ses talents, à son énergie et à sa personnalité, le Cochon de Métal pourra retirer beaucoup de l'année du Dragon. Cependant pour jouir de ses aspects positifs, il veillera à bien organiser ses activités de même qu'à tirer le maximum des occasions qui se présentent. En somme, pour les Cochons de Métal entreprenants et déterminés, l'an 2000 sera une étape significative et qui entraînera des retombées positives à moyen terme.

Le **Cochon d'Eau** est destiné à connaître une année stimulante et bien aspectée quant à la plupart des facettes de sa vie. Pour ceux qui sont aux études, ce sera une année clé ; pensons aux examens importants à passer et aux orientations à choisir. C'est donc dire que la pression sera forte par moments pour le Cochon d'Eau, et l'ampleur de la tâche parfois intimidante. Si, au lieu d'attendre à la dernière minute pour faire leurs révisions et compléter leurs travaux, ils fournissent un effort régulier et sollicitent à temps l'aide dont ils ont besoin, leurs résultats devraient s'avérer à la hauteur de leurs espérances. Bien sûr, cela requerra une bonne dose de discipline personnelle mais, que les jeunes natifs du signe se le disent : ce qu'ils sèment maintenant, ils le récolteront plus tard ! Par ailleurs, avant de faire des choix concernant leur métier ou leur champ d'études, il sera dans leur intérêt de discuter à fond de toutes les options possibles avec leur entourage. Comme les décisions qu'ils prendront alors auront des implications à long terme, elles devraient être mûrement réfléchies. Pour sa part, le Cochon d'Eau qui se cherchera un emploi, soit temporaire, soit permanent, devrait voir ses recherches aboutir. Le poste qu'on lui offrira ne correspondra peut-être pas à ses attentes initiales, mais ce sera la chance pour lui de prendre de l'expérience, expérience sur laquelle il pourra ensuite bâtir. En effet, souvent l'an 2000 le verra bien se positionner au bas de l'échelle, d'où il sera prêt à gravir de nombreux échelons au cours des années à venir. En ce qui concerne l'argent, le Cochon d'Eau devra aborder la question avec prudence. Ses ressources limitées ne l'autoriseront pas toujours à faire tout ce qu'il aurait envie de faire ; il s'agira alors de savoir comment en tirer le meilleur parti. Toutefois, un peu de prévoyance et beaucoup de débrouillardise lui permettront le plus souvent de bien s'en tirer. Le Cochon d'Eau attache beaucoup de prix à ses relations avec les autres et, au cours de l'année, tant sa vie familiale que sociale abonderont de moments heureux. Chez lui, il trouvera autant à donner qu'à recevoir. Ce qu'il recevra, c'est l'aide et le soutien de ses proches, surtout en période de « surchauffe ». En retour, ce sera un plaisir pour lui de prêter main-forte à certains membres de la famille, dont des beaucoup plus âgés que lui, qui ne manqueront pas de lui manifester leur reconnaissance. La vie avec les amis sera bien active au cours de l'année du Dragon, et c'est avec entrain que le Cochon d'Eau participera aux fêtes et événements sociaux au calendrier. Car en l'an 2000, son agenda sera très chargé, particulièrement pendant l'été. C'est d'ailleurs au cours de cette saison que pourraient se développer des liens significatifs. Les intérêts personnels constituent un autre domaine où le Cochon d'Eau puisera beaucoup de satisfaction. Bien qu'il trouve parfois difficile de leur ménager du temps, il sera toutefois important qu'il ne les néglige pas. Non seulement seront-ils une heureuse diversion à ses préoccupations mais, par leur biais, il connaîtra des gens qu'il ne rencontrerait pas autrement, et il aura la chance de développer d'autres aspects de son être. Donc, même si sa vie lui semble bien remplie en l'an 2000, il se doit de consacrer des heures à ses passe-temps favoris. En résumé, tout laisse présager une bonne année, tant sur le plan des études et du travail, où ce qu'il accomplira aura une portée positive dans l'avenir, que sur le plan personnel, où les plaisirs seront variés.

Une année intéressante attend le **Cochon de Bois**. Inspiré par le début du millénaire qui donne envie de nouveaux départs, il sentira que le temps est mûr pour affronter des défis inédits et pour donner corps à quelques-uns de ses rêves. Ceux-ci seront souvent liés à ses intérêts personnels, et pourraient voir le Cochon de Bois soit adopter un nouveau passe-temps, soit perfectionner certaines de ses habiletés. Mais peu importe ses projets, s'il sont mis à exécution, l'année n'en sera que plus riche et plus emballante pour lui. Car, on le sait, le Cochon de Bois adore se fixer des objectifs précis : ils ajoutent du piquant à sa vie, et ce ne sera pas différent en l'an 2000. Des activités aussi variées que l'artisanat, la photographie, le dessin, l'écriture, pourraient fort bien stimuler son imagination, et mettre à profit ses talents de créateur. Le Cochon de Bois pourrait aussi décider d'entreprendre certains travaux, soit pour rafraîchir son intérieur, changer le décor de quelques pièces, soit pour se faire enfin un jardin. Quoi qu'il en soit, il aura envie d'impliquer des personnes de son entourage dans plusieurs de ses projets, et la mise en commun des talents facilitera leur réalisation et ajoutera au plaisir. Toutefois, même si le Cochon de Bois se révèle d'ordinaire fort habile, il sera sage de demander de l'aide si les travaux exigent le déplacement d'objets lourds ou l'utilisation d'outillage potentiellement dangereux : les experts sont là pour ça! Malgré les aspects favorables qui prévalent, ce ne sera vraiment pas l'année pour s'exposer inutilement à des risques. Certains Cochons de Bois opteront quant à eux pour un changement de résidence. Le déménagement et tout ce qu'il implique prendra sans doute considérablement plus de temps qu'ils n'avaient envisagé; cependant, même si son déroulement leur cause d'inévitables irritants, ils seront heureux de leur nouveau logis et, pour eux, l'année ne verra pas uniquement la naissance d'un nouveau millénaire mais aussi celle d'une autre étape de leur vie. Au chapitre de la vie familiale, le Cochon de Bois peut espérer beaucoup de contentement. Il aura l'occasion de joindre l'utile à l'agréable en partageant avec d'autres diverses activités autour de la maison, et il pourra goûter la joie de voir de plus jeunes progresser dans leurs études et leurs carrières. Et maintes fois au cours de l'année, ces mêmes jeunes le consulteront, désireux d'avoir son point de vue sur des sujets qui les concernent. N'en doutons pas, il sera non seulement ravi de faire part de ses opinions, mais également touché du respect et de l'affection qu'on lui témoignera. En effet, le Cochon de Bois occupe une grande place dans le cœur des siens et cette année, ceci lui deviendra plus manifeste encore. Sa vie sociale, quant à elle, semble heureusement aspectée et laisse entrevoir de multiples sorties intéressantes et de nombreuses rencontres entre amis. Inévitablement, parmi les Cochons de Bois, il s'en trouvera qui, souffrant d'un certain isolement, souhaiteront jouir de plus de compagnie. À ceux-là, il est conseillé de faire l'effort de sortir et de se mêler davantage. Pourquoi, par exemple, ne pas se joindre à un groupe qui soutient une cause qui leur tient à cœur, ou à un autre qui pratique une activité qui les intéresse ? Ce serait un excellent moyen à la fois de combattre la solitude et d'aller chercher une saine stimulation en partageant leurs goûts. Pour arriver à des résultats, tant dans ce domaine que dans tous les autres de sa vie, le Cochon de Bois s'apercevra en cette année du Dragon qu'il doit prendre l'initiative. Sur le plan des voyages, les choses augurent bien, et il ne faudra laisser filer aucune occasion de partir, même si ce n'est que pour une courte escapade. La situation financière du Cochon de Bois sera passablement bonne au cours des mois à venir. Un rappel toutefois à ceux qui déménageront ou qui effectueront une transaction importante : vérifier tous les détails des contrats ou ententes qu'ils signeront. La vigilance dont ils feront preuve alors évitera que des complications apparaissent par la suite : un Cochon de Bois averti en vaut deux ! À presque tous égards donc, l'année se prêtera favorablement à la réalisation de ses projets de sorte que le natif du signe en tirera à la fois plaisir et gratification.

L'année du Dragon annonce une période constructive et agréable pour le **Cochon de Feu**. Au cours des douze mois précédents, il aura vécu des changements importants, et certaines idées lui seront venues, qu'il aimerait mettre en pratique à ce stade-ci. L'an 2000 lui offrira cette chance de même que l'occasion de bâtir à

partir de ses plus récents acquis. Toutefois, pour profiter
au maximum des influences positives qui ont cours, il
devra faire preuve d'initiative. Sur le plan professionnel,
l'énergie qu'il déploiera au travail saura impressionner
ses supérieurs, et de plus amples responsabilités lui
seront confiées au fur et à mesure de l'année. Pour ceux
qui le souhaitent, cela pourrait se concrétiser par une
promotion importante. Se présenteront également des
possibilités de changer de poste afin de renouveler les
défis et de stimuler l'intérêt, et pourquoi pas une réorientation de carrière? Pour eux, des tâches nouvelles et la
chance d'utiliser différemment leurs talents pèseront
lourd lorsqu'il s'agira de prendre une décision. Au cours
de l'année du Dragon, le sort du Cochon de Feu repose
vraiment entre ses mains, et s'il veut avancer, il devra
faire le premier pas. Ceci s'applique également à celui
qui cherche un emploi. Il devra avec persistance explorer
toutes les avenues. Si le succès de ses démarches tarde à
se matérialiser, surtout qu'il ne cède pas au découragement! Son esprit d'entreprise et sa grande détermination
finiront par être récompensés, quoique pas toujours avec
l'obtention de la situation précise qu'il voulait à l'origine. Néanmoins, grâce à cette situation, il étendra ses
connaissances et découvrira qu'il a plus d'une corde à
son arc. Talentueux comme il est, il a beaucoup à offrir
et l'année du Dragon lui donnera l'occasion de le prouver. En matière d'argent, les choses s'annoncent bien, et
le Cochon de Feu verra avec bonheur son revenu augmenter au cours des mois. Sa situation financière
l'incitera à faire quelques améliorations chez lui de
même qu'à acheter certains équipements, un ordinateur
permettant de naviguer sur Internet, peut-être? Toutefois, il sera bien avisé de mettre un certain montant de
côté soit par le biais d'investissements personnels ou

d'un plan d'épargne. À long terme, il se félicitera de sa prévoyance. Car il n'est pas sans remarquer que l'argent peut filer très vite entre les doigts si on n'y voit pas de près. La vie familiale du Cochon de Feu aura sa part d'animation en l'an 2000. Il continuera non seulement à être très impliqué dans toutes les activités des siens, mais sera également appelé à aider ses proches, dans un rôle de conseiller ou autre. Certains événements marquants pourraient être source de fierté pour lui, tels des succès remportés par un membre de la famille, le mariage d'un de ses enfants ou la naissance d'un petit-fils ou d'un petite-fille. Cependant, bien que l'année lui réserve beaucoup de satisfaction, quelques heurts ou différends viendront assombrir le ciel par moments. Ainsi le Cochon de Feu pourrait-il se trouver en divergence d'opinion face à des positions adoptées par certains. Les questions se régleront d'autant mieux qu'il sera prêt à des discussions franches et loyales afin de trouver un terrain d'entente. Sa vie sociale sera passablement animée, ponctuée d'agréables rencontres entre amis, de sorties et spectacles divertissants. De plus, le Cochon de Feu pourrait trouver fort valable de se mettre en contact avec des gens qui partagent les mêmes passe-temps que lui; pourquoi pas en communiquant par Internet? Ce serait l'occasion d'élargir son cercle de connaissances et d'ajouter une autre dimension à ses intérêts personnels. Au chapitre des voyages, ceux qu'il entreprendra au cours de l'année auront beaucoup d'attrait pour lui. Non seulement lui procureront-ils une détente salutaire, mais ils pourraient lui faire découvrir des endroits captivants hors des sentiers battus. Dans l'ensemble donc, l'année du Dragon sera positive pour le Cochon de Feu; les résultats qu'il obtiendra seront à la mesure des efforts qu'il est prêt à faire pour atteindre ses buts. Fidèle à sa nature déterminée, il ne déviera pas du chemin qu'il s'était tracé. Comme dans une large part les aspects lui auront été favorables, il terminera l'année avec un profond sentiment de satisfaction.

L'année qui commence s'annonce excellente pour le **Cochon de Terre** et de beaux développements sont à prévoir dans plusieurs domaines. Plein d'élan, il profitera de l'an 2000 pour réaliser certaines de ses aspirations : il ne sera pas déçu. Toujours confiant et décidé, le Cochon de Terre sait que pour arriver à ses fins il doit agir et, cette année, rien ne le retiendra ! Sa vie professionnelle est particulièrement bien aspectée ; non seulement continuera-t-il à donner sa pleine mesure au travail, mais s'il sent qu'il peut apporter une contribution supplémentaire, il n'hésitera pas à promouvoir ses idées. De même, il se montrera ouvert aux changements proposés par d'autres. On remarquera son enthousiasme et son esprit d'initiative, facteurs déterminants pour les progrès à venir. Soulignons au Cochon de Terre qu'il devra porter une attention spéciale aux possibilités de promotion ou aux ouvertures susceptibles de faire avancer sa carrière. À ce sujet, les mois d'avril, mai, septembre et octobre pourraient s'avérer fort propices. Mais, qu'il soit en recherche d'emploi ou déjà titulaire d'un poste, le natif du signe fera bien de discuter de ses idées avec des personnes aptes à lui donner des conseils éclairés. Ces échanges pourraient se révéler très fructueux : une recommandation, un bon mot en sa faveur, de bons tuyaux, qui sait ? En l'an 2000, les augures sont réellement favorables et, grâce à une action résolue, tous les cochons de Terre seront en mesure d'améliorer leur sort et de s'assurer des bénéfices à plus long terme. Ils seront également avantagés quant à leur situation financière. Cela pourrait bien les inciter à faire des achats importants au cours de l'année, tels ceux de meubles ou de certains équipements pour la maison. S'ils agissent alors en acheteurs avisés, c'est-à-dire s'ils prennent le temps de voir ce qui est sur le marché, de comparer les prix pratiqués par différents marchands ou s'ils attendent les soldes, leur patience sera souvent largement récompensée. Au cours de l'année, le Cochon de Terre sera passablement accaparé par sa vie familiale ; elle s'avérera exigeante par moments mais lui apportera beaucoup de bonheur. Au long des mois, il prendra une part active à tout ce qui se passe chez lui, aidant et encourageant l'un ou l'autre. Il trouvera un attrait particulier aux activités partagées avec les siens : travaux autour de la maison, loisirs communs, vacances ou excursions. Car il accorde vraiment beaucoup d'importance aux relations qu'il entretient avec ses proches, et la chaleur du foyer pour lui n'a pas de prix. Sa vie sociale paraît bien aspectée et il peut s'attendre à d'agréables rencontres amicales ainsi qu'à des sorties diverses. Le Cochon de Terre encore sans attaches, ou celui qui est seul malgré lui, pourrait voir naître une amitié nouvelle au cours de l'année du Dragon ; à ce sujet, le printemps favorisera les rencontres. À presque tous égards donc, on qualifiera l'an 2000 d'avantageux et de constructif. Il est nécessaire toutefois d'adresser une mise en garde au Cochon de Terre afin qu'il ne s'engage pas dans un trop grand nombre d'activités à la fois. Il aime certes se montrer disponible, mais il devra s'astreindre à une gestion réaliste de son temps, savoir quand accepter et quand refuser, sous peine de voir s'envoler son peu de temps libre. Fort de ce conseil, le Cochon de Terre connaîtra une année prometteuse ; en exerçant ses nombreuses qualités, il saura tirer parti des possibilités qu'elle offre.

Cochons célèbres

Bryan Adams, Woody Allen, Fred Astaire, Sir Richard Attenborough, Hector Berlioz, Jane Birkin, Humphrey Bogart, Maria Callas, Paul Cézanne, Julien Clerc, Hillary Rodham Clinton, Glenn Close, le dalaï-lama, Richard Dreyfuss, Annie Dupérey, Henry Ford, Ernest Hemingway, Henri VIII, Alfred Hitchcock, Elton John, C. G. Jung, Boris Karloff, Stephen King, Nastassja Kinski, Kevin Kline, Le Corbusier, John McEnroe, Marcel Marceau, Wolfgang Amadeus Mozart, Luciano Pavarotti, Prince Rainier de Monaco, Maurice Ravel, Arthur Rubenstein, Salman Rushdie, Françoise Sagan, Pete Sampras, Arantxa Sanchez Vicario, Carlos Santana, Arnold Schwarzenegger, Steven Spielberg, Emma Thompson, Tracey Ullman, Jacques Villeneuve, la Duchesse d'York.

Appendice

Les horoscopes de l'astrologie chinoise accordent une place importante aux relations personnelles et professionnelles entre les douze signes. Des tableaux faisant état de leur degré de compatibilité figurent dans les pages qui suivent. De plus, vous trouverez plus loin toutes les précisions nécessaires pour déterminer quel est votre ascendant; puisque celui-ci influe sur votre signe, ses effets méritent d'être pris en considération.

Relations personnelles

1. Excellente relation. Belle harmonie.
2. Très bonne relation. Nombreux intérêts communs.
3. Bonne relation, fondée sur le respect et la compréhension.
4. Relation satisfaisante, qui exige parfois efforts et compromis.
5. Relation malaisée. Problèmes de communication et divergences d'intérêts.
6. Relation difficile. Personnalités conflictuelles.

	Rat	Bœuf	Tigre	Lièvre	Dragon	Serpent	Cheval	Chèvre	Singe	Coq	Chien	Cochon
Rat	1											
Bœuf	1	3										
Tigre	4	6	5									
Lièvre	5	2	3	3								
Dragon	1	5	5	3	2							
Serpent	3	1	6	2	1	5						
Cheval	6	5	1	4	3	4	2					
Chèvre	5	5	3	1	5	3	2	2				
Singe	1	3	5	3	1	3	5	3	1			
Coq	4	1	4	6	2	1	3	4	5	5		
Chien	3	4	1	3	6	3	2	5	3	5	2	
Cochon	2	3	2	2	3	6	3	2	2	3	1	2

Relations professionnelles

1. Excellente relation, fondée sur une parfaite compréhension mutuelle.
2. Très bonne relation de complémentarité.
3. Bonne relation. Entente susceptible d'être développée.
4. Relation satisfaisante moyennant un but commun. Compromis souvent nécessaires.
5. Relation malaisée, peu susceptible de donner des résultats. Manque de confiance ou de compréhension. Rivalité entre les signes.
6. Relation difficile, caractérisée par la méfiance. À éviter.

	Rat	Bœuf	Tigre	Lièvre	Dragon	Serpent	Cheval	Chèvre	Singe	Coq	Chien	Cochon
Rat	2											
Bœuf	1	3										
Tigre	3	6	5									
Lièvre	4	3	4	3								
Dragon	1	4	3	4	3							
Serpent	3	2	6	4	1	4						
Cheval	6	4	1	5	3	4	3					
Chèvre	4	5	3	1	4	3	3	2				
Singe	2	3	5	5	1	5	4	4	3			
Coq	5	1	5	5	2	1	2	5	4	6		
Chien	4	5	2	3	6	4	2	5	3	5	4	
Cochon	3	3	2	2	3	5	4	2	3	4	3	3

Votre ascendant

Votre ascendant exerce une forte influence sur votre caractère, aussi son étude complétera-t-elle ce que vous avez déjà appris sur votre signe et sur la manière dont votre élément l'affecte. Vous parviendrez ainsi à une meilleure compréhension de votre véritable personnalité, comme le veut la tradition astrologique chinoise.

Pour déterminer votre ascendant, il suffit de chercher le signe qui correspond à l'heure (normale et non avancée) de votre naissance dans le tableau ci-dessous.

Heure de naissance	Ascendant
23 h et 1 h	Le Rat
1 h et 3 h	Le Bœuf
3 h et 5 h	Le Tigre
5 h et 7 h	Le Lièvre
7 h et 9 h	Le Dragon
9 h et 11 h	Le Serpent
11 h et 13 h	Le Cheval
13 h et 15 h	Le Chèvre
15 h et 17 h	Le Singe
17 h et 19 h	Le Coq
19 h et 21 h	Le Chien
21 h et 23 h	Le Cochon

Rat : L'ascendant du Rat incite le signe à se montrer extraverti, sociable et prudent en matière d'argent. Il a une influence particulièrement favorable sur les natifs du Lièvre, du Cheval, du Singe et du Cochon.

Bœuf : L'ascendant du Bœuf amplifie la prudence, la retenue et la stabilité, qualités souhaitables pour tous les signes. Il accentue également l'assurance et la résolution, ce qui convient particulièrement bien aux natifs du Tigre, du Lièvre et de la Chèvre.

Tigre : Cet ascendant exerce une influence dynamisante sur le signe, qui est alors plus extraverti, entreprenant et impulsif. L'ascendant du Tigre est généralement favorable aux natifs du Bœuf, du Tigre, du Serpent et du Cheval.

Lièvre : L'ascendant du Lièvre modère le signe, favorisant chez lui la réflexion, la sérénité et la discrétion. Le Rat, le Dragon, le Singe et le Coq en tirent un grand avantage.

Dragon : Cet ascendant insuffle courage, détermination et ambition. Ces qualités sont précieuses aux natifs du Lièvre, de la Chèvre, du Singe et du Chien.

Serpent : Sous l'influence de l'ascendant du Serpent, le signe se montre plus réfléchi, intuitif et autonome. Le Tigre, la Chèvre et le Cochon y gagnent.

Cheval : L'ascendant du Cheval rend plus prononcés l'esprit d'aventure, l'audace et, occasionnellement, l'inconstance. Ses effets sont bénéfiques pour le Lièvre, le Serpent, le Chien et le Cochon.

Chèvre : Le natif ayant cet ascendant est plus enclin à se montrer tolérant, facile à vivre et réceptif. Ses talents artistiques s'en trouvent également accrus. L'ascendant de la Chèvre a d'heureux effets sur le Bœuf, le Dragon, le Serpent et le Coq.

Singe : Légèreté et sens de l'humour vont de pair avec cet ascendant. Le signe qui en bénéficie est également plus entreprenant et communicatif. L'ascendant du Singe convient à merveille aux natifs du Rat, du Bœuf, du Serpent et de la Chèvre.

Coq : L'ascendant du Coq confère un esprit méthodique, une ouverture aux autres et beaucoup d'entrain. Il rend le signe plus efficace. Le Bœuf, le Tigre, le Lièvre et le Cheval en tirent grand profit.

Chien : Cet ascendant encourage le signe à faire preuve de bon sens, d'impartialité et de loyauté. Il exerce une excellente influence sur les natifs du Tigre, du Dragon et de la Chèvre.

Cochon : Le natif sous l'influence de cet ascendant est plus sociable, heureux de son sort, et même complaisant. Il est également enclin à aider autrui, car l'ascendant du Cochon accentue la bienveillance. Le Dragon et le Singe en bénéficient particulièrement.

Votre signe et l'année du Dragon

En complément à la description de la personnalité de chaque signe et à ses perspectives pour l'an 2000, vous trouverez ici des éléments susceptibles de vous aider à composer avantageusement avec les aspects de votre signe et à tirer pleinement parti de l'année du Dragon.

À chacun des douze signes du zodiaque chinois s'associent certaines qualités et points forts qui leur sont uniques. En les identifiant, vous serez aptes à les exploiter davantage. De même, en prenant conscience de vos points faibles, vous serez déjà mieux armé pour les corriger. Figurent également dans cette section quelques pistes destinées à vous rendre plus profitable encore l'année du Dragon. Sont passés en revue les prévisions globales ainsi que les secteurs du travail, de l'argent et des relations personnelles.

Le Rat

Le Rat déborde de talents, parmi lesquels son entregent constitue sans doute sa plus grande force. À son charme et sa sociabilité s'ajoute un sens inné de la psychologie. Le Rat est également perspicace et n'a pas son pareil pour repérer les bonnes occasions.

Cependant, pour réellement tirer parti de son potentiel, il lui faut s'imposer un peu de discipline. Par exemple, il serait salutaire qu'il ne cède pas à la tentation (parfois très forte) de s'impliquer dans un trop grand nombre de projets en même temps. Mieux vaudra pour lui établir ses priorités et cibler ses efforts, les résultats n'en seront que plus heureux. Par ailleurs, étant donné sa prestance, il gagnera à briguer des postes lui permettant d'exercer son art des relations humaines. Les secteurs de la vente et du marketing lui conviendront à merveille.

Le Rat gère habilement son bien. Même s'il est généralement enclin à la mesure, il lui arrive de se laisser aller à des folies. Bien sûr, ce travailleur appliqué les mérite, mais qu'il fasse preuve de retenue lorsque ses envies d'extravagances se multiplient!

Famille et amis tiennent une grande place dans sa vie. S'il se montre envers eux loyal et bienveillant, il tend par contre à taire ses propres inquiétudes. En s'ouvrant davantage de ses préoccupations, il bénéficierait d'une aide précieuse. Ses proches lui vouent une grande estime et seraient volontiers prêts à l'épauler, si seulement il se montrait moins secret.

Agile d'esprit, imaginatif et sociable, le Rat a assurément beaucoup à offrir. Il lui faudra d'abord et avant tout se fixer des objectifs clairs. Une fois décidé, plus rien ne peut lui résister; plus rien, ni personne... vu son charme fou! S'il canalise intelligemment ses énergies, il ira loin dans la vie.

Conseils et perspectives pour l'année

Prévisions globales

L'année s'annonce excellente, mais le Rat doit se donner une orientation claire et un programme d'action détaillé. Ses démarches lui feront récolter des résultats avantageux, qui auront une portée considérable sur son avenir.

Travail

De belles occasions sont en réserve cette année, aussi le Rat ne doit-il pas ménager ses efforts. Ce sera le moment d'explorer toutes les avenues prometteuses et de vendre ses idées. En faisant preuve de détermination, il pourra avancer à grands pas. Son ingéniosité et son esprit d'entreprise seront fort appréciés.

Argent

Une nette amélioration est en vue. Les travaux que le Rat souhaitait entreprendre chez lui ainsi que les voyages auxquels il rêvait pourront devenir réalité. Il devra toutefois se montrer prudent s'il prête de l'argent.

Relations personnelles

Le tempérament sociable du Rat pourra pleinement s'épanouir cette année. De superbes moments auprès de ses amis et de sa famille sont en perspective. Les aspects favoriseront également les nouvelles amitiés et les affaires de cœur. En somme, l'année s'annonce délicieuse.

Le Bœuf

Volonté et détermination sont l'apanage du Bœuf. Le moins qu'on puisse dire, c'est qu'il sait ce qu'il veut! Sans compter qu'il poursuit ses buts avec une persévérance à toute épreuve. Sa ténacité tout comme sa fiabilité sont d'ailleurs une source d'inspiration pour autrui. Le Bœuf aimant avant tout l'action, il accomplit souvent de grandes choses dans sa vie. Et s'il peut corriger ses points faibles, il atteindra l'excellence.

La fermeté avec laquelle il s'applique à réaliser ses objectifs peut parfois se traduire par une certaine étroitesse d'esprit et une attitude rigide. En effet, le Bœuf ne se montre pas toujours ouvert aux changements ; de plus, il préfère de loin faire les choses à sa manière, plutôt que dépendre des autres. Il lui serait salutaire de se montrer plus coopératif et de cultiver son esprit d'aventure. Car la résistance qu'il manifeste face aux situations nouvelles peut lui être préjudiciable, alors que s'il fait l'effort de s'adapter, ses progrès s'en verront facilités.

Le Bœuf gagnerait également à élargir l'éventail de ses intérêts ainsi qu'à aborder la vie avec plus de légèreté. Il est parfois préoccupé par ses activités au point de négliger ceux qui l'entourent ; à vrai dire, son application et son sérieux peuvent être excessifs, le rendant quelque peu rébarbatif. Un peu d'humour ne ferait pas de mal !

Toutefois, le Bœuf est un homme de parole, sa loyauté envers famille et amis est irréprochable. On l'admire, on le respecte, et sa volonté de fer lui vaudra une vie réussie.

Conseils et perspectives pour l'année

Prévisions globales

Bien que les changements (parfois spectaculaires) qu'apportera l'année du Dragon puissent inspirer une certaine méfiance au Bœuf, ils donneront souvent lieu à des développements positifs d'une portée considérable. Il faudra cette année avancer prudemment, en s'adaptant aux situations nouvelles afin d'en mieux tirer parti.

Travail

Le Bœuf est prompt à douter lorsque surviennent des changements dans son environnement professionnel, par exemple lorsqu'il se voit confier de nouvelles fonctions. Pourtant, ce vent de renouveau est susceptible de lui ouvrir des avenues aussi intéressantes que prometteuses. Ce sera le moment de rester attentif à la tournure des événements, d'acquérir de l'expérience et d'exercer sa faculté d'adaptation. L'année du Dragon peut être pourvoyeuse d'avantages substantiels pour le Bœuf, lui donnant la chance d'explorer de nouveaux horizons et de récolter des résultats significatifs à plus long terme.

Argent

L'année se présente sous d'heureux auspices. Les achats importants exigeront toutefois une mûre réflexion. De plus, le Bœuf gagnera à se constituer des réserves, autant pour ses loisirs que pour des vacances bien méritées.

Relations personnelles

Bien que l'année comporte son lot de difficultés, le Bœuf sera réconforté par l'appui, l'encouragement et l'affection que lui témoigneront ses proches. Sa vie familiale et sociale lui promet également de grandes joies. C'est sans hésiter qu'il devra consulter son entourage si jamais quelque question le tracasse : un fardeau partagé est déjà plus léger !

Le Tigre

Toujours entreprenant et plein d'entrain, le Tigre aime mener une vie bien remplie. Très sociable, il est doté d'un esprit alerte et innovateur, et cultive une foule d'intérêts. Cependant, en dépit de son enthousiasme et de sa bonne volonté, il exploite parfois mal son potentiel, qui est considérable.

Sa versatilité l'entraîne à papillonner d'une activité à l'autre, et il peut facilement disperser ses énergies en voulant tout faire à la fois. Une certaine rigueur, alliée à une discipline personnelle, lui permettrait d'être plus productif. Il devrait donc s'interroger quant au meilleur emploi qu'il peut faire de ses talents, se fixer des objectifs, et n'en pas dévier. En effet, s'il arrive à surmonter ses tendances à l'instabilité et sait faire preuve de persévérance, il parviendra plus rapidement à des résultats.

Son caractère liant n'empêche pas le Tigre de vouloir garder sa liberté d'action. Personne ne songerait à la lui retirer ; toutefois, il trouverait la vie plus facile s'il se montrait prêt à travailler de concert avec les autres. La grande confiance qu'il a dans son jugement le porte parfois à faire fi des opinions exprimées. Il aurait intérêt à ne pas abuser de son désir d'indépendance : cela pourrait lui jouer de vilains tours !

Somme toute, le Tigre possède bien des atouts : il est audacieux, original et vif d'esprit. Sa personnalité chaleureuse et son amabilité en font une personne qu'on admire et qu'on aime. S'il apprend à maîtriser sa nature inconstante, il est promis à de belles réussites.

Conseils et perspectives pour l'année

Prévisions globales

L'arrivée du nouveau millénaire incitera plusieurs Tigres à passer à l'action et à donner corps à leurs aspirations. En prenant son destin en main, le Tigre arrivera à des résultats gratifiants, qui auront des retombées positives à long terme. Donc, une année fructueuse en perspective.

Travail

De beaux progrès sont possibles. C'est en prenant des initiatives, en explorant toutes les avenues possibles de même qu'en créant lui-même des occasions favorables que le Tigre pourra améliorer sa situation et obtenir les résultats qu'il souhaite. Ses multiples talents, il aura la chance de les utiliser et de les développer, et en conséquence, il ne manquera pas d'impressionner ses supérieurs.

Argent

Le Tigre connaîtra une amélioration de sa situation financière, mais il devra néanmoins agir avec précaution, éviter les risques et les folles dépenses. Une gestion prudente l'empêchera de se retrouver comme la cigale de la fable !

Relations personnelles

Le Tigre jouira de relations riches et harmonieuses tant avec sa famille qu'avec ses amis. Les Tigres sans attaches, ou ceux qui souhaitent se faire des amis, devraient faire l'effort de sortir davantage. Se joindre à un club ou à un groupe d'affinité serait un excellent moyen pour eux de faire des rencontres. En définitive, tout sera possible en cette année faste : amis, amour, mariage.

Le Lièvre

Le Lièvre est un être raffiné, doté d'un goût sûr. Il a beaucoup d'entregent et tout l'intéresse. Il apprécie les bonnes choses de la vie, et fait ce qu'il faut pour se les procurer.

Fin et plein de charme, il possède néanmoins certains traits qui méritent surveillance. Son conservatisme peut l'incliner à trop de prudence. Son horreur du changement risque de lui coûter des occasions prometteuses. Par ailleurs, certains Lièvres sont prêts à de grands détours pour éviter les situations potentiellement difficiles : certes, personne n'aime les problèmes mais, dans la vie, il faut accepter les risques ou s'affirmer si on veut avancer. Par moments, il serait donc tout à l'avantage du Lièvre de faire preuve d'audace et d'assurance dans la poursuite de ce qu'il désire.

Le Lièvre attache une grande importance aux relations interpersonnelles et, bien que d'un commerce généralement agréable, prend facilement ombrage de la critique. Le natif du signe devrait s'exercer à être moins susceptible : la critique est souvent un bon maître, si on sait l'écouter, et les problèmes riches d'enseignement, si on les regarde en face.

Conseils et perspectives pour l'année

Prévisions globales

Bien que l'année ne lui offrira pas toute la stabilité souhaitée, elle donnera lieu à certains changements qui porteront leurs fruits un peu plus tard. Ce sera le moment de faire montre de souplesse et de chercher à tirer profit des circonstances.

Travail

C'est en misant sur des compétences déjà solides que le Lièvre remportera des succès. Et malgré tout, il aura à faire ses preuves et à relever des défis. L'année invite à la prudence et à la vigilance, mais ce que le Lièvre accomplira aura souvent une portée positive à moyen terme.

Argent

En gérant ses finances avec le talent qu'on lui connaît, le Lièvre devrait bien s'en tirer. Cependant, les risques indus sont à éviter : la sagesse et la prévoyance sont à l'ordre du jour, et de l'année !

Relations personnelles

Le Lièvre sera très reconnaissant du soutien qu'il recevra au cours de l'année, et s'il se sent abattu par les soucis, il aura avantage à demander de l'aide. Au plan familial toutefois, il sera comblé et, dans ses loisirs, il peut s'attendre à passer de bien bons moments avec ses amis.

Le Dragon

Enthousiaste, entreprenant et d'une grande probité, le Dragon possède nombre de qualités admirables. Entre autres, il donne toujours le maximum, et même si toutes ses initiatives ne sont pas couronnées de succès, il persiste et signe. C'est un être qui suscite le respect et l'admiration. Sa vie est en général bien remplie.

Toutefois, le Dragon est à l'occasion brusque et trop direct. On le juge parfois dominateur à cause de sa forte personnalité. Il serait dans son intérêt d'écouter un peu plus les conseils qu'on lui donne plutôt que se fier à lui seul.

De plus, il laisse parfois son enthousiasme prendre le dessus, et il peut se montrer impulsif. Il saura donner sa pleine mesure s'il sait établir ses priorités et agir avec méthode et discipline. Plus de tact et de diplomatie ne lui ferait pas de tort non plus !

N'empêche, son entrain et son allure enjouée font que le Dragon est fort populaire. Lorsqu'il bénéficie d'augures favorables (et c'est souvent le cas du Dragon), il peut s'attendre à une vie riche et excitante. Ses talents sont nombreux et s'il les utilise bien, le succès sera à sa portée.

Conseils et perspectives pour l'année

Prévisions globales

Plus optimiste et plus déterminé que jamais, le Dragon fera cette année un effort concerté pour réaliser certaines de ses ambitions. Et son ardeur et son application porteront fruits : les résultats obtenus seront significatifs. Une année, donc, pour décider de ses objectifs et y aller d'un grand coup pour les atteindre !

Travail

De belles occasions en perspective, et la chance de mettre ses idées, ses talents et ses connaissances à bon usage. Le Dragon fera bien de se montrer audacieux et entreprenant s'il veut améliorer sa situation présente : des progrès substantiels sont possibles.

Argent

Pour profiter au maximum des tendances positives entourant les questions d'argent, le Dragon devra décider de la meilleure façon d'utiliser ses ressources ; idéalement, il en destinera une partie à son bas de laine, avant de déterminer ce qu'il doit réserver aux dépenses envisagées. Il se félicitera de sa gestion prudente.

Relations personnelles

Une superbe année, riche de moments privilégiés en compagnie de ses proches et de ses amis. Tant au plan familial que social, il y aura beaucoup d'animation mais aussi beaucoup de satisfactions, et le Dragon sera reconnaissant du soutien qu'il recevra. Les augures sont fort propices à l'amour et aux amitiés nouvelles, et tout Dragon en proie à la déprime devrait faire l'effort de sortir davantage pour avoir une vie plus stimulante. En passant à l'action, il accomplira beaucoup.

Le Serpent

Le Serpent est avantagé par sa vive intelligence, son esprit curieux et son discernement. Il cultive des intérêts variés. D'une nature paisible et réfléchie, il planifie généralement avec grand soin. Ses nombreuses habiletés lui valent de beaux succès, mais certains traits de caractère peuvent entraver ses avancées.

Sa circonspection lui fait parfois perdre du terrain par rapport à d'autres, plus confiants, qui se jettent dans l'action. De plus, son côté solitaire et sa soif d'indépendance ne jouent pas toujours à son avantage. Il devrait donc se montrer plus avenant et inviter la collaboration d'autrui à ses projets. Le Serpent est certes talentueux, sa personnalité riche et chaleureuse, mais tout cela transparaît avec difficulté vu sa réserve, voire sa tendance à s'effacer. Pourquoi ne pas se montrer à sa juste valeur ?

Il faut reconnaître cependant que le Serpent est son propre maître. À n'en pas douter, il sait ce qu'il veut et poursuivra ses objectifs avec courage et ténacité. Mais il n'en tient qu'à lui de faciliter son parcours. Au diable les réticences, Serpents, ouvrez-vous aux autres et avancez avec aplomb, quitte à prendre un risque de temps en temps... Quelques risques n'ont jamais fait de tort à personne !

Conseils et perspectives pour l'année

Prévisions globales

Malgré les doutes que certains événements pourront inspirer au Serpent, l'année ne s'en révélera pas

336

moins constructive. Ce sera le moment de réfléchir à la direction qu'il souhaite donner à sa vie pour ensuite préparer le terrain qui favorisera l'atteinte de ses objectifs. Planifier maintenant permettra de récolter plus tard.

Travail

Au programme cette année : consolider les avantages acquis tout en surveillant les nouveaux développements. Si les progrès se révèlent modestes, l'année laisse néanmoins entrevoir l'amorce de certains projets et même l'obtention d'un poste ouvrant d'excellentes perspectives de succès pour l'avenir.

Argent

La vigilance coutumière du Serpent se révélera particulièrement salutaire cette année. Mieux vaudra éviter les risques ; documents et contrats à signer mériteront un examen attentif.

Relations personnelles

Le Serpent sera reconnaissant de se voir soutenu et encouragé dans ses activités ; il tirera grand profit des conseils d'autrui. Sa vie familiale, quoique très active, l'emplira de contentement, tandis que sa vie sociale se révélera fort plaisante. Il faudra cependant veiller à ce que ses multiples engagements n'empiètent pas sur le temps qu'il aime consacrer à ses intérêts personnels. Les activités extérieures ou de nature créative se présentent sous d'excellents auspices.

Le Cheval

Grâce à sa polyvalence, sa grande capacité de travail et son naturel sociable, le Cheval impressionne partout où il passe. Il a la parole facile, une personnalité attachante, aussi noue-t-il aisément des amitiés. On le reconnaît également à son esprit vif et à son sens de la répartie. Il tente volontiers sa chance et aime explorer de nouvelles idées.

Voilà donc un être fort sympathique et qui ne manque pas de caractère ; mais, bien sûr, il a ses points faibles. Ainsi, il ne va pas toujours jusqu'au bout de ce qu'il entreprend, car il se laisse distraire par de trop nombreux intérêts. Un peu plus de persévérance serait fort indiquée. Le Cheval a tout pour réussir avec brio, mais il doit apprendre à se tenir aux plans qu'il s'est fixés. Pour exploiter à fond ses talents, il devra maîtriser sa tendance à l'éparpillement.

Le natif de ce signe aime la compagnie, il voue une grande affection à sa famille et à ses amis. Malheureusement, combien de fois n'a-t-il pas regretté un mot déplacé ou un accès de colère ? Tout au long de sa vie, et plus particulièrement dans les situations tendues, le Cheval gagnera à maîtriser son tempérament fougueux et à cultiver l'art de la diplomatie. S'il se montre intempestif, en geste ou en parole, il risque de mettre en péril précisément ce à quoi il tient dans ses relations avec autrui, soit le respect mutuel et l'harmonie.

Le Cheval est avantagé par de multiples talents, alliés à une personnalité avenante et pleine d'entrain. En s'efforçant de tempérer sa versatilité, il aura toutes les chances de mener une vie riche et très satisfaisante.

Conseil et perspectives pour l'année

Prévisions globales

Le Cheval abordera l'année avec optimisme et détermination. Ses grandes ambitions ne trouveront pas toujours l'aboutissement souhaité, mais ce qu'il accomplit sera précieux et jouera en sa faveur à plus long terme.

Travail

Une année intéressante est en vue. Le Cheval devra déployer ses talents et habiletés. Ses réalisations auront de quoi impressionner l'entourage, concourant à favoriser ses perspectives d'avenir. Ce sera le moment de profiter au maximum des circonstances et de saisir les occasions prometteuses. Un passe-temps ou un domaine d'intérêt pourrait devenir une source additionnelle de revenus si le Cheval fait preuve d'initiative.

Argent

L'année commandera une saine gestion financière. Il faudra surveiller les dépenses et accorder toute l'attention nécessaire aux documents officiels, formulaires à remplir et contrats à signer. Les risques sont à éviter, tout comme l'insouciance.

Relations personnelles

D'heureux moments sont en perspective dans la sphère familiale et sociale. Le Cheval retirera un vif plaisir des activités de groupe. Pour peu qu'il partage ses espoirs, il bénéficiera du solide appui de son entourage. De nouvelles amitiés ainsi qu'une liaison amoureuse susceptible de se faire jour lui apporteront beaucoup de bonheur.

La Chèvre

D'un naturel chaleureux, amical et compatissant, la Chèvre s'accorde bien avec ses semblables, qui la considèrent généralement facile à vivre. Elle apprécie les belles choses et déborde d'imagination. On la reconnaît à son tempérament artistique. Elle affectionne les activités créatives et de plein air.

Cependant, malgré sa personnalité attachante, se cache chez elle une nature nerveuse et pessimiste. La Chèvre s'inquiète facilement : sans l'appui et l'encouragement de son entourage, elle peut douter d'elle-même et tergiverser.

Afin de réellement exploiter ses talents, elle devra gagner en assurance, se montrer plus résolue et cultiver sa sérénité. Elle a tant à offrir ! Pourquoi ne pas se promouvoir et faire preuve d'audace ? Par ailleurs, la Chèvre aurait intérêt à clarifier ses priorités ainsi qu'à mener ses projets avec méthode et discipline. Faire les choses au petit bonheur la chance restreint souvent ses progrès.

Bien qu'elle attachera toujours un grand prix au soutien des autres, elle gagnerait à affirmer son indépendance, en surmontant l'appréhension que suscite chez elle l'idée d'agir pour son propre compte. Car en définitive, la Chèvre est talentueuse, sincère et aimable ; en s'efforçant de toujours donner le meilleur d'elle-même, elle sera promise à une vie enrichissante et agréable.

Conseils et perspectives pour l'année

Prévisions globales

L'année laisse entrevoir des difficultés. La Chèvre verra certaines entreprises achopper. Toutefois, elle aura ainsi l'occasion de mûrir ses idées, d'en développer de nouvelles et de puiser dans ses ressources intérieures. En fin de compte, elle gagnera au change en l'an 2000 et préparera la voie menant au succès.

Travail

Ce sera le moment de consolider les avantages acquis, tout en restant attentif aux développements. L'année exigera souplesse et prudence. Si la Chèvre donne sa pleine mesure et sait profiter des occasions (idéales ou non) qui surgissent, elle jouira de meilleures perspectives d'avenir.

Argent

D'importantes dépenses sont en vue, principalement au chapitre de l'aménagement. La Chèvre devra surveiller son budget, éviter les transactions risquées et consacrer le temps nécessaire à la bonne gestion de ses finances.

Relations personnelles

À la lumière des difficultés auxquelles elle risque d'être en butte cette année, la Chèvre tirera un grand réconfort de la présence bienveillante de ses proches.

Elle devra sans hésiter s'ouvrir de ses problèmes. Sa vie familiale et sociale s'annonce fort animée et joyeuse. Le temps consacré aux intérêts personnels sera riche de satisfaction et bienfaisant ; ce sera une excellente source de détente pour les natifs de ce signe.

Le Singe

Dynamique, entreprenant et créatif, le Singe fait de l'effet. Il cultive une foule d'intérêts. Toujours prêt à s'amuser, il se mêle avec aisance. De plus, sa perspicacité lui permet comme nul autre de tourner les événements à son avantage.

Cependant, son esprit souple et ses nombreux talents s'accompagnent également de quelques points faibles. Par exemple, un rien le distrait, et il peut manquer de persévérance. Il a également tendance à ne se fier qu'à son propre jugement. Bien entendu, sa confiance en lui constitue un atout inestimable, mais il gagnerait à accorder un peu plus de considération à l'opinion des autres. De plus, si le Singe aime être au courant de tout, il peut en revanche se montrer évasif et secret en ce qui concerne ses propres sentiments ou ses activités. Une plus grande franchise jouerait en sa faveur.

Le natif de ce signe est doté d'un extraordinaire esprit d'entreprise. Mais pour arriver à ses fins, il cède parfois à la tentation de prendre des raccourcis ou de recourir à la ruse. Or, qu'il prenne garde, cela risque de se retourner contre lui !

Il n'en reste pas moins que sa débrouillardise et sa force de caractère le promettent à une existence à la fois intéressante et variée. Si le Singe parvient à canaliser ses énergies avec à-propos et à réfréner sa propension à l'éparpillement, une vie couronnée de succès l'attend. Sans compter que sa personnalité avenante lui vaudra de belles amitiés.

Conseils et perspectives pour l'année

Prévisions globales

Stimulé par l'arrivée du nouveau millénaire, le Singe aura à cœur d'accomplir de grandes choses. Son ingéniosité alliée à son audace le serviront bien. En vue de récolter les meilleurs résultats possibles, toutefois, il veillera à planifier ses activités, afin de ne pas disperser ses efforts.

Travail

L'année se présente sous le signe du changement et du progrès. Pour bénéficier pleinement des aspects favorables, le Singe devra exploiter toutes les occasions qui se font jour ainsi que promouvoir ses idées et ses talents. Les conditions se révéleront propices au développement de ses compétences.

Argent

L'année augure bien sur ce plan. Le Singe devra toutefois éviter les risques inutiles et agir en consommateur avisé lorsqu'il contemple un achat important.

Relations personnelles

Le Singe appréciera le soutien dont il jouit. Il lui est recommandé de prêter une oreille attentive aux conseils que lui prodigueront famille et amis. Sur le plan social, l'année s'annonce faste, et de nouvelles amitiés sont en vue. Les perspectives amoureuses sont également excellentes.

Le Coq

Le Coq en impose par sa fière allure, son style incisif et résolu. Doté d'un esprit délié, il se tient toujours au fait de l'actualité et s'exprime avec clarté et conviction. Sa minutie alliée à son efficacité lui attirent le respect d'autrui. L'intérêt qu'il porte à ses semblables est sincère et bienveillant.

Malgré tout ce qui l'avantage, le Coq gagnerait à travailler sur certains aspects de sa personnalité. Ainsi, sa franchise et ses excès de zèle peuvent lui nuire, à telle enseigne qu'il regrette parfois ses paroles ou gestes irréfléchis. De plus, vu ses exigences très élevées, il lui arrive de se montrer tatillon, et même pédant. Cela peut se traduire par une attention démesurée à des questions secondaires alors qu'un emploi plus judicieux de son temps serait souhaitable. Tous les natifs du Coq auraient intérêt à maîtriser ce mauvais penchant. Enfin, malgré ses talents de planificateur, le Coq manque parfois de réalisme quant à ses attentes. Au moment de l'élaboration de ses projets (et plus généralement dans le cadre de toute activité), il ferait bien de prendre conseil au lieu de garder ses idées pour lui. La contribution des autres constituera un apport salutaire à ses initiatives.

En somme, le Coq est pourvu de remarquables talents, son dynamisme et son dévouement sont exemplaires ; afin de tirer profit de ses qualités, il s'efforcera de concentrer ses efforts sur l'essentiel et de mettre un frein à sa nature quelque peu impulsive. Avec un peu d'application, il ira loin dans la vie et, grâce à ses intérêts multiples et à son caractère sociable, il se gagnera l'amitié et le respect de ses pairs.

Conseils et perspectives pour l'année

Prévisions globales

L'année s'annonce excellente sous tous rapports. Cependant, afin de bénéficier pleinement des aspects positifs, le Coq devrait soigneusement définir ses objectifs avant de s'atteler à les poursuivre avec sa détermination habituelle. Ceux qui se montrent prêts à saisir la balle au bond seront richement récompensés.

Travail

L'année foisonnera de possibilités. Le Coq devra profiter de toutes les occasions qu'il a de développer ses habiletés et de faire avancer sa carrière. Ses perspectives d'avenir sont telles que, s'il donne sa pleine mesure et exploite ses talents, il pourrait considérablement améliorer sa situation. L'année se révélera également propice à la promotion de ses idées.

Argent

La réussite grandissante du Coq aura d'heureuses retombées sur ses finances, plus particulièrement au cours du deuxième semestre. Excès de dépenses et achats inconsidérés restent cependant à éviter. Le Coq devrait plutôt envisager de se constituer des réserves pour l'avenir.

Relations personnelles

La sphère relationnelle, tant familiale que sociale, est superbement aspectée. Le Coq peut s'attendre à vivre d'exceptionnels moments avec ses proches ainsi qu'à bénéficier de leur appui et de leurs conseils. Les tendances s'avéreront également propices à la naissance d'une liaison amoureuse et de nouvelles amitiés. Beaucoup de bonheur en perspective !

Le Chien

Loyal, digne de confiance et fin psychologue, le Chien se gagne à juste titre le respect et l'admiration d'autrui. Éminemment sensé, il ne tolère aucune forme d'hypocrisie ou de mensonge. D'ailleurs, on sait toujours où l'on en est avec lui, car il expose ses positions avec franchise et clarté. Également pourvu d'une nature compatissante, le Chien se révèle fréquemment un ardent défenseur des causes humanitaires.

Voilà donc un être qui compte de formidables qualités ; pourtant, certains traits de son caractère l'empêchent de jouir pleinement de la vie et d'aller aussi loin qu'il le pourrait. C'est que le Chien est l'inquiétude personnifiée, tout pour lui est matière à anxiété. S'il pouvait seulement corriger ce mauvais penchant! En tout état de cause, lorsqu'il se sent tendu ou soucieux, il aurait avantage à se confier. Il ne lui sert à rien de ruminer seul ses tracas, d'autant qu'ils ne sont pas toujours fondés! Le Chien a également tendance à voir le mauvais côté des choses alors qu'un peu d'optimisme serait salutaire à ses initiatives. Après tout, ses habiletés sont telles qu'il aurait toutes les raisons d'être confiant. Enfin, son entêtement occasionnel, qui joue parfois à son détriment, mériterait surveillance.

S'il peut tempérer son pessimisme et son anxiété, le Chien profitera réellement de la vie et accomplira davantage. Sa fiabilité, sa nature sincère et loyale, font de lui une personne remarquable que tous apprécient. Il fera du bien autour de lui et nouera de belles amitiés. Il n'en tient qu'à lui de croquer dans la vie à belles dents. Qu'il médite de temps en temps les paroles de Winston Churchill, un autre Chien : « Lorsque je repense à toutes mes inquiétudes passées, je me rappelle l'histoire du vieil homme qui, sur son lit de mort, remarqua que dans sa vie il avait eu beaucoup de problèmes, la plupart desquels n'avaient jamais existé. »

Conseils et perspectives pour l'année

Prévisions globales

Difficultés et revirements de situation sont à prévoir, qui forceront le Chien à réexaminer ses plans. L'année du Dragon ouvrira toutefois la porte à des développements positifs pour l'avenir. Il faudra rester aux aguets et faire montre de souplesse, afin de mieux tirer parti des circonstances.

Travail

L'année se présente sous le signe du changement. Le Chien pourrait assumer de nouvelles tâches ou briguer un autre poste; une chose est sûre, il réfléchira sérieusement à son avenir. Si des remous sont en vue, dans bien des cas ils propulseront le Chien dans une direction inexplorée et prometteuse. L'année sera également propice à l'acquisition de nouvelles compétences.

Argent

Vigilance et application sont de rigueur, notamment si le Chien doit remplir d'importants formulaires ou contracter de nouveaux engagements. En cas de doute, il faudra obtenir de l'aide et des explications. Documents, reçus et garanties devront être conservés en lieu sûr.

Relations personnelles

Étant donné les difficultés auxquelles il se heurtera cette année, le Chien accueillera avec reconnaissance le soutien de son entourage. Famille et amis constitueront des ressources précieuses, aussi gagnera-t-il à prendre en considération les conseils offerts. Vie sociale, loisirs et voyages lui promettent d'heureux moments.

Le Cochon

D'un naturel cordial, sincère et confiant, le Cochon s'entend bien avec tous. La discorde hérisse cet être gentil et bienveillant. Doué d'un bon sens de l'humour, il aime fréquenter ses semblables et surtout profiter des bonnes choses de la vie !

Sa perspicacité fait de lui un habile homme d'affaires, et il n'est pas de ceux qui se laissent facilement abattre. Bien que ses projets ne trouvent pas invariablement l'aboutissement souhaité, le Cochon peut faire preuve d'une ténacité remarquable ; il n'est pas rare qu'il triomphe des obstacles qui se dressent sur son chemin. Aussi au cours de sa vie généralement fort active et variée accomplit-il souvent de grandes choses. Cependant, en corrigeant ou en tempérant certains traits de son caractère, non seulement se simplifiera-t-il l'existence, mais il pourra même récolter de retentissants succès.

Ainsi, le Cochon accepte parfois de trop nombreux engagements. Il lui faut vaquer à ses occupations avec méthode et, malgré sa crainte de décevoir, se résoudre à procéder par ordre de priorité le cas échéant. De surcroît, en usant d'un peu plus de discernement, il éviterait que d'autres n'abusent de sa nature généreuse. Ses excès de naïveté occasionnels lui ont d'ailleurs déjà joué de mauvais tours ; heureusement, le Cochon sait promptement tirer les leçons de ses erreurs. Mériterait également surveillance sa tendance à l'entêtement : lorsque les événements prennent une tournure qui lui déplaît, le Cochon peut se montrer inflexible, ce qui dessert quelquefois ses intérêts. Enfin, quoiqu'il soit légitime de vouloir profiter de l'argent durement gagné, le bon vivant qu'il est gagnerait à ne pas se permettre trop d'extravagances.

Toutefois, l'emportant de loin sur ces quelques défauts, l'intégrité du Cochon, son caractère avenant et sa vive intelligence font toujours bonne impression. S'il tire réellement parti de ses talents, sa vie sera sous le signe de la réussite, sans compter que son grand cœur lui attirera l'affection de beaucoup.

Conseils et perspectives pour l'année

Prévisions globales

Une année fort agréable est en vue. Afin de profiter pleinement des aspects favorables, le Cochon fera bien de déterminer précisément ce qu'il souhaite accomplir pour ensuite se mettre en chemin de façon résolue. La chance sourira aux esprits entreprenants et hardis.

Travail

Une année significative attend le Cochon, qui aura la possibilité d'assumer des fonctions d'une autre nature et d'ajouter à ses compétences, montrant ainsi de quoi il est capable. Ce sera une période riche en défis, qui favorisera l'émergence de nouveaux objectifs et incitera le natif de ce signe à donner le meilleur de lui-même. Il n'en tient qu'à lui de saisir les bonnes occasions qui passent !

Argent

La tendance est la hausse, mais la tentation d'engager de nombreuses dépenses pour la maison se fera sentir. Le Cochon sera bien avisé de tenir fermement les cordons de la bourse et d'attendre les soldes pour les achats d'envergure.

Relations personnelles

Le Cochon attachant un grand prix à ses relations personnelles, il se réjouira de la qualité de sa vie familiale et sociale. Il est inévitable toutefois que des différends surviennent à l'occasion, c'est alors qu'on lui sera reconnaissant d'exercer ses talents de diplomate. Les possibilités de rencontres augurent bien, et une nouvelle amitié pourrait revêtir une importance significative dans sa vie.

Table des matières

Introduction   9

Table des années chinoises   11

L'année du Dragon   15

Le Rat   21
  La personnalité du Rat   22
    Les cinq types de Rats   25
    Perspectives du Rat pour l'an 2000   28
    Rats célèbres   42

Le Bœuf   45
  La personnalité du Bœuf   46
    Les cinq types de Bœufs   48
    Perspectives du Bœuf pour l'an 2000   51
    Bœufs célèbres   67

Le Tigre   69
  La personnalité du Tigre   70
    Les cinq types de Tigres   73
    Perspectives du Tigre pour l'an 2000   76
    Tigres célèbres   92

Le Lièvre   93
  La personnalité du Lièvre   94
    Les cinq types de Lièvres   97
    Perspectives du Lièvre pour l'an 2000   99
    Lièvres célèbres 115

Le Dragon 117
  La personnalité du Dragon 118
    Les cinq types de Dragons 121
    Perspectives du Dragon pour l'an 2000 124
    Dragons célèbres 141

Le Serpent 143
  La personnalité du Serpent 144
    Les cinq types de Serpents 147
    Perspectives du Serpent pour l'an 2000 150
    Serpents célèbres 167

Le Cheval 169
  La personnalité du Cheval 170
    Les cinq types de Chevaux 173
    Perspectives du Cheval pour l'an 2000 176
    Chevaux célèbres 193

La Chèvre 195
  La personnalité de la Chèvre 196
    Les cinq types de Chèvres 199
    Perspectives de la Chèvre pour l'an 2000 202
    Chèvres célèbres 218

Le Singe 221
  La personnalité du Singe 222
    Les cinq types de Singes 225
    Perspectives du Singe pour l'an 2000 228
    Singes célèbres 244

Le Coq 245
  La personnalité du Coq 246
    Les cinq types de Coqs 249
    Perspectives du Coq pour l'an 2000 252
    Coqs célèbres 268

Le Chien 269
  La personnalité du Chien 270
    Les cinq types de Chiens 273
    Perspectives du Chien pour l'an 2000 276
    Chiens célèbres 293

Le Cochon 295
  La personnalité du Cochon 296
    Les cinq types de Cochons 299
    Perspectives du Cochon pour l'an 2000 302
    Cochons célèbres 318

Appendice 319
  Relations personnelles 320
  Relations professionnelles 321
  Votre ascendant 322
  Votre signe et l'année du Dragon 325

Ouvrages parus aux Éditions de l'Homme

Affaires et vie pratique

* **1001 prénoms, leur origine, leur signification,** Jeanne Grisé-Allard
  100 stratégies pour doubler vos ventes, Robert L. Riker
* **Acheter et vendre sa maison ou son condominium,** Lucille Brisebois
* **Acheter une franchise,** Pierre Levasseur
* **Les assemblées délibérantes,** Francine Girard
* **La bourse,** Mark C. Brown
* **Le chasse-insectes dans la maison,** Odile Michaud
* **Le chasse-insectes pour jardins,** Odile Michaud
* **Le chasse-taches,** Jack Cassimatis
* **Choix de carrières — Après le collégial professionnel,** Guy Milot
* **Choix de carrières — Après le secondaire V,** Guy Milot
* **Choix de carrières — Après l'université,** Guy Milot
  Clicking, Faith Popcorn
* **Comment cultiver un jardin potager,** Jean-Claude Trait
  Comment lire dans les feuilles de thé, William W. Hewitt
  Comment rédiger son curriculum vitæ, Julie Brazeau
  Comment voir et interpréter l'aura, Ted Andrews
* **Comprendre le marketing,** Pierre Levasseur
  La conduite automobile, Francine Levesque
  La couture de A à Z, Rita Simard
  Des pierres à faire rêver, Lucie Larose
* **Des souhaits à la carte,** Clément Fontaine
* **Devenir exportateur,** Pierre Levasseur
* **Écrivez vos mémoires,** S. Liechtele et R. Deschênes
* **L'entretien de votre maison,** Consumer Reports Books
* **L'étiquette des affaires,** Elena Jankovic
* **Faire son testament,** Me Gérald Poirier et Martine Nadeau
* **Fleurs de villes,** Benoit Prieur
* **Fleurs sauvages du Québec,** Estelle Lacoursière et Julie Therrien
* **La généalogie,** Marthe F.-Beauregard et Ève B.-Malak
* **Gérer ses ressources humaines,** Pierre Levasseur
  La graphologie, Claude Santoy
* **Le guide Bizier et Nadeau,** R. Bizier et R. Nadeau
* **Le guide de l'auto 99,** J. Duval et D. Duquet
* **Guide des arbres et des plantes à feuillage décoratif,** Benoit Prieur
* **Guide des fleurs pour les jardins du Québec,** Benoit Prieur
* **Le guide des plantes d'intérieur,** Coen Gelein
* **Guide des plantes pour la maison,** Benoit Prieur
* **Guide des voitures anciennes,** J. Gagnon et Colette Vincent
* **Guide du jardinage et de l'aménagement paysager au Québec,** Benoit Prieur
* **Guide du potager,** Benoit Prieur
* **Le guide du savoir-écrire,** Jean-Paul Simard
* **Le guide du vin 99,** Michel Phaneuf
* **Guide gourmand 97 — Les 100 meilleurs restaurants de Montréal,** Josée Blanchette
* **Guide gourmand — Les bons restaurants de Québec — Sélection 1996,** D. Stanton
* **Le guide Mondoux,** Yves Mondoux
  Guide pratique des premiers soins, Raymond Kattar

Guide pratique des vins d'Italie, Jacques Orhon
* Guide Prieur saison par saison, Benoit Prieur
* Les hémérocalles, Benoit Prieur
  L'île d'Orléans, Michel Lessard
* J'aime les azalées, Josée Deschênes
* J'aime les bulbes d'été, Sylvie Regimbal
  J'aime les cactées, Claude Lamarche
* J'aime les conifères, Jacques Lafrenière
* J'aime les petits fruits rouges, Victor Berti
  J'aime les rosiers, René Pronovost
* J'aime les tomates, Victor Berti
* J'aime les violettes africaines, Robert Davidson
  J'apprends l'anglais..., Gino Silicani et Jeanne Grisé-Allard
  Le jardin d'herbes, John Prenis
* Jardins d'ombre et de lumière, Albert Mondor
* Lancer son entreprise, Pierre Levasseur
* La loi et vos droits, Me Paul-Émile Marchand
  Ma grammaire, Roland Jacob et Jacques Laurin
* Le meeting, Gary Holland
  Le nouveau guide des vins de France, Jacques Orhon
* Nouveaux profils de carrière, Claire Landry
  L'orthographe en un clin d'œil, Jacques Laurin
* Ouvrir et gérer un commerce de détail, C. D. Roberge et A. Charbonneau
* Passage obligé, Charles Sirois
* Le patron, Cheryl Reimold
* Le petit Paradis, France Paradis
* La planification fiscale étape par étape, Diane Blais et Michel Lanteigne
* Prévoir les belles années de la retraite, Michael Gordon
  Le rapport Popcorn, Faith Popcorn
* Les secrets d'une succession sans chicane, Justin Dugal
  La taxidermie moderne, Jean Labrie
* Les techniques de jardinage, Paul Pouliot
  Techniques de vente par téléphone, James D. Porterfield
* Tests d'aptitude pour mieux choisir sa carrière, Linda et Barry Gale
* Tout ce que vous devez savoir sur le condominium, Robert Dubois
  Une carrière sur mesure, Denise Lemyre-Desautels
  L'univers de l'astronomie, Robert Tocquet
  Un paon au pays des pingouins, B. Hateley et W. H. Schmidt
  La vente, Tom Hopkins
  Votre destinée dans les lignes de la main, Michel Morin

Affaires publiques, vie culturelle, histoire

Aller-retour au pays de la folie, S. Cailloux-Cohen et Luc Vigneault
* Antiquités du Québec — Objets anciens, Michel Lessard
* Apprécier l'œuvre d'art, Francine Girard
* Autopsie d'un meurtre, Rick Boychuk
* Avec un sourire, Gilles Latulippe
* La baie d'Hudson, Peter C. Newman
* Banque Royale, Duncan McDowall
* Boum Boum Geoffrion, Bernard Geoffrion et Stan Fischler
  Le cercle de mort, Guy Fournier
* Claude Léveillée, Daniel Guérard
* Les conquérants des grands espaces, Peter C. Newman
* Dans la fosse aux lions, Jean Chrétien
* Dans les coulisses du crime organisé, A. Nicasso et L. Lamothe
* Le déclin de l'empire Reichmann, Peter Foster

* **De Dallas à Montréal,** Maurice Philipps
* **Deux verdicts, une vérité,** Gilles Perron et Daniel Daignault
* **Les écoles de rang au Québec,** Jacques Dorion
* **Enquête sur les services secrets,** Normand Lester
* **Étoiles et molécules,** Élizabeth Teissier et Henri Laborit
  La généalogie, Marthe F. Beauregard et Ève B. Malak
  Gilles Villeneuve, Gerald Donaldson
  Gretzky — Mon histoire, Wayne Gretzky et Rick Reilly
* **Les insolences du frère Untel,** Jean-Paul Desbiens
* **Jacques Normand,** Robert Gauthier
* **Jacques Parizeau, un bâtisseur,** Laurence Richard
* **Maurice Duplessis,** Conrad Black
* **Moi, Mike Frost, espion canadien...,** Mike Frost et Michel Gratton
* **Montréal au XXᵉ siècle — regards de photographes,** Collectif dirigé par Michel Lessard
  Montréal, métropole du Québec, Michel Lessard
* **Les mots de la faim et de la soif,** Hélène Matteau
* **Notre Clémence,** Hélène Pedneault
* **Objets anciens du Québec — La vie domestique,** Michel Lessard
* **Option Québec,** René Lévesque
  Parce que je crois aux enfants, Andrée Ruffo
* **Pierre Daignault, d'IXE-13 au père Ovide,** Luc Bertrand
* **Plamondon — Un cœur de rockeur,** Jacques Godbout
* **Pleins feux sur les... services secrets canadiens,** Richard Cléroux
* **Pleurires,** Jean Lapointe
  Québec, ville du Patrimoine mondial, Michel Lessard
* **Les Quilico,** Ruby Mercer
  René Lévesque, portrait d'un homme seul, Claude Fournier
  Riopelle, Robert Bernier
  Sauvez votre planète!, Marjorie Lamb
* **Saveurs des campagnes du Québec,** Jacques Dorion
* **La sculpture ancienne au Québec,** John R. Porter et Jean Bélisle
  Sir Wilfrid Laurier, Laurier L. Lapierre
  La stratégie du dauphin, Dudley Lynch et Paul L. Kordis
* **Le temps des fêtes au Québec,** Raymond Montpetit
* **Trudeau le Québécois,** Michel Vastel
* **Un amour de ville,** Louis-Guy Lemieux
  Villages pittoresques du Québec, Yves Laframboise

Animaux

* **Le chien dans votre vie,** Matthew Margolis et Catherine Swan
  Chiens hors du commun, Dʳ Joël Dehasse
  L'éducation du chien, Dʳ Joël Dehasse et Dʳ Colette de Buyser
* **Encyclopédie des oiseaux du Québec,** W. Earl Godfrey
* **Guide des oiseaux saison par saison,** André Dion
* **Nos animaux,** D. W. Stokes et L. Q. Stokes
* **Nos oiseaux, tome 1,** Donald W. Stokes
* **Nos oiseaux, tome 2,** Donald W. Stokes et Lillian Q. Stokes
* **Nos oiseaux, tome 3,** Donald W. Stokes et Lillian Q. Stokes
* **Nourrir nos oiseaux toute l'année,** André Dion et André Demers
  La palette sauvage d'Audubon, David M. Lank
* **Papillons et chenilles du Québec et de l'est du Canada,** Jean-Paul Laplante
  Vous et vos oiseaux de compagnie, Jacqueline Huard-Viaux
  Vous et vos poissons d'aquarium, Sonia Ganiel
  Vous et votre bâtard, Ata Mamzer
  Vous et votre Beagle, Martin Eylat
  Vous et votre Beauceron, Pierre Boistel

Vous et votre **Berger allemand,** Martin Eylat
Vous et votre **Bernois,** Pierre Van Der Heyden
Vous et votre **Bobtail,** Pierre Boistel
Vous et votre **Boxer,** Sylvain Herriot
Vous et votre **Braque allemand,** Martin Eylat
Vous et votre **Briard,** Pierre Van Der Heyden
Vous et votre **Bulldog,** Pierre Van Der Heyden
Vous et votre **Bullmastiff,** Pierre Van Der Heyden
Vous et votre **Caniche,** Sav Shira
Vous et votre **Chartreux,** Odette Eylat
Vous et votre **chat de gouttière,** Annie Mamzer
Vous et votre **chat tigré,** Odette Eylat
Vous et votre **Chihuahua,** Martin Eylat
Vous et votre **Chow-chow,** Pierre Boistel
Vous et votre **Cockatiel (Perruche callopsite),** Michèle Pilotte
Vous et votre **Collie,** Léon Éthier
Vous et votre **Dalmatien,** Martin Eylat
Vous et votre **Danois,** Martin Eylat
Vous et votre **Doberman,** Paula Denis
Vous et votre **Épagneul breton,** Sylvain Herriot
Vous et votre **furet,** Manon Paradis
Vous et votre **Husky,** Martin Eylat
Vous et votre **Labrador,** Pierre Van Der Heyden
Vous et votre **Lévrier afghan,** Martin Eylat
Vous et votre **lézard,** Michèle Pilotte
Vous et votre **Loulou de Poméranie,** Martin Eylat
Vous et votre **perroquet,** Michèle Pilotte
Vous et votre **perruche ondulée,** Michèle Pilotte
Vous et votre **petit rongeur,** Martin Eylat
Vous et votre **Rottweiler,** Martin Eylat
Vous et votre **Schnauzer,** Martin Eylat
Vous et votre **serpent,** Guy Deland
Vous et votre **Setter anglais,** Martin Eylat
Vous et votre **Siamois,** Odette Eylat
Vous et votre **Teckel,** Pierre Boistel
Vous et votre **Terre-Neuve,** Marie-Edmée Pacreau
Vous et votre **Tervueren,** Pierre Van Der Heyden
Vous et votre **tortue,** André Gaudette
Vous et votre **Westie,** Léon Éthier
Vous et votre **Yorkshire,** Sandra Larochelle

Cuisine et nutrition

* **À la découverte des fromageries du Québec,** André Fouillet
Les aliments et leurs vertus, Jean Carper
Les aliments pour rester jeune, Jean Carper
Les aliments qui guérissent, Jean Carper
Le barbecue, Patrice Dard
* **Bien manger sans se serrer la ceinture,** Marie Breton
* **Biscuits et muffins,** Marg Ruttan
Bon appétit!, Mia et Klaus
Les bonnes soupes du monastère, Victor-Antoine d'Avila-Latourrette
Bonne table, bon sens, Anne Lindsay
Bonne table et bon cœur, Anne Lindsay
* **Bons gras, mauvais gras,** Louise Lambert-Lagacé et Michelle Laflamme
Le boulanger électrique, Marie-Paul Marchand
* **Le cochon à son meilleur,** Philippe Mollé

* **Cocktails de fruits non alcoolisés,** Lorraine Whiteside
Combler ses besoins en calcium, Denyse Hunter
Comment nourrir son enfant, Louise Lambert-Lagacé
La congélation de A à Z, Joan Hood
Les conserves, Sœur Berthe
* **Crème glacée et sorbets,** Yves Lebuis et Gilbert Pauzé
Cuisine amérindienne, Françoise Kayler et André Michel
La cuisine au wok, Charmaine Solomon
* **La cuisine chinoise traditionnelle,** Jean Chen
La cuisine des champs, Anne Gardon
La cuisine du monastère, Victor-Antoine d'Avila-Latourrette
La cuisine, naturellement, Anne Gardon
* **Cuisiner avec le four à convection,** Jehane Benoit
Cuisine traditionnelle des régions du Québec, Institut de tourisme et d'hôtellerie du Québec
Le défi alimentaire de la femme, Louise Lambert-Lagacé
* **Délices en conserve,** Anne Gardon
Des insectes à croquer, Insectarium de Montréal et Jean-Louis Thémis
* **Les desserts sans sucre,** Jennifer Eloff
Devenir végétarien, V. Melina, V. Harrison et B. C. Davis
* **Du moût ou du raisin? Faites vous-même votre vin,** Claudio Bartolozzi
* **Faire son pain soi-même,** Janice Murray Gill
* **Faire son vin soi-même,** André Beaucage
Fruits & légumes exotiques, Jean-Louis Thémis
* **Le guide des accords vins et mets,** Jacques Orhon
Harmonisez vins et mets, Jacques Orhon
Huiles et vinaigres, Jean-François Plante
Le juste milieu dans votre assiette, Dr B. Sears et B. Lawren
* **Le livre du café,** Julien Letellier
Mangez mieux, vivez mieux!, Bruno Comby
Ménopause, nutrition et santé, Louise Lambert-Lagacé
* **Menus et recettes du défi alimentaire de la femme,** Louise Lambert-Lagacé
* **Les muffins,** Angela Clubb
* **La nouvelle boîte à lunch,** Louise Desaulniers et Louise Lambert-Lagacé
La nouvelle cuisine micro-ondes, Marie-Paul Marchand et Nicole Grenier
La nouvelle cuisine micro-ondes II, Marie-Paul Marchand et Nicole Grenier
Les passions gourmandes, Philippe Mollé
* **Les pâtes,** Julien Letellier
* **La pâtisserie,** Maurice-Marie Bellot
Plaisirs d'été, Collectif
* **Poissons, mollusques et crustacés,** Jean-Paul Grappe et l'I.T.H.Q.
* **Les recettes du bien-être absolu,** Dr Barry Sears
Réfléchissez, mangez et maigrissez!, Dr Dean Ornish
La sage bouffe de 2 à 6 ans, Louise Lambert-Lagacé
* **Soupes et plats mijotés,** Marg Ruttan et Lew Miller
Telle mère, telle fille, Debra Waterhouse
Les tisanes qui font merveille, Dr Leonhard Hochenegg et Anita Höhne
Une cuisine sage, Louise Lambert-Lagacé
* **Votre régime contre l'acné,** Alan Moyle
* **Votre régime contre la colite,** Joan Lay
* **Votre régime contre la cystite,** Ralph McCutcheon
* **Votre régime contre la sclérose en plaque,** Rita Greer
* **Votre régime contre l'asthme et le rhume des foins,** R. Newman Turner
* **Votre régime contre le diabète,** Martin Budd
* **Votre régime contre le psoriasis,** Harry Clements
* **Votre régime pour contrôler le cholestérol,** R. Newman Turner
* **Les yogourts glacés,** Mable et Gar Hoffman

Plein air, sports, loisirs

* **30 ans de photos de hockey,** Denis Brodeur
* **L'ABC du bridge,** Frank Stewart et Randall Baron
* **Almanach chasse et pêche 93,** Alain Demers
  L'arc et la chasse, Greg Guardo
* **Les armes de chasse,** Charles Petit-Martinon
  L'art du pliage du papier, Robert Harbin
  La basse sans professeur, Laurence Canty
  La batterie sans professeur, James Blades et Johnny Dean
  Beautés sauvages du Québec, H. Wittenborn et A. Croteau
  Les bons cigares, H. Paul Jeffers et Kevin Gordon
  Le bridge, Viviane Beaulieu
  Carte et boussole, Björn Kjellström
  Le chant sans professeur, Graham Hewitt
* **Charlevoix,** Mia et Klaus
  La clarinette sans professeur, John Robert Brown
  Le clavier électronique sans professeur, Roger Evans
  Le golf après 50 ans, Jacques Barrette et Dr Pierre Lacoste
* **Les clés du scrabble,** Pierre-André Sigal et Michel Raineri
  Corrigez vos défauts au golf, Yves Bergeron
* **Le curling,** Ed Lukowich
* **De la hanche aux doigts de pieds — Guide santé pour l'athlète,** M. J. Schneider et
   M. D. Sussman
* **Devenir gardien de but au hockey,** François Allaire
* **Les éphémères du pêcheur québécois,** Yvon Dulude
  L'esprit de l'aïkido, Massimo N. di Villadorata
* **Exceller au softball,** Dick Walker
* **Exceller au tennis,** Charles Bracken
* **Les Expos,** Denis Brodeur et Daniel Caza
  La flûte à bec sans professeur, Alain Bergeron
  La flûte traversière sans professeur, Howard Harrison
* **Les gardiens de but au hockey,** Denis Brodeur
  Le golf au féminin, Yves Bergeron et André Maltais
  Le grand livre des sports, Le groupe Diagram
  Les grands du hockey, Denis Brodeur
  Le guide complet du judo, Louis Arpin
  Le guide complet du self-defense, Louis Arpin
* **Le guide de la chasse,** Jean Pagé
* **Guide de la forêt québécoise,** André Croteau
* **Le guide de la pêche au Québec,** Jean Pagé
  Guide de mise en forme, P. Anctil, G. Thibault et P. Bergeron
* **Le guide des auberges et relais de campagne du Québec,** François Trépanier
* **Guide des jeux scouts,** Association des Scouts du Canada
  Le guide de survie de l'armée américaine, Collectif
  Guide d'orientation avec carte et boussole, Paul Jacob
  Guide pratique de survie en forêt, Jean-Georges Deschenaux
  La guitare électrique sans professeur, Robert Rioux
  La guitare sans professeur, Roger Evans
  L'harmonica sans professeur, Alain Lamontagne et Michel Aubin
* **Les Îles-de-la-Madeleine,** Mia et Klaus
* **Initiation à l'observation des oiseaux,** Michel Sokolyk
* **Jacques Villeneuve,** Gianni Giansanti
* **J'apprends à nager,** Régent la Coursière
* **Le Jardin botanique,** Mia et Klaus
* **Je me débrouille à la chasse,** Gilles Richard
* **Je me débrouille à la pêche,** Serge Vincent
* **Jeux cocasses au vieux Forum,** Denis Brodeur et Jacques Thériault

* **Jeux pour rire et s'amuser en société,** Claudette Contant
Jouer au golf sans viser la perfection, Bob Rotella et Bob Cullen
Jouons au scrabble, Philippe Guérin
Le karaté Koshiki, Collectif
Le karaté Kyokushin, André Gilbert
Le livre des patiences, Maria Bezanovska et Paul Kitchevats
Le livre du billard, Pierre Morin
* **Manon Rhéaume,** Chantal Gilbert
Manuel de pilotage, Transport Canada
Le manuel du monteur de mouches, Mike Dawes
Le marathon pour tous, Pierre Anctil, Daniel Bégin et Patrick Montuoro
* **Mario Lemieux,** Lawrence Martin
La médecine sportive, Dr Gabe Mirkin et Marshall Hoffman
* **La musculation pour tous,** Serge Laferrière
* **La nature en hiver,** Donald W. Stokes
* **Nos oiseaux en péril,** André Dion
* **Les papillons du Québec,** Christian Veilleux et Bernard Prévost
Parlons franchement des enfants et du sport, J. E. LeBlanc et L. Dickson
* **La photographie sans professeur,** Jean Lauzon
Le piano jazz sans professeur, Bob Kail
Le piano sans professeur, Roger Evans
La planche à voile, Gérald Maillefer
La plongée sous-marine, Richard Charron et Michel Lavoie
Pour l'amour du ciel, Bernard R. Parker
* **Les Québécois à Lillehammer,** Bernard Brault et Michel Marois
* **Racquetball,** Jean Corbeil
* **Racquetball plus,** Jean Corbeil
* **Rivières et lacs canotables du Québec,** Fédération québécoise du canot-camping
Le Saint-Laurent, un fleuve à découvrir, Marie-Claude Ouellet
S'améliorer au tennis, Richard Chevalier
* **Le saumon,** Jean-Paul Dubé
Le saxophone sans professeur, John Robert Brown
* **Le scrabble,** Daniel Gallez
Les secrets du blackjack, Yvan Courchesne
Le solfège sans professeur, Roger Evans
* **Sylvie Fréchette,** Lilianne Lacroix
La technique du ski alpin, Stu Campbell et Max Lundberg
Techniques du billard, Robert Pouliot
* **Le tennis,** Denis Roch
* **Tiger Woods,** Tim Rosaforte
* **Le tissage,** Germaine Galerneau et Jeanne Grisé-Allard
Tous les secrets du golf selon Arnold Palmer, Arnold Palmer
La trompette sans professeur, Digby Fairweather
* **Les vacances en famille: comment s'en sortir vivant,** Erma Bombeck
Villeneuve — Ma première saison en Formule 1, J. Villeneuve et G. Donaldson
Le violon sans professeur, Max Jaffa
Voir plus clair aux échecs, Henri Tranquille et Louis Morin
Le volley-ball, Fédération de volley-ball

Psychologie, vie affective, vie professionnelle, sexualité

20 minutes de répit, Ernest Lawrence Rossi et David Nimmons
1001 stratégies amoureuses, Marie Papillon
À dix kilos du bonheur, Danielle Bourque
L'adultère est un péché qu'on pardonne, Bonnie Eaker Weil et Ruth Winter
* **Aider mon patron à m'aider,** Eugène Houde
Aimer et se le dire, Jacques Salomé et Sylvie Galland

Les enfants de l'indifférence, Andrée Ruffo
* **L'enfant unique — Enfant équilibré, parents heureux,** Ellen Peck
L'Ennéagramme au travail et en amour, Helen Palmer
Entre le rire et les larmes, Élisabeth Carrier
* **L'esprit du grenier,** Henri Laborit
Êtes-vous faits l'un pour l'autre?, Ellen Lederman
* **L'étonnant nouveau-né,** Marshall H. Klaus et Phyllis H. Klaus
Être soi-même, Dorothy Corkille Briggs
* **Évoluer avec ses enfants,** Pierre-Paul Gagné
Exceller sous pression, Saul Miller
* **Exercices aquatiques pour les futures mamans,** Joanne Dussault et Claudia Demers
Fantaisies amoureuses, Marie Papillon
La femme indispensable, Ellen Sue Stern
La force intérieure, J. Ensign Addington
Le fruit défendu, Carol Botwin
Gémeaux en amour, Linda Goodman
Le goût du risque, Gert Semler
Le grand dauphin blanc, Bruno Saint-Cast
* **Le grand manuel des cristaux,** Ursula Markham
La graphologie au service de votre vie intime et professionnelle, Claude Santoy
Guérir des autres, Albert Glaude
Le guide du succès, Tom Hopkins
Histoire d'une femme traquée, Gaëtan Dufour
L'histoire merveilleuse de la naissance, Jocelyne Robert
Horoscope chinois 1999, Neil Somerville
Les initiales du bonheur, Ronald Royer
L'insoutenable absence, Regina Sara Ryan
J'ai commis l'inceste, Gilles David
* **J'aime,** Yves Saint-Arnaud
J'ai rendez-vous avec moi, Micheline Lacasse
Jamais seuls ensemble, Jacques Salomé
Je crois en moi et je vais mieux!, Christ Zois et Patricia Fogarty
Je réinvente ma vie, J. E. Young et J. S. Klosko
* **Le journal intime intensif,** Ira Progoff
Le langage du corps, Julius Fast
Lion en amour, Linda Goodman
Le mal des mots, Denise Thériault
Maman a raison, papa n'a pas tort..., Dr Ron Taffel
Maman, bobo!, Collectif
Les manipulateurs sont parmi nous, Isabelle Nazare-Aga
Ma sexualité de 0 à 6 ans, Jocelyne Robert
Ma sexualité de 6 à 9 ans, Jocelyne Robert
Ma sexualité de 9 à 12 ans, Jocelyne Robert
La méditation transcendantale, Jack Forem
Le mensonge amoureux, Robert Blondin
Mère à la maison et heureuse! Cindy Tolliver
Mettez du feng shui dans votre vie, George Birdsall
* **Mon enfant naîtra-t-il en bonne santé?,** Jonathan Scher et Carol Dix
Mon journal de rêves, Nicole Gratton
Parent responsable, enfant équilibré, François Dumesnil
Parle, je t'écoute..., Kris Rosenberg
Parle-moi... j'ai des choses à te dire, Jacques Salomé
Parlez-leur d'amour, Jocelyne Robert
Parlez pour qu'on vous écoute, Michèle Brien
Partir ou rester?, Peter D. Kramer
Pas de panique!, Dr R. Reid Wilson
Pensez comme Léonard de Vinci, Michael J. Gelb
Père manquant, fils manqué, Guy Corneau

Petit bonheur deviendra grand, Éliane Francœur
La peur d'aimer, Steven Carter et Julia Sokol
Les peurs infantiles, Dr John Pearce
Peut-on être un homme sans faire le mâle?, John Stoltenberg
* **Les plaisirs du stress,** Dr Peter G. Hanson
Poissons en amour, Linda Goodman
Pour en finir avec le trac, Peter Desberg
Pour entretenir la flamme, Marie Papillon
Pourquoi l'autre et pas moi? — Le droit à la jalousie, Dr Louise Auger
Le pouvoir d'Aladin, Jack Canfield et Mark Victor Hansen
Le pouvoir de la couleur, Faber Birren
Préparez votre enfant à l'école dès l'âge de 2 ans, Louise Doyon
* **Prévenir et surmonter la déprime,** Lucien Auger
Le principe de Peter, L. J. Peter et R. Hull
Les problèmes de sommeil des enfants, Dr Susan E. Gottlieb
Psychologie de l'enfant de 0 à 10 ans, Françoise Cholette-Pérusse
* **La puberté,** Angela Hines
La puissance de la vie positive, Norman Vincent Peale
La puissance de l'intention, Richard J. Leider
Qui a peur d'Alexander Lowen?, Édith Fournier
Réfléchissez et devenez riche, Napoleon Hill
La réponse est en moi, Micheline Lacasse
Les rêves, messagers de la nuit, Nicole Gratton
Rompre pour de bon!, Joyce L. Vedral
Ronde et épanouie!, Cheri K. Erdman
S'affirmer au quotidien, Éric Schuler
S'affirmer et communiquer, Jean-Marie Boisvert et Madeleine Beaudry
S'aider soi-même davantage, Lucien Auger
Sagittaire en amour, Linda Goodman
Scorpion en amour, Linda Goodman
Se comprendre soi-même par des tests, Collaboration
Se connaître soi-même, Gérard Artaud
* **Le secret de Blanche,** Blanche Landry
Secrets d'alcôve, Iris et Steven Finz
Les secrets de la flexibilité, Priscilla Donovan et Jacquelyn Wonder
Les secrets de l'astrologie chinoise ou le parfait bonheur, André H. Lemoine
Séduire à coup sûr, Leil Lowndes
* **Se guérir de la sottise,** Lucien Auger
S'entraider, Jacques Limoges
* **La sexualité du jeune adolescent,** Dr Lionel Gendron
La sexualité pour le plaisir et pour l'amour, D. Schmid et M.-J. Mattheeuws
Si je m'écoutais je m'entendrais, Jacques Salomé et Sylvie Galland
* **Superlady du sexe,** Susan C. Bakos
Taureau en amour, Linda Goodman
Le temps d'apprendre à vivre, Lucien Auger
Tics et problèmes de tension musculaire, Kieron O'Connor et Danielle Gareau
Tirez profit de vos erreurs, Gerard I. Nierenberg
Tout se joue avant la maternelle, Masaru Ibuka
* **Travailler devant un écran,** Dr Helen Feeley
Un autre corps pour mon âme, Michael Newton
* **Un monde insolite,** Frank Edwards
Une vie à se dire, Jacques Salomé
* **Un second souffle,** Diane Hébert
Verseau en amour, Linda Goodman
* **La vie antérieure,** Henri Laborit
Vieillir au masculin, Hubert de Ravinel
Vierge en amour, Linda Goodman
Vivre avec un cardiaque, Rhoda F. Levin

Vos enfants consomment-ils des drogues?, Steve Carper et Timothy Dimoff
Votre enfant est-il trop sensible?, Janet Poland et Judi Craig
Votre enfant est-il victime d'intimidation?, Sarah Lawson
Vouloir c'est pouvoir, Raymond Hull
Vous valez mieux que vous ne pensez, Patricia Cleghorn

Santé, beauté

Alzheimer — Le long crépuscule, Donna Cohen et Carl Eisdorfer
L'arthrite, Dr Michael Reed Gach
L'arthrite — méthode révolutionnaire pour s'en débarrasser, Dr John B. Irwin
Bien vivre, mieux vieillir, Marie-Paule Dessaint
Bon vin, bon cœur, bonne santé!, Frank Jones
Le cancer du sein, Dr Carol Fabian et Andrea Warren
La chirurgie esthétique, Dr André Camirand
* **Comment arrêter de fumer pour de bon**, Kieron O'Connor, Robert Langlois et Yves Lamontagne
Cures miracles, Jean Carper
De belles jambes à tout âge, Dr Guylaine Lanctôt
* **Dites-moi, docteur...**, Dr Raymond Thibodeau
Dormez comme un enfant, John Selby
Dos fort bon dos, David Imrie et Lu Barbuto
Dr Dalet, j'ai mal, que faire?, Dr Roger Dalet
* **Être belle pour la vie**, Bronwen Meredith
La faim de vivre, Geneen Roth
Guide critique des médicaments de l'âme, D. Cohen et S. Cailloux-Cohen
L'hystérectomie, Suzanne Alix
L'impuissance, Dr Pierre Alarie et Dr Richard Villeneuve
Initiation au shiatsu, Yuki Rioux
* **Maigrir: la fin de l'obsession**, Susie Orbach
Maladies imaginaires, maladies réelles?, Carla Cantor et Dr Brian A. Fallon
* **Le manuel Johnson & Johnson des premiers soins**, Dr Stephen Rosenberg
* **Les maux de tête chroniques**, Antonia Van Der Meer
Maux de tête et migraines, Dr Jacques P. Meloche et J. Dorion
Millepertuis, la plante du bonheur, Dr Steven Bratman
La médecine des dauphins, Amanda Cochrane et Karena Callen
Mince alors... finis les régimes!, Debra Waterhouse
Perdez du poids... pas le sourire, Dr Senninger
Perdre son ventre en 30 jours, Nancy Burstein
La pharmacie verte, Anny Schneider
Plantes sauvages médicinales, Anny Schneider et Ulysse Charette
Pourquoi les femmes vivent-elles plus longtemps que les hommes?, Royda Crose
* **Principe de la technique respiratoire**, Julie Lefrançois
* **Programme XBX de l'aviation royale du Canada**, Collectif
Qi Gong, L.V. Carnie
Renforcez votre immunité, Bruno Comby
Le rhume des foins, Roger Newman Turner
Ronfleurs, réveillez-vous!, Jocelyne Delage et Jacques Piché
La santé après 50 ans, Muriel R. Gillick
Santé et bien-être par l'aquaforme, Nancy Leclerc
Savoir relaxer — Pour combattre le stress, Dr Edmund Jacobson
* **Soignez vos pieds**, Dr Glenn Copeland et Stan Solomon
Le supermassage minute, Gordon Inkeles
Vaincre les ennemis du sommeil, Charles M. Morin
* **Vaincre l'hypoglycémie**, O. Bouchard et M. Thériault
Vivre avec l'alcool, Louise Nadeau

**ej le jour,
éditeur**

Ouvrages parus au Jour

Ésotérisme, santé, spiritualité

L'astrologie pratique, Wofgang Reinicke
Combattre la maladie d'Alzheimer, Carmel Sheridan
Dans l'œil du cyclone, Collectif
* **Échos de deux générations,** Sophie Giroux et Benoît Lacroix
La féminité cachée de Dieu, Sherry R. Anderson et Patricia Hopkins
Le grand livre de la cartomancie, Gerhard von Lentner
Jeûner pour sa santé, Nicole Boudreau
La méditation — voie de la lumière intérieure, Laurence Freeman
Le nouveau livre des horoscopes chinois, Theodora Lau
Où habite le bon Dieu?, Marc Gellman et Thomas Hartman
La parole du silence, Laurence Freeman
* **Pour en finir avec l'hystérectomie,** Dr Vicki Hufnagel et Susan K. Golant
Le pouvoir de l'auto-hypnose, Stanley Fisher
La prière, Dr Larry Dossey
Prodiges et mystères de la vie avant la naissance, Dr P. W. Nathanielz
Questions réponses sur la maladie d'Alzheimer, Dr Denis Gauvreau et Dr Marie Gendron
Questions réponses sur la ménopause, Ruth S. Jacobowitz
Questions réponses sur les matières grasses et le cholestérol, M. Brault-Dubuc et
    L. Caron-Lahaie
Renaître, Billy Graham
Sagesse amérindienne, Dhyani Ywahoo
S'initier à la méditation, Manon Arcand
Une nouvelle vision de la réalité, Bede Griffiths
Un monde de silence, Laurence Freeman
Un mot dans le silence, un mot pour méditer, John Main
* **Le vol de l'oiseau migrateur,** Joseph Campbell
Votre corps vous écoute, Barbara Hoberman Levine

---

* Pour l'Amérique du Nord seulement.
(99/3)